U0544939

ぬえのいしぶみ

鵼之碑 下

京極夏彥

Kyogoku Natsuhiko

王華懋 譯

下冊　目次

狸（四）……006
虎（五）……032
蛇（六）……058
鵺（三）……076
猿（四）……088
狸（五）……107
虎（六）……124
鵺（四）……139
猿（五）……159
狸（六）……188

鵺（五）……224
猿（六）……250
鵺（六）……268
鵼……301
主要參考文獻……384
解說
鵼為虛假，何者為真？／乃賴……386

上冊　目次

總導讀㈠
妖怪兮歸來，推理可以附體些：京極夏彥與「百鬼夜行」系列／曲辰……005
總導讀㈡
獨力揭起妖怪推理大旗的當代名家——京極夏彥／凌徹……011
鵼　錄自久住加壽夫的創作筆記……029
蛇（一）……049
虎（一）……078
蛇（二）……110
狸（一）……134
虎（二）……163

蛇（三）……191
猿（一）……220
狸（二）……258
虎（三）……280
蛇（四）……304
鵺（一）……331
猿（二）……335
狸（三）……360
虎（四）……378
蛇（五）……393
鵺（二）……416
猿（三）……424

狸（四）

回想起來，這天真是糟透了。

這幾年來，木場的運氣實在背到家了，還數度遭遇生命危險。然而卻無人慰勞、無人讚賞，反而遭到嚴厲訓斥，被抓去會議審問，還遭到降級。

這些都罷了。

都是他自作自受。

被訓斥有被訓斥的理由。木場心裡有數，所以他也認了。遭遇危險和不愉快，也都是他心甘情願。

可是。

這回就不是了。來到日光，表面上是木場主動要來的，但實則不是。他只是中了那些老狐狸的計。為了無可無不可的稀薄動機，漫無目的地跑來，卻不知如何是好。

儘管不知如何是好。

卻也沒道理去聆聽與自己素昧平生的瘋姑娘的身世。木場本來就不擅長和異性交談。若是風塵女子，他可以毫無顧忌地天南地北。因為那是以顧客或刑警的身分在交談。但一拿掉這些身分，他就完全沒轍了。那麼。

——對了。

把對方當成證人或嫌犯就行了——木場靈機一動，卻怎麼也沒法有那樣的感覺。

總覺得被塞了一堆滑溜詭異的東西，木場心情更糟了。

「那……妳爸是什麼時候死的？」

「家父是十年前過世……啊，不對。」

「哪裡不對？」

「我殺害我的生父，是十六年前的事……我想。」

「早就過了追訴期了。」

「和追訴期無關。」姑娘說。

應該吧。她並不是想要被法律制裁。這一點木場明白。

「那妳現在幾歲？」

姑娘低下頭，說她是昭和七年出生的。

「二十二啊……喂等一下，那十六年前，妳不是才七歲嗎？」

「那時候我應該六歲。」

「喂，六歲小孩殺得了人嗎？頂多只能捏死螞蟻吧。」

——不。

若論可能不可能，是有可能的。不管是利刃還是鈍器，只要利用具有殺傷力的凶器，手無縛雞之力的人也殺得了人。因為即使是搖搖學步的幼兒，都能引發重大事故。不論是過失還是偶然，都完全有可能害人喪命。

——但。

事故就是事故。

當然，即使是事故，倘若自己曾經害死人，一定會因此留下重大的心理創傷。

換位思考，應該沒辦法輕易看開，說那時候自己還小，所以不在乎，或當時自己不具責任能力，所以不關我的事。就連粗魯而單純的木場都這麼想了，一個正值敏感年紀的姑娘，或許更無法承受這樣的事實。不過……

木場對自己剛才粗暴的說法有些失悔。

「噯，怎麼說，我不曉得到底怎麼會那樣，不過……」

他不能說「別放在心上」。這類創傷，就像雕刻在石上的紋路，不管是用力擦抹，還是用墨水遮蓋，都不會消失吧。結果木場什麼話都說不出口。

所以……他才討厭這種狀況。

姑娘也沒有責怪他的沉默，只是低著頭。

木場很在意櫃台那裡。

老闆──田上，似乎已經打定主意把這個燙手山芋丟給木場了。

木場從二樓下來，碰上正要走出房間的姑娘，緊接著老闆就回來了。

雖然被誤會也麻煩，但老闆似乎以為姑娘又想逃走，而木場阻止了她。

田上驚慌地說：「我剛剛才去通知佛具行可以放心，拜託妳乖乖待在房間吧。」接著看到杵在樓梯下的木場，不負責任地說：「對了，這個人是東京的警察，妳有什麼苦處，都可以向他傾吐。」又轉向木場，更不負責任地說：「我去把大爺的房間烘暖，大爺先陪著姑娘吧，這樣就放心了。」接著把姑娘和木場一起推進房間裡了。

木場之所以沒有強烈反抗，是因為他多少有些好奇……應該，但他之所以好奇，是因為他知道有公調涉入其中，對姑娘的身世半點興趣都沒有。

然而姑娘──櫻田登和子所說的內容，不管怎麼翻怎麼撿，都看不到半丁點與公安調查廳的關聯。

一得知木場是警察官，不知為何，登和子露出認命的表情，開口第一句話就是「請逮捕我吧」。

還以為她要說什麼，沒想到她說她殺死了父親。

而且是老早以前的事了。

結果陷入了這令人難堪的不自然狀況。

「怎麼說，那是……意外嗎？還是不小心？」

木場連自己都覺得這話問得太沒意思了。然而登和子搖了搖頭：

「是我殺的。我是殺人凶手。」

「可是啊……」

六歲。首先問題是，這麼小的孩子，會有什麼殺意嗎？

——不，這也……

未必不能說沒有。

「我殺了人，卻一直忘了這件事，恬不知恥地苟活到現在。這是不能容許的事吧？」

「呃……」

這姑娘不知道追訴期這東西，也不知道現行法律，未成年與成年人的犯罪處理方式不同。

但這些應該都不是重點。

無論社會觀感如何，人心都不是受到罪刑法定主義所支配的。如果殺了人是事實，那份罪咎感不會輕易消失吧。

木場曾經從軍。

也有敵兵命喪在木場擊發的子彈之下吧。不，確實有。那麼木場也是殺人凶手，只是不知道殺害的對象是誰而已。然而木場卻把這件事束之高閣，活得心安理得。那是戰爭，是沒法子的事——他以這能不能構成理由都不確定的藉口當做擋箭牌，活得眼不見為淨。

然而也有人沒辦法視而不見。聽說戰爭結束後，甚至有人承受不了雙手染血的事實，結束了自己的生命。

所以不能貿然斷定。木場不知道這類感受有無男女老幼的差異，也覺得人各不同，與這些差異無關，但不管怎麼看，眼前的姑娘都弱不禁風，實在不可能扛著刻下如此沉重的傷痕的石碑，照常過活。

「妳是……沒辦法原諒自己吧。」

「我殺了自己的父親，社會、法律，所有的一切都不可能原諒我吧？」

「沒這回事。」木場說。

他把臉轉向一旁。

看向那難以逃脫的窗戶。

「我是刑警，抓過好幾個殺人犯。我抓到的人都活著，接受了法律的制裁。」
「制裁……他們沒有被判死刑嗎？」
「天曉得。嗳，罪就是罪，殺人罪可不輕。他們應該必須做出相應的贖罪，但死刑可不是隨便就會做出來的判決。」
「是……這樣嗎？」
「妳好像想要尋死，也就是判自己死刑吧。我覺得妳這樣想就錯了。我聽說妳還有年幼的弟妹，不是嗎？寄養在佛壇店還是佛具行那裡。要是妳死了，他們怎麼辦？」
木場覺得這不是他該說的話。
他是在開導什麼？
「寬永堂的上代老闆是我外祖母的外甥，算是我母親的表兄弟。」
「所以怎樣？」
「所以……」
「所以怎樣？妳是要說，妳弟弟還是妹妹跟那間佛壇店是遠親嗎？這跟有沒有血緣無關吧？要講血緣，妳這個親姊姊才是最應該照顧他們的人吧？」
「寬永堂沒那麼薄情寡義。他們也說要收養我弟妹。」
「那又怎樣？」
「所以……他們人那麼好，像我這種……」
「殺人犯嗎？不要嫌我煩，殺人的確是重罪，可是就算是這樣……」
木場不太會表達。
「我說妳啊，六歲的小孩殺得了父親嗎？不，我不是說感情的問題。一個六歲小孩……是要怎麼殺人？」
這才是**重點**。
木場能問的，首先就是**這一點**。感情那些的之後再說。一切都等釐清了這點再說。

「我勒死了我父親。」
「小孩子勒死大人？不可能。六歲小孩的手很小，而且沒力。這太扯了。」
「我想……應該是用和服腰帶勒的。」
「腰帶啊……」
那就並非不可能嗎？
從後方用帶子繞住脖子，施加全身的體重——不，有這麼順利嗎？或許也有順利的情況，但……
「不……妳說的那個『我想』，實在……」
——沒錯。
說到這裡木場發現了。把這當成偵訊就行了。只要當成偵訊，就不會覺得尷尬了。總之這姑娘自承她殺了人，如果相信她的說詞，她就等於是嫌犯吧。
不過，並未確認真的有這起命案。等於是沒有屍體，卻只有凶手——這真正就像被狸子給迷騙了。木場仍持續陷在受騙的迷霧當中。
怎麼淨是遇上這種事？——木場兀自牢騷。
「如果妳真的殺了人，這種模糊的說法說服不了人。就算那是老遠以前的事了。」
「是博多腰帶。」
「博多腰帶？」
「把帶子繞在睡著的父親的脖子上……」
「睡著？就算在睡覺，還是會醒吧？」
「他那時候應該喝醉了。」登和子說。
「喝得爛醉睡著了嗎？那，妳是好玩拿那博多腰帶繞父親的脖子，然後不小心失手……是這麼回事嗎？」
「不是。」登和子當下回答。「拿帶子繞在父親脖子上的應該是我母親。」
「母親……等一下，什麼意思？」

「我母親……想要殺死我父親。我在旁邊幫忙。」
「什麼？」
「我父親……在外面跟女人……那叫什麼？」
「搞外遇嗎？」
「外遇……他跟外面的女人……」
「過得這麼爽？」木場說。「還包養情婦，很有本事嘛。」
「沒有的事……我家裡很窮。聽說我外公是塗漆匠，我生父本來是他的徒弟。我沒見過我外公……但聽說我生父一開始也是個很認真的人，但那陣子沒什麼工作，怎麼說，漸漸就……」
「日子過不下去，嫉世憤俗起來了嗎？然後沉溺在溫柔鄉嗎？妳當時那麼小，怎麼這麼了解大人的事？」
「是後來聽說的。」
木場眼睛斜睇，偷覷似地看登和子。
「然後呢？」
「嗯，那個女人的事曝了光……」
「妳母親打翻醋罈子了嗎？」
登和子微微歪頭：
「倒也……不是。」
「那是怎樣？怎麼愈聽愈糊塗……」
不。
木場再次沉默了。
會覺得糊塗，是因為木場用他狹隘的常識來評斷。這一切都是因為木場依然無法切換心態。平常不管是偵訊還是問案，他都不會像這樣問話。
「抱歉。」木場說。

登和子的頭垂得更低了。

「我忍不住……就急著下結論。告訴我怎樣不是吧。這世上很多老婆氣不過花心的丈夫，動刀動手，也有人因為這樣把人給殺了。」

「現在回想，我母親應該是嫉妒，但應該忍耐下來了。雖然她看起來很傷心。可是我父親怎麼說，理直氣壯——外頭的女人的事被我母親知道以後，他索性不工作了，成天喝酒……還動手打人。我也挨打了。我想我母親應該是受不了這件事。」

「打人啊……連五、六歲的小孩都打嗎？」

「是的。在那之前，我想我父親都很溫柔，因為當時我還小……不過，我父親罵了我。」

「罵妳什麼？」

「我想是因為……是我把那個女人的事告訴母親的。」

「妳見到那個情婦了？」

「我還小，應該沒有想過那是什麼關係……但我記得那個阿姨的樣貌，所以一定見過她。然後，我應該是告訴母親了。都是我害的……」

「不對。」木場說。「不管怎麼說，不對的都是妳父親啊。卻把氣出在妳頭上，完全搞錯對象了。」

「可是因為這樣……我父親……應該說我母親……」

「是啦，可是……」

不，還不到體諒心情的階段。

「不，動機先放一邊。那，妳說妳母親把博多腰帶繞在酒後抓狂然後睡著的妳父親脖子上？」

「是的。一定是這樣的。」登和子說。

「一定是這樣？」

「對。那時候……我本來睡著了。我家很小，所以我睡在喝醉的父親旁邊。然後半夜忽然醒來，結果……有蛇。

「蛇？」

橫眉豎目、齜牙咧嘴……

「對，我看到我母親，那張臉變得就像蛇一樣。之前我一直都忘了，但現在可以歷歷在目地想起來。我母親……」

手裡握著東西。

是博多腰帶的一端。另一端纏繞在父親的脖子上。

「……應該是這樣。不，確實就纏繞在上面。另一端從鋪蓋一路延伸到榻榻米上，就在我碰得到的地方。所以我把它……」

抓起來。

登和子說，她覺得非這麼做不可。

拉緊……！

母親似乎這麼說。

「我母親的臉真的好可怕。那完全就是蛇的臉。抓狂的父親也很可怕，但那樣的母親更嚇人。我討厭那樣的母親。她好可憐。」

那是……

因嫉妒而瘋狂的蛇的相貌。那個時候，母親變成了蛇。

最愛的、最溫柔的母親，變成了再可怕不過的蛇。

她討厭得不得了。

害怕得不得了。

那是蛇！陰魂不散的蛇臉！

「回想起來，我並不恨父親，也不討厭他，反而是喜歡他的，可是……」

那瞬間。

再也不喜歡了。

害溫柔的母親變得如此嚇人的父親——她覺得應該要討厭，應該要厭棄，所以。

年幼的登和子抓住帶子，手中使勁，惡狠狠地、使盡全力拉扯。

拉！拉啊！

「我父親……」

「等一下。抱歉，先等一下。」

木場有些混亂了。

也許是因為肚子餓了。

還是不應該扯上這件事的嗎？

——那樣的情節。

並非不可能。但一個六歲小孩和她的母親，把父親及丈夫的脖子……

總覺異樣驚悚。

他無法調適心情。沒法附和「這樣啊」，也不能指責「是妳不對」，也不能說「難為妳了」，也沒法安撫「一定很可怕吧」、「妳一定很難過吧」。當然也不可能說「太好了」。假設這是事實，連是否構成犯罪都很難說。即使是犯罪，也無法制裁吧。即使無法制裁……聽到這些的木場，情緒實在無處著落。

——不。

又掉進陷阱了。

就是想要體諒對方的心情，才會這樣。

「妳記得細節嗎？這個問題或許很殘忍，不過很重要。」

「也不是記得……是想起來了。可是既然會想起來，表示我記得吧。」

「是活著的嗎？」

「咦？」

「妳拉扯那腰帶的時候，妳父親是活著的嗎？不管醉得再怎麼厲害，被勒住脖子，人會非常痛苦，所以一定會掙扎。就算被下了安眠藥，還是被全身麻醉，只要人是活的，就一定會動。怎麼樣？妳記得嗎？」

「嗯……」

登和子仰望天花板。

這姑娘相貌樸素，但五官勻稱。

第一次遇到的時候，她臉色大變地從旁邊跑過去，後來又聽說她一心尋死、腦袋不正常，因此木場似乎抱著相當深的偏見在看她。

但拿掉有色眼鏡一看，登和子是個隨處可見的普通姑娘。不，雖然有些內向，但以她的年齡而言，是個相當穩重、標致的姑娘。

「或許沒有動。」

「就是說吧？」

「什麼意思……？」

「我說啊，」木場伸出雙手。「我是個大老粗刑警，所以沒法說得多委婉。聽好了，如果要用繩子勒住睡著的人的脖子，就要像這樣……」

木場做出勒脖子的動作。

「把繩子繞過去，對吧？不把頭抬起來，就沒辦法套上繩索。會醒的人，這時候就被弄醒了。就算順利套好繩索了，也不太可能放下繩索兩端，都會直接像這樣……」

一口氣勒緊。

木場一邊比劃動作，一邊看向登和子。

原以為她會排斥，但登和子全神貫注地看著木場演戲。

「不迅速勒緊，就會失敗。」

「失敗……？」

「所以啦，我不認識妳父母，所以沒辦法斷定，但就算喝醉了還是睡著了，妳父親總是個男人吧？就算脖子被套上繩子，只要有心，絕對能把人推開。要是發現被勒脖子，一定會反抗。」

登和子瞪著半空中。她在思考。

「聽著，脖子突然被套上繩索，沒有人會開心。在玩在鬧也就算了，會真的來套繩子的人，就是來要命的。除非有什麼天大的理由，沒有人會心甘情願送命，一定會想要掙脫。所以得在對方反抗之前，像這樣……」

木場在拳中使勁，左右拉開。

「一鼓作氣勒緊。聽著，人就算窒息，也不會馬上斃命。如果覺得呼吸困難，會掙扎得更厲害。那麼……」

「那麼……」

「腰帶的另一端掉在妳面前……」

這說不過去——木場說。

「除非其中一邊固定住了，否則一定要抓住繩索兩邊，才有辦法勒脖子。如果放掉繩索，表示已經勒完了。也就是說……」

「嗯。」登和子的表情變得有些為難。「我在拉扯帶子的時候，父親可能已經死了。我……這麼覺得。」

「那……」

不，跟這沒什麼關係嗎？

就算小孩拉扯纏在屍體脖子上的繩帶，也不構成任何罪名。但這是旁枝末節。而且當時才六歲的話，不管做什麼，都不可能構成犯罪。

說到底，還是感情的問題嗎？那麼木場……

——等等。

「我說登和子——小姐，妳的狀況我明白了。雖然不懂，不過明白了。可是……」

「刑警先生要問我母親嗎……？」

「沒錯。如果相信妳的說詞，那妳母親就殺了人。那……」

「我母親前年過世了。」登和子說。

「前年嗎？」

「我生父過世以後，母親再婚，生了弟弟和妹妹，但她再婚的對象——我的第二個父親體弱多病，在戰爭的時候過世了。我外祖母也生了病，所以全靠我母親一個女人家……」

「喂喂喂，妳說的外祖母，是現在住院的那個嗎？妳們……住在一起？」

「對。」

「等等，妳說妳大家不大吧？妳外祖母睡在別的房間嗎？」

「外祖母一直睡在佛間。」

「佛間嗎？那……不是另外一棟房子吧？」

「沒有那種東西。雖然有隔間，但連紙門那些都沒有。」

「連紙門……都沒有？」

「對。佛間就只是鋪了鋪榻榻米的地方而已。除了外祖母以外，大家都在兼工作場的大木地板房間睡覺……」

「那裡就是行凶……現場，是吧？」

登和子點點頭。

「這樣啊。那就等於妳母親在自己的母親和女兒睡覺的地方，勒死了丈夫耶。不……等等。」

不是這個問題。

「說到妳外祖母，現在病況好像很危險，不過她那時候就病了嗎？」

「那時候還很健康……應該。」

「這樣啊。那……」

實在很難說出「殺害妳父親那時候」。

「妳父親過世那時候，老太婆呢？」

「哦……」

登和子再次仰望天花板。

「那時候外祖母怎麼了，我完全沒有印象。」

「會不會不在家？」

有可能是挑選家人不在的時候下手。

「外祖母不會出門在外過夜……應該。」

「那她就是在家了。」

「應該……在。」

「在的話……應該會發現吧？」

連紙門都沒有的話，連隔壁房間都算不上。既然如此，實在不可能完全沒察覺異狀。畢竟連小孩都被吵醒了，老人家的話，應該更容易醒。

登和子一臉困惑。

「剛才我也說過，勒死一個人是很花時間的。對方會痛苦，會掙扎，至少也會呻吟。就算沒出聲，手腳也會大力踢蹬，所以會製造出非比尋常的聲響。所以妳也才會醒來吧。」

「我覺得就是這樣。」

「那老太婆一定也發現了。可是這樣一來，就變成妳外祖母默默坐視女兒和外孫女勒死女婿了。」

這太瘋狂了。

如果沒瘋。

登和子咬住下唇。

「老太婆……也是共犯呢。」

沒有回答。不過，也許這是連想都不必想的事。

即使順利神不知鬼不覺地行凶了，也一定會留下屍體。屍體——在一般情況下——不會自行消失。天一亮，就一定會曝光。如果沒辦法在女兒或母親醒來前處理掉屍體，犯罪就會敗露。而這是不可能做到的事。藏屍不是件易事。首先光是移動屍體，就得大費周章。

「是全家聯手犯案嗎？」

登和子低下了頭。

「噯，好吧，我懂了。那，下一個問題。我說登和子小姐啊，說到戰前，也不過是短短十六年前的事而已。如果不是死因明確，拿到死亡證明書，是沒辦法火葬，也沒辦法土葬的。有人死因可疑，警察就會上門。勒死夠可疑了。與其說是可疑，根本是不折不扣的他殺。可是……」

卻沒有變成命案呢——木場說。

「這太奇怪了。」

「我父親在儲藏室上吊。」

「意思是被偽裝成上吊嗎？」

「我不知道。」登和子說。「我沒有看到。大家這樣跟我說，我就這樣信了。一直以來……這十六年來，我都深信不疑。不過明確地聽到是自殺，是一陣子以後的事。」

「妳說妳一直忘了這件事。」

「是的。我殺了父親這件事，我完全忘記了。也許您不會相信。」

「不，是有這種事的。」

雖然我覺得妳並沒有殺人——木場原想接著這麼說，打消了念頭。不管讓人斃命的是誰，都不是重點。

「複雜的事情我不懂，不過是有這種事的。不過就算是這樣，妳的母親和外祖母，知道妳不記得那時候的事嗎？」

「咦？」

登和子看起來……頓時陷入了不安。

「我說啊，這種事看臉也看不出來的。不問不會知道，但是……一問就曝光了啊。」

「這……」

「我是說，她們不可能當著妳的面問：『欸，妳記得那天晚上勒死阿爸的事嗎？』就算是旁敲側擊，也不確定妳會不會說真話。對吧？」

「說的……也是呢。」

「妳們就在這種模糊不清的狀態下過了十六年嗎？妳或許是忘了，但妳母親、老太婆應該沒有忘記。還是怎樣？難不成三個人統統都失憶了嗎？」

「這……」

「當時還小的妳因為過度驚嚇，失去記憶，這都還好。是有這種事的。可是正犯和事後共犯會一起失憶嗎？有這麼方便的事嗎？……我覺得不可能。」

登和子苦惱地蹙眉，右手按在額上。

「我不曉得妳母親是個怎樣的人。可是啊，登和子小姐，假設勒死妳父親的真的是妳母親，當時她應該被強烈的感情沖昏頭了，所以或許是會叫醒來的妳一起拉帶子，可是……」

可是。

「問題是接下來。我沒有小孩，又是這樣一個大老粗，實在不了解親子之間的感情，也覺得應該是人各不同。但就算是這樣，假設我殺了人，還讓一個不懂事的小鬼頭幫了忙……」

我一定會道歉，木場說。

「道歉？」

「是啊。殺人這回事，不是正常狀態之下做得出來的事。好像也有人辦得到，但對大部分的人來說都太難吧。可是，是有失控的瞬間的。我也是，明明是公僕，卻也遇上過只差一步就把人給宰了的狀況。但那也就是那一瞬間的事。那瞬間過了，就回來了。」

木場在食指使勁。

因為他想起了自己將槍口對準某人的那一天。

「一旦回來，就再也下不了手了。」

所以。

「妳母親在那件事過去以後，到底怎麼了？跟老太婆一起去儲藏室把妳父親的屍體吊起來嗎？留下妳一個人。」

「這……」

「會這麼做嗎？那時候妳才六歲吧？一定很害怕吧？妳沒哭嗎？」

「我不記得了。」登和子說。

「想起了殺人的部分，後面的事卻想不起來嗎？這……不叫想起來吧？」木場說。

「什麼意思？」

「不知道啦，我又沒那麼聰明。妳說的事，光是聽妳說的，是可以理解。很離奇，很淒慘，感覺不可能有這種事，但世上也是有這種事的吧。可是啊，還是……不對勁。」

「不對勁嗎……？或許是吧，可是……」

「妳覺得奇怪的地方不奇怪，我說的是除此之外的地方。喂，叫小孩子幫忙殺人，事後卻完全沒有想法子搞定，有辦法安安心心地過上十幾年嗎？有辦法再婚生小孩，安穩地過日子嗎？而且同住的老太婆是共犯吧？妳母親有任何處理這件事的樣子嗎？」

登和子摀住了嘴巴。

「妳記得葬禮嗎？」

「咦……？」

「第一個父親的葬禮啊。」

「這……好像跟第二次的繼父的葬禮記憶混在一起了……」

「那妳就只想起了殺死妳父親——不，拉扯那博多腰帶的記憶而已嗎？這就是妳想起來的記憶嗎？」

「可是，我一直不敢摸帶子或繩索，連看到都覺得害怕……」

登和子左右搖頭。

「自從想起那時候的事以後，我就敢摸了。在那之前，不管是腰帶、繩索，這些東西都讓我害怕極了，連碰都不敢碰，所以也沒辦法穿和服……」

「怎麼會害怕？妳之前又沒有想起妳父親的事。妳一直忘記了。」

「是因為……像蛇……」

「蛇？」

「那種形狀的東西，看起來都像是蛇……」

「那妳是**怕蛇**吧？」木場說。

「可是，我想起那天晚上的事以後……」

「妳沒有想起來啊。」

「咦……？」

「拉扯帶子以後怎麼了，甚至是妳父親的葬禮，妳都沒有想起來吧？那會不會是妳根本不知道，而不是想不起來？」

「不，可是……」

「確實，勒死父親這種可怕的記憶，是應該要封印起來。這我也同意。可是父親過世這件事本身，妳確實知道，對吧？那連葬禮的記憶都消失不見，我覺得反倒奇怪。」

「那是，不是把記憶封印起來還是怎麼樣，只是單純我年紀太小，所以記憶模糊……而已吧？」

「或許吧。可是妳在想起妳拉扯帶子的事以前，都相信妳父親是上吊死掉的吧？」

登和子點點頭。

「十六年之間，妳都相信父親是自殺的，從未懷疑。這……我也覺得有點說不過去。」

「那是……因為……」

「因為妳母親和老太婆布置成上吊嗎？可是要是相信妳的說詞，當時妳也在現場啊。沒想起來的話，表示妳沒有參加後續的偽裝布置，但就算妳沒有參與，會相信上吊的謊言嗎？」

「這……」

因為相信對自己比較好吧——登和子無力地說。

「為了忘記……」

「妳是說，正好拿來覆蓋原本的記憶嗎？唔，或許吧。對妳來說或許是這樣吧，但撒謊的人呢？如果妳當時真的在現場，拉了帶子，她們還會睜眼說瞎話地跟妳說什麼父親是上吊的嗎？我再說一次，妳媽跟老太婆，都不可能知道妳忘掉了那時候的事。還是她們是在跟妳串供？跟一個六歲的小孩？」

沒錯。

這要是登和子一個人犯下的罪行，那另當別論。為了掩飾小孩犯下的罪，外祖母和母親偽裝死因，並要凶手的小孩本人也堅稱那虛構的事實——若是這樣，就順理成章。

但實際上並非如此。

六歲的登和子要獨力殺害父親，首先就是不可能的事。登和子只是拉扯了博多腰帶的一端而已。

這樣的話……

木場不擅長思考。

也不喜歡搬弄道理。

但這幾年來，他學會了整理思考的方法。

這名姑娘沒有撒謊。從她一次又一次尋死，可以確定她真心相信那段**回想起來的可怕記憶**是真的。十六年前，她的父親應該真的發生過什麼事。不過。

「妳會不會是被誰**灌輸**了什麼奇怪的記憶啊？」

木場這麼說。

「灌輸記憶……這是什麼意思？」

「有人會任意改寫或掉包別人的記憶或過去。」木場說。

「怎麼可能……?」

「聽起來是很離奇,可是妳說的事也差不多離奇。只有一件事一直忘記,一想起來,本來害怕的東西就突然不怕了,一般都會覺得哪有這種事吧?要是妳說的話有可能,我這話也有可能啊。」

實際上,去年木場涉入的案子裡,就頻繁地出現這樣的情節。

「那……我……我……」

登和子重複了幾次,一次又一次搖頭。

「也難怪妳會有這種反應。現在我覺得自己上的賊船,是咔嚓咔嚓山的狸子坐的泥船〔註〕了。可是登和子小姐啊,每個人坐的船啊,都只是或多或少比泥船像樣一些而已。」

我跟這姑娘都是泥船上的狸子。

「可是……這樣的話……」

「覺得恐慌嗎?我想也是。那麼,對了,想起握住帶子拉扯的時候,妳還想起了別的什麼嗎?」

「這……」登和子轉動眼睛。「想起……我父親的……」

「外遇對象嗎?」

「她的臉和身影……她打著陽傘,一身華美的和服,皮膚白皙,穿著圖樣很華麗的和服,感覺艷光照人……」

「是跟拉帶子的記憶一起想起來的嗎?」

「不是,我是突然想起那個人的事,結果……」

註:咔嚓咔嚓山(かちかち山)是日本民間故事,大意是偷吃作物的狸貓被老爺爺逮住,為了報復而殺死老奶奶。老爺爺疼愛的兔子為了教訓狸貓,首先把狸子騙上山,放火燒傷狸子,再約狸子去釣魚,卻騙狸子坐上泥船,趁泥船崩解,狸子落水之際,持槳將其打死。

「跟著想起了這些嗎？」

「那個阿姨實在太美了，我總是對她看得出神……她都會避開別人，挑我母親不在家的時候過來……這件事是確定的……咦？」

這些記憶也是假的嗎？——登和子說，瞇起眼睛萎靡了。

「等等、等等，不是說全都是假的。關於那女人的記憶，妳想起來的就只有外表嗎？」

「不是。對了，我想起父親說的話……」

——別告訴妳娘喲。

——給妳糖吃，別說出去喲。

——這是祕密喲。勾手指發誓唷。如果不守信用，

——蛇就會來找妳唷。

「蛇啊？」

「那……應該是我父親的聲音。可是確實仔細想想，我根本不記得亡父的聲音。那……」

「別貿然下定論。這種事，不會是徹頭徹尾全是假的……雖然我也不清楚啦。聽說只要有一個地方錯了位，就像扣錯鈕釦一樣，就算是同樣的記憶，也會變成別的東西。我是不太會解釋啦。」

登和子歪起了頭。說的木場自己都不甚了了。

「是啊，那，妳怎麼會想起那女人的事？有什麼原因嗎？是看到相似的女人，還是聽到哪個花心丈夫的事？」

登和子手抵著額頭，盯著榻榻米上方三寸的半空中。

「大概是……去年剛過秋天的時候吧，我告訴職場同事我怕蛇，造成生活上很大的不便。同事說，只要知道原因就能治好……可是我半信半疑，然後……」

說到這裡，登和子抬起頭來。

「是倫子。」

「那是誰？」

「也是同事。對了，我聞到倫子的香袋氣味……」

「香袋？」

「對。那叫什麼去了？對，是龍腦。叫這種名字的香料。它跟……」

那女人的香味。

「一樣嗎？」

「我覺得……一樣。所以，不，可是怎麼會呢？那時候，我確實想起了那個女人的相貌，回想起像是父親說的話……同時想起來的，對，就是**以為是帶子，卻抓到蛇**的記憶。」

「原來如此。」

——就是這部分嗎？

雖然完全不明白這意味著什麼，但木場毫無根據地相信，答案一定就在這裡。

儘管木場連問題是什麼都不清楚。

「然後……我覺得這大概就是我怕蛇的原因。仔細想想，在那之前，大概五歲以前，我穿和服都沒事。也就是我敢摸腰帶和繩索。那個女人的記憶，絕對是我生父還在世的時候……更正確地說是，是他過世之前的記憶，所以我抓住蛇的記憶，應該也是那時候。」

「妳認為從此以後，妳就怕起蛇來了。」

「對。所以，我想起同事說只要知道原因，對蛇的恐懼也會消失，心或許我已經好了……所以我打開櫥櫃，把裡面的博多腰帶……」

「拿起來嗎？」

「拿起來。原本光是看到，我就怕到連動都不敢動，但我敢拿了。我覺得我已經好了，可是……」

「一拿起帶子，就想起了殺死父親的事？」

登和子發出不算回應的含糊應聲。她似乎完全混亂了。

還有別的。還有某些隱藏的祕密。

鄉嶋……

「對了，今天不是有個凶神惡煞的男人在追妳嗎？他說了什麼嗎？」

原本神情痛苦的登和子忽然變得一臉呆愣，看著木場。

「妳不是一路逃回來嗎？從那邊的巷子。」

「嗯……」

「那時候我不是堵住巷子似地站在那裡嗎？這麼……」木場指著自己的臉。「這麼罕見的臉孔，妳也沒印象嗎？」

「對不起。」登和子低頭。

「這有什麼好道歉的？我聽這邊的老闆說，妳在佛壇店上吊沒死成，還想跳水自殺？」

「我覺得我不能活在這世上。」登和子說。「從年底開始，我就一直在想我殺死了自己的父親……可是就在同一時刻，外祖母的病情惡化，我光是照顧和工作，就心力交瘁了。讓外祖母住院，把弟妹也安頓好，喘了一口氣，總覺得整個人都虛脫了，結果拉扯帶子那時的感覺又湧了上來，我好害怕、好悲傷、好難過，覺得怎麼樣都不能活了……所以才跑去華嚴瀑布……」

「妳也太魯莽了。」木場說。「聽著，我覺得殺人和自殺，基本上都是一樣的。光想的話，每個人都會有這些念頭，但會不會實行，是另當別論。總之都是一時鬼迷心竅。可是如果真的死了，就真的沒了。」

登和子縮起了下巴。

看來她失去尋短的念頭了。

「您……說的沒錯呢。可是，那個時候我覺得無論如何都非死不可……想要爬到瀑布上面，結果那個人突然冒出來……」

「然後呢？」

「嗯，那個人……他攔住正要跳下去的我……我覺得應該是我的樣子很不對勁，不過，他並不是碰巧看到阻止我的。」

絕對是在跟蹤她。這幾天登和子都忙著安排外祖母住院的事，所以鄉嶋是在等待登和子落單的機會吧。

「他問我姓名，我回答他，他說想問我死去的父親的事……我以為當然是要問病死的繼父，沒想到不是……他說他不是要問櫻田，而要問田端──田端勳的事。我因為一直在想自己殺了父親田端勳的事，所以嚇得魂飛魄散……」

「逃跑了嗎？」

「對。可是他一直窮追不捨。如果是警察的話，應該會亮出警徽那些，卻也沒有，而且他說要問我生父的事，我心想絕對是要問他被殺死的事。結果滿腦子就只剩下一死了之這個念頭了。」

「哼。」

鄉嶋說他救了登和子好幾次，但同時把她逼上絕路的，就是他自己。

不過這麼一來，就變成公安調查廳在調查登和子死去的生父了。

「妳的生父，是塗漆的工匠吧？」

「是的。我聽說他都幫栗山村等地方做的膳台或托盆做最後的上漆工作。我家好像從外祖父那一代就是做這一行的。刷子和壺那些工具，應該都還在儲藏室裡。」

這樣一個人，怎麼會變成公安調查的對象？

「工匠啊……」

「不過他被殺──死掉──的前一兩年，好像完全沒在工作。我們對面的人家也是漆工，聽說從戰爭開始的十年前左右，工作就愈來愈少了，但即使是那種狀況，我父親也沒在工作。對面人家還說，多虧我父親不會跟他們搶工作，讓他們工作變多，增加了一點收入。」

「可是沒工作的話，妳們家要怎麼溫飽？」

「不知道。」登和子說。「我外祖母和母親會做織紬布的工作，我覺得是靠這些溫飽的。」

這樣的話，更不明白鄉嶋追趕她的理由了。

「可是啊，不事生產，在外頭養女人，還理直氣壯酗酒動粗？噯，真是個廢物。妳記得自己挨打的事嗎？」

登和子再次垂頭：

「我記得。可是也記得父親對我好的時候，雖然模模糊糊，但對我好的記憶好像比較多。我覺得我沒有那麼討厭父親。」

「那……妳還是沒殺妳父親啦。」木場毫無根據地斷定說。

「咦……？」

「雖然只是我猜的。我甚至覺得，搞不好妳爸根本沒死哩。」

「怎麼可能？這……可是我母親再婚了啊。」

是這樣沒錯。

如果裡頭有什麼文章，會不會就是這裡？

「嗯……對了，妳住院的外祖母。妳外祖母不就是活證人嗎？去問妳阿媽——啊，她病危了嗎？沒辦法說話啊。」

「就算還能說話，我外祖母好幾年前就已經……」

「啊，痴呆嘍？」

「是的。年底的時候，有一次我實在是受不了，都快發瘋了……向她問了我生父的事。結果……」

——猴子在發光。

——不該做那種事的。

——妙子的男人運也太差了。

——在發光。

「猴子？」

「對。整個莫名其妙。外祖母只是一直說真討厭真討厭。」

「呃，唔，這個嘛……。猴子？發光是在說什麼？」

登和子應了一聲「不曉得」，歪起了頭。

和最初碰面時的表情大相逕庭。

「我說啊，登和子小姐，我來這兒，原本是為了別的事。不是什麼大事。不過一不做二不休，我就查一下吧。」

「查……？」

「先去公所查資料。妳父親的事，我會再查一下。要是他死了，唔，因為是戰前的事了，我也不敢保證什麼，不過開死亡證明書的醫生或許還活著。」

「可以查到這種事嗎？」登和子問，木場亮出警察手冊：

「這多少有點用處，所以啦，要尋短先等等吧。妳阿媽也不久了吧？說這種話雖然不太吉利，但至少幫她辦好後事再說吧。」

「好的。」登和子回應。

看來暫時是沒事了。

「那……這樣好像在討人情，不過妳是日光人吧？妳有沒有聽說過KIRIYAMA這個姓氏？要不然就是……笹村？」

「笹村……？」

那個龍腦香袋的主人，名字就叫做笹村倫子——登和子回道。

虎（五）

這地方讓人心平氣和。

東京雜亂紛擾，但很方便。雖然方便，但沒有遠方。因為東京全以近在眼前和手搆得著的事物所構成，視線沒必要投向遠方。

御廚這麼認為。

而日光有遠方。有山。但山搆不著。雖然美，但只能看。風景勝地就是這樣的吧。

這座村子讓人覺得搆得到那搆不著的遠方。景色與生活並非涇渭分明。也許稱不上分外美麗，卻也不髒亂。至少沒有都會的污穢。御廚覺得這裡是個舒適的地方。

御廚這麼說，益田沒什麼勁地說，鄉下都是這樣的。

木暮這個人的住處馬上就查到了。等於不出益田所料，因此御廚以為主任偵探會一如往例，開心興奮，沒想到他卻一反昨日，一副消沉沮喪的模樣。

昨天。

御廚和回來的益田一起吃了晚飯。

昨天傍晚益田一無所獲，心情卻很不錯。偵探油腔滑調地說，既然都來到日光了，去偵探長的哥哥開的飯店吃飯吧，咱們認識，一定會給個優惠，但御廚聽到那裡是高級西餐廳，拒絕了。

畢竟是高級餐廳。御廚擔心萬一對方不給折扣就糟了，也覺得這樣的可能性更大。結果兩人也沒點豆腐皮，吃了便宜的定食。

比起這些，御廚更在乎從益田後方注視著偵探的女子，但益田似乎完全不以為意。明明看起來被跟蹤了。

益田有些愉快而饒舌地說，他在枥木沒有認識的人，更別說年輕小姐了，要是真有那種人，他才是求之不得。御廚還是搞不懂這個人究竟可不可靠。

然而。

益田今天一反常態，畏首畏尾。

御廚問他怎麼了，偵探說他怕怕的。

「怕什麼？」

「怕什麼……？怕那個……木暮刑警嗎？怕那個人啊。嗳，他在這一帶好像是出了名的喔。」

「有名不是好事嗎？住處也一下子就找到了。不愧是主任偵探。」

「問題是他出名的理由啊。」益田說。「如果是當地名士，還是祭典中的鋒頭人物，這些我當然歡迎。可是好像……」

「好像什麼？」

「喏，之前鳥口不是說過嗎？那個叫什麼，熱愛戰爭的人，叫鷹派還是強硬派的，還是國粹主義？日本萬歲那一派的。好像是這一類的人。」

「你……怕那種人嗎？」

「我這個人大概不算左派，但絕對不是右派。我實在不喜歡這什麼派，畢竟我也沒有那類思想主義。我與其說是鴿派，就只是普通的鴿子而已。我徹底痛恨暴力。邀天之幸，我就是個窩囊的膽小鬼。」

「這……」雖然御廚都明白。「你會跟他吵起來嗎？」

「所以說，我不跟人吵的。我是偵探，會順著對方的話說。遇到賣魚的，就徹底只聊魚的事，遇到愛幻想的少女，就只談粉紅夢幻的話題。性犯罪也是我棘手的領域，但可以用黃色笑話混過去，所以還好，可是啊……」

我反對戰爭啊——益田說。

「就算對方讚美戰爭，我也很難附和下去。」

「我也是啊。」

「就算只是表面同意，也很讓人疲乏呢。但這部分要是沒應付好，搞不好會吃閉門羹。」

「喔……」

真教人為難。

御廚想，又不是要去討論政治話題。她覺得益田這個人似乎愛把事情想得太複雜，自亂陣腳。

「就在那邊轉彎的地方。」益田指著前方說。

鳥在啼叫。

「啊，天哪，這實在，哇……」

益田一臉遺憾，御廚循著他的視線望去，看到一棟詭異的透天厝。

總覺得劍拔弩張。籬笆被尖刺竹柵欄圍繞，屋瓦上放了好幾尊不知道是鬼還是鍾馗的塑像，遠遠地看不出是生著尖角還是拿著長槍，但總之是尖的。取代門柱豎立的石柱上，雕刻著「八紘為宇〔註〕」四個字。

明明不是國定假日，卻高掛著日之丸國旗。

「噯……難怪會出名。不過這不是『八紘一宇』啊。」

「那是什麼意思？」

「我不知道。好像不是什麼好的意思，所以應該被ＧＨＱ禁止使用了。雖然差了一個字，但意思應該差不多吧。」

益田說著，半個身子躲在石柱後方，偷窺屋內。結果還是變得鬼鬼祟祟了。御廚也在益田後面偷看。

門牌寫著「木暮元太郎」。

「元太郎先生啊……」

益田更加卑屈地縮起脖子，小聲說「我去了」。躡手躡腳，簡直就像個賊。

益田伸手正準備按門鈴，瞬間門開了一半。

「有事嗎？」

聲音低沉沙啞，但很宏亮。

伸出門口的那張臉……相當凶悍。一雙眼睛刺眼地瞇起，下巴戽斗，一頭花白的大平頭，但粗濃的眉毛十分漆黑。那人一身和服，罩著棉袍。

益田往後一跳，擺出立正姿勢。御廚以為要被撞到了，也連忙後退。

「這、這裡是木暮先生的……」

「我就是木暮，你是？」

「我、我是那個，敝、敝姓益田。」

御廚覺得這時候應該遞出名片，益田卻是立正不動，僵在原地。

「木木木暮先生以前也是刑警。」

「是啊，沒錯。」

「真真真是巧，我我以前也在國家地方警察供職，所、所所以……」

「哦。」

木暮說著，把門整個打開來。

「你好像誤會了什麼。我不是什麼國粹主義者，也不是信仰世間所謂的右翼思想。雖然我對這些事有自己的一套看法……但我反對戰爭行為。」

「原、原來是這樣……」

益田在意著背後的石柱。

「哦，那個啊。噯，也難怪你誤會。」

「難怪……？」

註：語出《日本書紀》，為天下一家之意，也作「八紘一宇」。是二次世界大戰時日本帝國的國家格言。

「哦，戰前那時候，嗯，我比現在更偏激許多。立起那種東西，自鳴得意。只是啊，起頭容易結梢難，而且我也不是轉向了，所以想說也沒必要撤掉，就任由它立在那兒了。」

「哦……。可是八紘一宇……進駐軍沒找麻煩嗎？」

「那是八紘為宇。」木暮說。「差了一個字。一宇是田中智學〔註〕新創的詞，原本是從《日本書紀》的其中一句凝縮而成的，我這邊的八紘為宇才符合原句。八紘是延伸四方的繩索，也就是連接世界每一個角落的繩索。宇呢，就是大屋頂的意思吧。屋簷之下，不是就叫做宇內嗎？」

「是。」益田恭敬地回應。

「所以嘍，這句話的意思是，這世界的人，全都是生活在同一個屋簷下的一家人。」

「原、原來是這麼棒的意思嗎？」

木暮把瞇起的眼睛瞇得更細了：

「要看怎麼解釋吧。戰後美國人之所以挑這句話的毛病，是因為大日本帝國把它當成侵略口號，拿去利用在大東亞共榮圈的構想上。就算實現世界一家，那個家的家長也是這個國家，那根本就是征服世界。雖然大意相近，但我認為拿來做為侵略的旗幟，是一種曲解。」

「是……」

「可是，其實不是吶。」

木暮手扠著腰，看著石塔。

「雖然這麼說……但如今回過頭來看……」

「什、什麼……？」

「細細一想，我漸漸覺得家父長制這樣的思維本身就是錯的。我開始覺得就是因為根本之處有著這樣的思維，解釋才會扭曲。」

「扭、扭曲嗎？」

「我退休已經很久了，所以有時間天南地北地想。也沒有家累，所以從早到晚都在想。也不必工作嘛。

雖然想這些也沒用。這麼一想，噯，不管是一宇還是為宇，都沒什麼差別……不過最重要的是，」

進駐軍看不懂漢字啊——木暮說。

「所以才會像這樣置之不理。倒是……你有何貴幹？」

「啊，那個就是，其實呢，有點事想要請教……」

「就說了，別那麼拘謹。雖然我有賣弄這類胡言亂語的毛病，但也就這樣而已。就是個普通老頭罷了。我沒老伴也沒有孩子，所以多少有些乖僻而已。兩位是夫妻嗎？」

益田頓了一下，回答「是偵探和委託人」。

「偵探？」

「我是偵探，在幫這位小姐尋找下落不明的未婚夫。不好意思。」

木暮神情嚴肅地瞥了益田一眼，說「這也不是什麼需要道歉的事」。御廚判斷，木暮只是外表看上去嚴肅，其實並非如此。

直到這時，益田終於打算遞名片了，但木暮抬手制止。他說「有事的話就進屋吧，外頭很冷」，請兩人進入屋內。

確實，身體都變冷了。

但屋內也算不上溫暖。

兩人被領至寬闊的木地板房間，中央有一座地爐，但室內仍然一片寒冷。爐裡看不出有沒有生火。室內有座不知道是神棚還是佛壇的豪華祭壇，上面掛著御真影——天皇陛下的肖像。

御廚不知道該坐哪裡好，姑且在門口旁邊的角落坐下來。

益田不知所措地站著。

註：田中智學（一八六一～一九三九）為日本的宗教家。

一會兒後，木暮端著托盆進來，說著「噯，請坐」，在地爐邊擺上座墊。托盤上的茶杯冒著濛濛蒸氣。室內果然很冷。

「我一個人獨居，恕我招待不周了。」

「請、請不必張羅。我們連樣土產都沒帶，還厚著臉皮進來。」

「你們才是，不必客氣。」

木暮笑道。這個人果然沒那麼難相處。

益田再次畢恭畢敬地遞出名片。

「偵探啊。不是警察，卻在做偵探這樣的工作啊。」

「是啊。我在辭掉警職以前，也是在做差不多的事……啊，是一般俗稱的私立偵探。喏，跟那個明智小五郎〔註一〕一樣。」

「我不認識那個人。」木暮說。「他也是和警方有關的人士嗎？」

「不是的……唔，總之是調查、搜索這類工作。然後，這位是我的委託人御廚冨美小姐。其實我是在找這位小姐的未婚夫。」

「哦？那……怎麼會找到我這裡來？我想你們已經知道了，連村子裡的人都覺得我是個怪人。雖然應該還不致於人見人厭，但幾乎不會有人上門做客。因為找我也沒什麼事。」

「是，就是……」

「我啊，」木暮朝擱在木地板上的益田的名片瞥了一眼。「益田嗎……？為了避免誤會，我再聲明一次，就像我剛才說的，我不是國粹主義者，也不是歌頌戰爭的人。一般人對這些的區分很草率，因此多半都混為一談，村子裡的人多半也都誤會了，所以你才會有那樣的成見……」

「是……」

「我自己也覺得這是沒辦法的事。我這個人簡單地說呢，從祖父那一代開始，就是鐵打的尊王攘夷主義者。」

「嘿？」

「你一定覺得搞錯時代了，對吧？沒錯，我也清楚，在現代昭和，攘夷這樣的思想，包括攘夷這個詞在內，都是格格不入的。我不認為外國是邪惡的，也認為不應該輕視外國人和外國文化。雖然同時也不願意受到輕視。」

「唔，是啊……」

「倚恃武力和財力，去蹂躪另一個國家和文化，是絕不該有的行徑。我所說的攘夷是這樣的意思，而非排外論。我不會因為異國人是異國人，就去排擠、打壓異國人。至於尊王，嗯，這應該無所謂吧。害法保障人民思想信條的自由，對吧？」

「是……。從剛才開始，我就只能嗯嗯欸欸地附和，連自己都覺得很沒用……不過現今這時代，不論誰要尊敬什麼樣的人，都不受限制吧。……我這麼覺得啦。」

益田虎頭蛇尾地做結說。

「是這樣沒錯，但只要說出尊王兩個字，就會被當成倒幕派吶。」

「哎呀，難道不是嗎？」

「日光這地方，說來就像是德川家的聖地。因為這裡祭祀著家康公。我的祖父呢，過去在日光奉行所（註二）當同心（註三），是幕府的人。」

「是……這樣呢。」

「不，益田，世人對這部分的認知很隨便。並不是說親幕藩和佐幕派都想削弱天子的地位。雖然德川家被認定為朝敵，但那是薩摩藩和長州藩策動天子這麼做，並不是說幕府想推翻朝廷。」

註一：明智小五郎是偵探小說家江戶川亂步筆下的偵探角色。

註二：江戶時代的奉行所，為一地掌管行政、司法、警察的機關。

註三：同心為江戶幕府中任職於奉行所等處的基層官吏，在與力底下負責庶務、警察事務。

「喔……。聽您這麼一說，確實如此呢。我這個俗人不清楚幕末的歷史，所以嗯，確實都是用單純的對立軸來思考。」

「就是說吧？」木暮說。「可是啊，我的祖父奉日光奉行新庄右近將監大人的命令，負責阻止在鳥羽伏見之戰〔註一〕中敗逃的幕府士兵進入日光。我說出這件事，每個人都說這太奇怪了。他們說，不管是殘兵敗將還是逃兵，既然是是幕府的人，就應該要藏匿他們才對。確實，他們有許多人都想要以日光這裡當成據點之一，繼續朝會津北上，所以若是支持舊幕府軍，就應該要接濟他們吧。但日光奉行所是奉幕府之命，保護日光此地，並不是在跟薩摩及長州〔註二〕作戰。」

「呃，是這樣的嗎？」

益田面頰抽搐，偷看御廚。

他似乎大感吃不消。

「而且舊幕府下達通知，說德川慶喜受到謹慎處分〔註三〕，應遵守此一宗旨。也就是說，將軍都乖乖表達恭順朝廷之意了，你們這些家臣也應當效法。所以日光奉行所只是在遵從幕府的命令，絕對沒有支持薩長那一邊。再說，雖然日光確實祭祀著東照神君家康公，但勝道上人開山是在天平神護〔註四〕二年，從歷史的區分來看，是奈良時代。後來源賴朝〔註五〕也皈依上人，鎌倉幕府滅亡後也……」

「不好意思……」

「啊。」

木暮在額頭擠出皺紋，右手在上頭拍了一下。

「抱歉抱歉。太久沒人上門了，不小心自顧自說了起來。平常我一整天不會說到半句話。上次有人來時，我也說個不停，對方都聽傻了。」

「上次……是什麼時候的事？」

「大概……年後吧。這麼連著有人來訪，真的很稀罕。」

「這樣嗎！年後嗎！」益田激動起來。「其實呢，我們之所以來打擾，就是猜想這位小姐的未婚夫可能來過木暮先生這兒。他有沒有來呢？他叫寒川秀巳先生。」

「啊，寒川先生，有，他來過。」木暮說。

「來過嗎！您記得他！」

「我已經七十多了，但可還沒糊塗。我說的那個一月上門，聽得發傻的客人，就是寒川先生。我記得一清二楚。」

「御、御廚小姐。」

益田轉向御廚。

劉海一陣搖晃。

「這位先生，就是目前最後一位目擊到寒川先生的人。」

「最後……」

「啊，不是那個意思。這個最後往後也會持續更新，最後找到寒川先生本人——啊，不好意思，木暮先生，請問正確的日期是什麼時候？」

「大年初四吧。哦，在那之前，去年的除夕——不，還是除夕前一天？派出所警察上門，說日光署聯絡說有人想來找我，問我方不方便把地址告訴那個人。我說我的地址沒什麼不好告人的，不過就算我是獨居老

註一：鳥羽伏見之戰發生在慶應四年（一八六八），是明治政府軍徹底擊潰江戶幕府勢力的「戊辰戰爭」（一八六八～一八六九）的前哨戰，由政府軍大獲全勝。

註二：幕末時期，薩摩藩、長州藩為尊王攘夷的倒幕派。

註三：以鳥羽伏見之戰為開端的戊辰戰爭後，德川慶喜所率領的舊幕府軍敗給新政府軍，恭順朝廷，交出江戶城，遷至上野寬永寺大慈院，接受閉門謹慎處分。

註四：天平神護為奈良時代的年號，七六五至七六七年。

註五：源賴朝（一一四七～一一九九），鎌倉幕府第一代將軍。開創日本的幕府制度。

人，也是要過年的。」

「所以對方沒有在初三之前來打擾。」

「對，他帶了酒來。」

木暮指示祭壇。

上面擺著一瓶用包袱巾包裹的酒。

「我不太喝酒，所以還沒打開。辭掉警職以後，酒量一下子變差了。」

「哦……。其實，那位寒川先生目前下落不明，聯絡不上他。有沒有什麼那個……」

「他說要去神戶。」

「神、神戶？」

「對，說什麼有重要的事。對，說他訂的叫什麼的機器已經到貨了還是完成了，說要去拿。」

「機器嗎……？」

「是啊。他說了個洋名稱，這我就不記得了。我是沒糊塗，不過是明治出生的老古板，那些洋名字實在記不得。」

「機器？是什麼機器呢？」益田小聲問，但御廚不可能知道，微微歪頭表示納悶。

「那麼，他已經不在日光……」

「不不不。」木暮伸出手掌，打斷益田的話。「我想寒川在日光。」

「什麼？現在還在日光嗎？」

「我是不曉得他落腳在哪裡，但應該在日光。因為他是這麼說的。」

「說……他會從神戶回來？」

「他是這麼說的。」木暮說。

益田轉向御廚，薄唇勾了起來。應該是在笑，但表情僵硬。

「在日光啊。」

「應該吧。現在交通變方便了，神戶也不算太遠。他當時說隔天就要動身，但會不會先回去東京一趟，我就……」

「他沒有回去。」御廚回答。

「那麼，除非遇上什麼耽擱，否則上個月就回來日光了吧。他在日光有事情要處理……應該。他來找我，應該也是為了那件事。」

「原來如此、原來如此。那麼我們也總算不虛此行了……不過寒川先生說要處理的事情是……？」

「這個嘛……。唔……你們知道多少……」

「二十年前的事件嗎？」益田接口。

「對，你們知道？」

「唔，是稱不上一清二楚，但知道寒川先生向這位御廚小姐透露的內容。然後，這是我的推測啦，木暮先生您應該就是當時承辦的刑警。」

「這樣啊。」

木暮交抱起手臂，閉上眼睛，若有所思。

「妳是寒川的未婚妻嗎？」

御廚一時不解這是在問什麼，理解之後，她口齒不清地含糊回應。

「連對重要的未婚妻什麼都沒說，或許有他的理由。就像益……」

木暮再次看了眼木地板上的名片。

「就像益田你猜想的，我就是承辦他父親死亡事故的刑警。說承辦也很怪啦。」

「那是一起意外吧？根據警方的結論。」

「是意外啊。」

木暮斬釘截鐵地說。

「唔，都二十年前的往事了，也沒什麼好瞞的。寒川的父親確實是墜崖死亡的，不是被人推落。現場勘驗是我負責的。人在崖上失足滑落，滑落到一半彈開，多次撞擊樹木和岩石。現場只有一個人的腳印，人像這樣……」

木暮坐著身體往後仰。

「從背部落地。」

「沒有推人的第三者的腳印？」

「別說第三者了，他的前方像這樣……有座大石碑，他離石碑非常近，所以中間不可能有人。一定是繞到石碑後方想要察看，結果不慎失足。」

「喔……。那麼……應該就是意外吧。」

「只是……」

「我聽說了。怎麼看都已經死亡的遺體，卻被人抬到醫院去，對吧？寒川先生似乎也對這一點存疑。」

「嗯。」木暮雙臂環胸。「他一開始似乎也沒有懷疑。我記得那時候他應該還是學生。」

「不會懷疑啦。親人死在旅途中，不是那麼常見的事。事故身亡也很少見。就算遇到，大部分也都是頭一遭，那一定不曉得警方會如何處理，自己又該如何處理。根本沒有心思去懷疑。」

「是啊，就像你說的。不過，就連比較熟悉這種事的我們警察都覺得有點怪了，也許他察覺到什麼了。」

「確實……滿怪的呢。一般應該會直接報警或是叫救護人員，而不是把屍體搬到醫院吧。」

「有人報警了。」

「啊？」

「警方有接到報案。寒川墜落的懸崖遠離村子。不，雖然是在村郊，但那一帶沒有人住，當然也不是有人會經過的地方。然而警方卻接到報案，說有人倒在水潭處，好像死掉了，可能是從懸崖掉下來了。」

「原來是這樣嗎？」

「沒錯。接到報案的是一名年輕巡查，姓小島……應該是警校剛畢業出來，派到那個地區的派出所的。不過他在上一場戰爭被徵兵戰死了，真遺憾。」

是寒川在找的另一名警官吧。

「到派出所通知的應該是附近村子的人……不過這部分我記得不是很清楚了。」

「不清楚報案人是誰嗎？」

「不，小島或許知道。不曉得吶。如果是村裡的人，他應該知道是誰，就算不知道，還是會確定一下身分吧。可是……」

木暮把眼睛瞇到看不見眼瞳。

「是啊，結果這些細節都不重要了。」

「唔，如果不是殺人命案，報警的是誰都無關緊要嘛。」

「是這樣沒錯，但接到報案的當下，是刑案還是意外，什麼都不清楚吧。而且聽到可能有人死了，不可能置之不理。所以小島火速趕到現場。可是……」

「可是……什麼？那時候屍體已經被搬到醫院去了嗎？」

「不是。」

木暮說，屍體已經不見了。

小島巡查仔仔細細地巡遍了那一帶，儘管有疑似有人墜崖的痕跡，卻什麼都沒看到。

「既然什麼都沒有，當然也無計可施。沒看到傷者，也沒有屍體。只能當成是誤報、謊報，或其實人沒事。這件事暫且就這樣結了。」

「結、結了？」

木暮第三次看向益田的名片：

「益田，你以前也幹過警察吧？要是發生這種事，你會怎麼處理？」

「唔，這個嘛……」

益田突出尖細的下巴，接著說：

「就……這樣算了呢。您說的沒錯，無計可施。會當成是報案人看錯了，或是惡作劇。」

「就是吧？然後到了隔天……」

屍體回來了。

「從哪裡回來？」

「屍體回來了。」

「您說什麼？」

「不曉得。」木暮說。「你說的有人把屍體送去醫院，就是這件事。不過那不是醫院，是診所。離寒川墜落的懸崖……嗯，最近的一家小診所。雖然設備還算齊全，不過就只是間小屋，只有一名醫生。」

「等一下，請等一下。」益田連說了幾次。「呃，那，遺體被搬到那間醫院還是診所的時間，是死後……」

「應該至少過了將近一天。派出所接到通報，是……等我一下。」

木暮起身，從祭壇拿了什麼，坐回原位。似乎是一本老舊的冊子。

「寒川來的時候我翻出來，後來就一直擱在那兒。」

木暮把眼睛瞇得更細。

「派出所接到通報，是六月二十五日近午時分。然後，遺體被搬到診所，是隔天的二十六日凌晨四點三十分至四十分。死亡推定時刻是二十五日早晨，再晚也是上午。因為是從遺體的外觀目視判斷，只能看出這麼多。」

「不，這……」

「很怪吧？」

「與其說怪，這不是犯罪嗎？」

「就算是犯罪好了，這觸犯了什麼罪？棄屍……不是呢。也不是屍體毀損。當然也不是殺人。除了應是墜崖時造成的傷以外，沒有其他外傷。」

「真的嗎？會不會是墜崖後只剩一口氣，把人抓走殺死……」

「與其這麼做，當場給予致命一擊，丟在原地更好。」

「那……墜崖後人好好的，把他帶到別處毆打至死……」

「問題是，為什麼要把從現場帶走的人又送回來？是為了偽裝成事故嗎？」

「是啊。」

「可是啊，你看到就知道了。」

木暮露出遙望的神情。

「從那座懸崖墜落，實在不可能沒事。」

「那，會不會根本沒有墜崖？其實人是在別處被殺死的。」

「那通報者怎麼說？」

「那是……他們是一夥的。兩邊串供……」

「沒有串供吧。要是串供，會在殺人棄屍之後才報警。就算因為某些差錯，導致時間對不上，也不明白把遺體搬到診所有什麼意義。要是遺棄在現場，還能說是小島沒看清楚。」

「也是呢……」益田搖晃身體。「會不會其實死因是別的，毒藥……遺體沒有解剖，對吧？」

「毒藥？你說毒樂怎麼樣？」

「沒有啦，只是忽然想到。去年我被跟毒藥有關的案子耍得團團轉。可是不管怎麼樣，總是有什麼吧。雖然不曉得是什麼。我真心、一點都弄不懂。」

「確實不懂。這件事說起來，就只是有人**慢吞吞地**把墜崖的屍體搬到了附近的診所而已吧？」

「慢吞吞……有那麼遠嗎？」

「大概走個二、三十分鐘就能到吧。地圖上只有三町左右的距離。」

「那太奇怪了吧？」

「所以我才說怪啊。」木暮說。

他確實是這麼說的。

「這麼說的話，人是在前一天墜崖的嘍？」

「什麼的前一天啊？人是在墜崖的當天過世的，只是遺體隔了一天才冒出來。這要是命案，會對初步調查造成影響，但這是意外事故。當然，警方以事故是發生在前一天為前提做了調查。」

「結果……沒有問題？」

「問題是有，但不能怎麼樣。只是，也因為有小島的報告，警方搜索了現場的懸崖，找到了皮包等物品。是被害者的物品。透過這些物品，查到了死者的身分，聯絡了家屬——寒川秀巳。」

「也不是說……小島巡查一開始搜尋的時候漏掉了遺留物呢。」

「不是，當時他完全是在找屍體，而現場沒有屍體。他不會特別去留意樹上有沒有掛著東西吧。」

「唔……」

益田交抱起手臂。

「這樣的話……」御廚開口。「意思是寒川先生的父親並非在三更半夜登上懸崖嗎？寒川先生說，他父親生性極為謹慎，難以想像他會在三更半夜跑到地勢那麼危險的地方……」

「他也這麼對我說。」木暮應答。「寒川的行蹤，可以追溯到他過世前一天的晚上八點左右。而遺體被搬到診所的時間，聽說是凌晨三、四點。這樣一來，會變成是三更半夜爬上懸崖的，但實際上並不是這樣。」

「警方沒有向他解釋嗎？」

「上頭制止說沒必要。」

「為、為為什麼？」

「上頭的說法是，這就是意外事故，沒必要讓家屬混亂。那個時候，遺體已經在診所了。」

「沒有送到警察署嗎？」

「因為結論是意外事故。而且警察署沒有可以保管遺體的設備。當時雖然還不到炎熱的季節，但已經快七月了，也擔心腐敗，所以也考慮要送去大醫院的太平間，不過幸好很快就查到身分，家屬也說會馬上趕來，就決定繼續放在診所。寒川應該就是在診所聽到醫生說遺體是在凌晨天還沒亮的時候搬來的，所以才有了奇妙的誤會。」

雖然奇妙，但也沒什麼問題。雖然沒問題，但確實很怪。

「然後怎麼樣了？」益田問。「這事也太詭異了吧？」

「你說到重點了。」木暮也交抱起手臂。「我直接說結論，把遺體搬到診所的，應該是特高警察。」

「特……」

特高！益田發出雞啼般的聲音。

「愈、愈來愈像老虎尾巴了！」

木暮蹙起一雙濃眉，瞇起眼睛：

「我覺得一定就是特高。當時還沒有縣警，也沒有國家警察，所以這裡是枥木縣警察部的日光署，指揮系統也跟現在不一樣。就在屍體被搬到診所的那天，署裡來了幾個東京的特高。我是沒問他們是不是特高，但八成不會錯。」

「您怎麼知道他們是從東京來的……？」

「我從他們開來的汽車車牌看出來的。因為我詫異到底出了什麼事。雖然是東京來的，但不可能是警視廳的人。因為又沒發生什麼需要跨境偵辦的大案子。上頭交代我們要安安分分，不要橫生風波，所以應該是特高這麼指示，或是上頭察覺了什麼，揣摩上意吧。」

「那麼，是特高偷偷搬走從懸崖掉下來的寒川博士的屍體，放上一天，再還回來嗎？」

「這就是重點。我反而是猜測，是特高暗中把被偷走的屍體**取回來**了。」

「有人會偷屍體嗎？」益田說。「偷屍體的理由，我只想得到屍體背部用刺青刺了藏寶圖耶。不可能有這種《少年俱樂部》雜誌連載的冒險小說般的奇幻情節吧。」

「嗯。」木暮閉上眼睛。「寒川——我是說兒子，他一月來的時候，說他收到了亡父的明信片，這事這你們知道嗎？」

「知道知道，是寒川博士過世前一天寄出的明信片，對吧？上面寫著……」

「棘手之物。」

御廚回答。腦中響起寒川的聲音。

——昨日發現一棘手之物。

——至為棘手。

寫著這些內容的明信片，御廚實際看到了，但沒有讀到文字。內容是聽寒川轉述的。

因此才會以寒川的聲音播放出來。

「好像是呢。他來這裡的時候，也帶著那張明信片。他說還不清楚上面說的棘手之物是什麼。在我認為，應該就是那崖上的石碑，或是那附近的什麼東西吧。你們覺得呢？」

「石碑嗎？那是不是……」益田轉向御廚。「是不是那個什麼在燃燒的石碑？」

「燃燒啊……」

他是這麼說的呢——木暮說。

「但石頭不會燃燒，也不會發光。」

「就……是說呢。」益田說。

「一般情形啦。」木暮說。

接著他轉向背後的祭壇，收了一下下巴，就像在表達敬意。

「益田，你聽說過日本曾經製造原子彈的傳聞嗎？」

老邁的退休刑警突然這麼問。

「又、又是原子？」

「又？」

「哦，就是……最近才聽到一堆這個國家從相當久以前就在研究核能之類的事。那，是在說如果日本成功發明原子彈，就能在上一場大戰贏得勝利這樣的事嗎？」

「那是不可能的事。」木暮說。「首先，日本沒有原料的鈾。雖然有傳聞說在製造原子彈，或是已經成功，但都是無憑無據的說法，而且我認為就算真的造出原子彈，日本也不可能打贏。日本戰敗的理由是在別處。不是兵器威力的問題。」

「喔……」

「可是益田，確實是在研究的。陸軍的仁號研究、海軍的F研究〔註〕，據說都是製造原子彈的計畫。雖然最後失敗了。」

「這、這怎麼了嗎？」

益田的表情就像吃了黃蓮。

「你知道契忍可夫光嗎？」

「完全沒聽過。」

「我是舊時代的人了，剛才也說過，記不得洋名字，也沒有物理學知識，所以只能說得含混不清，聽說是跟放射線能還是放射線有關的光。顏色是淡藍色，那是不是就像鬼魂現身時的鬼火呢？」

「呃，請等一下，這跟核能沒有關係吧？求求您說沒有。」

木暮再次交抱起手臂：

「聽說寒川的父親是植物學家。」

「好像是的。」御廚回答。「我聽說是植物病理學家。」

「對，寒川也是這麼說的。說是在研究環境對植物的影響那些。」

「喔，這也是我間接聽說的，寒川博士也在調查放射線的影響……呃，是老虎。」益田說。

「你這人怎麼有時會蹦出些莫名其妙的話？寒川博士找到的棘手的東西、兒子寒川說他看到的燃燒的石碑……聽到這些，讓我從當時就有的類似疑問的想法，有一半得到了印證。」

註：仁號研究的原文為「二号研究」，取自理化學研究所物理學家仁科芳雄姓氏的首字母（「仁」的發音為NI，片假名為「ニ」），F研究則是來自核分裂Fission的首字母。

「真希望不要印證。」

「為什麼？」

「因為聽起來危險極了啊。」

「確實。」木暮回頭。「我說過好幾次了，我這個人呢，思想是以尊王為基礎。可是啊，益田，見諸歷史，不論是政府還是幕府，曾經有任何一個政權，是在真正意義上尊王的嗎？」

「什麼？」

「德川幕府並沒有摒棄天皇。在名目上是崇敬天皇的，但依然只是名目上而已。舊幕時代的朝廷，完全就是遭到踐踏。那麼新政府呢？確實，新政府以天皇為尊，但結果也只是把天皇當成傀儡而已。我覺得各方政權完全就是為了自己的利益在利用天皇。搞到最後，就是那場戰爭。」

「唔，所以……」

「原子彈呢，應該是沒有造成。就算成功了，也不可能贏得戰爭。但是……有人造出了某些東西。在……日光這裡──木暮說。

「木暮前輩，您是說造了什麼？難不成您要說，在這日光的山裡有鈾礦嗎？」

「沒有那種東西吧。但不是有個叫什麼的博士做出了機器嗎？理化學研究所的。」

「呃，仁科博士，是嗎？」

益田確認地望向御廚，但御廚當然不可能記得。雖然也覺得鳥口好像提過這樣的名字。

「沒錯。聽說陸軍的仁號研究，就是仁科的仁。應該是寒川博士過世的前一年吧，有大批工人來到日光這裡，不曉得做了些什麼。」

「做了些什麼……是做了什麼？」

「不曉得。要是知道就告訴你了。他們搬來一大堆機器跟材料。」

「在哪裡？」

「博士墜崖的崖下對岸。」

「您不是說那裡是村郊，沒有住人嗎？」

「人都被趕走了。那一帶全被買下，居民都被遷走了。所以沒有人。不是村子了。」

「是誰做的？」

「軍部……我覺得。」

「軍部……」

「我認為是陸軍，但那是祕密。我這種小角色什麼都不會被知會。我只是縣警察部的小偵查人員。這一帶雖然有不少自殺案，但不像大都市，沒什麼命案，頂多就是追小偷、抓醉鬼。那麼重大的事，不會傳進我們耳裡。不過我聽被遷走的村民說，來的似乎是軍人。」

「真的嗎？可是要是買下一整座村子，應該會留下紀錄吧？」

「是包裝成民間企業收購的樣子。我自己也在戰後四處調查了一下，不管是仁號研究還是F研究，沒有深入探查，根本不知道它們的存在。」

「是那些計畫的一部分嗎？」

「我覺得是完全不同的東西。」木暮說。

「不一樣嗎？」

「因為時期太早。」

「太早是指……？」

「陸軍展開仁號研究，好像是昭和十六年的事。而海軍和京大合作展開F研究，則是更晚。美國人的曼哈頓計畫，實際上也是開戰後才開始的，對吧？可是啊，那片土地被收購，其實是昭和八年的事。」

「喔……。那個叫什麼的機器……叫什麼去了？御廚小姐？」

「我記得是什麼加速的東西。」

「加速……」

木暮翻著簿子。

「迴旋加速器，是嗎？我也不曉得這是什麼機器，但是在日本，是仁科博士第一個發明出來。好像是昭和十二年的事。研究和開發，應該從更早以前就開始了。」

「比這還要早嗎？」

「所以我猜想，本來是要搶先做出這種機器。」

「搶先……比理研更早完成嗎？這有什麼意義？雖然是覺得愈快似乎愈好，但如果您說的是真的，主導的不是陸軍嗎？是要讓兩邊競爭嗎？」

「益田，並不是說單位或立場相同，所有人就會同心協力。我支持天皇制，但完全不認同明治政府和現在的政府的做法。也不認同那場大戰。我反而認為，逼陛下做出開戰決定的政府和軍部是一群無能的廢物。」

「前輩所言甚是。不過這事不會太不現實了嗎？」

「收購土地和搬入機器設備，都是事實。然後寒川博士也過世了。背後還有疑似特高的一群人的身影。這些都是事實。」

「唔……是這樣沒錯啦。假設相信木暮前輩的說法，那麼他們的意圖？還是目的？實在教人不懂。」

「當時我是猜測，那是在準備叛亂——政變。昭和十一年不是發生了帝都不祥事件嗎？」

「二二六事件〔註一〕嗎？」

「現在是這麼稱呼嗎？那是帝國陸軍的皇道派發起的叛變吧？應該是受到北一輝〔註二〕的影響。北一輝的論調，我是有一部分贊同，但無法全面接受。雖然標榜清君側、鏟奸臣，打造天皇親政的國家，但手段太糟糕了。標榜什麼昭和維新，這首先就教人看不下去。就算做那種事，也無法革新社會，反倒是在走回頭路，卻自稱什麼維新，真是太荒唐了。」

「離題嘍。」益田小聲提醒。他似乎愈來愈習慣了，整個熟不拘禮起來。

「啊，抱歉。所以了，說是陸軍，也是有各種派閥。因為有和民間企業串通的形跡，所以應該不是皇道派，但統制派也不會做這種事。應該是更惡質的一幫人吧。」

「惡質啊……」

「對了，這也是不太為人所知的內幕，日光這裡呢，是宮內省在開戰前選定的緊急時刻皇太后的避難處。說到御用邸，都會想到那須或葉山，但日光也有田母澤御用邸。我的祖先的同僚，日光的同心，一位姓小林的銀行家的別墅以前就在那裡。在明治時期興建，成了大正天皇靜養之地。就是那裡成了有事時的避難處。皇太后陛下沒有避難，但昭和十九年的時候，東宮殿下遷過來，殿下學習院的學友也一起疏散到金谷飯店。」

日光就是這樣的地方——木暮以低沉沙啞的嗓音說。

御廚不懂是怎樣的地方。

「我想想，那是什麼時候的事了？敗象愈來愈明顯，仙台等地也遭到轟炸，B29轟炸機都飛到日光這裡來了。因為距離御用邸半里之處就有精銅廠。有可能一起遭到轟炸，相當危險呢。所以皇太子殿下又遷到日光湯元去。那裡的話，離精銅廠大概有十里之遠。」

「呃，這我了解了，前輩……」

「嗯，我知道話題扯遠了。直接說結論，就是當時我懷疑，是有人想要對陛下不利。」

「這……」

我覺得跳躍得太厲害了欸——益田說。

「啊，前輩請不要生氣，我不是全盤否定，也不是覺得荒謬，但我覺得這實在是太突兀了。」

「我也這麼認為。」

註一：二二六事件發生在昭和十一年（一九三六）年二月二十六日，陸軍皇道派青年將校為了武力改革政治，發動政變，殺害多名高官，占領國會議事堂及首相官邸周邊。政變於二十九日遭到鎮壓，首謀將校多半被處死。

註二：北一輝（一八八三～一九三七），日本戰前的國家主義者。在二二六事件中，被視為皇道派青年將校的思想指導者，遭到逮捕，判處死刑。

「就是說吧?好吧，實際上這裡有御用邸，皇太子殿下也疏散到這裡來了，但並不是說陛下親自來到這裡了吧?如果不是戰爭時期，想要攻擊御用邸的話，挑那須還是葉山下手都可以，但第一選擇還是皇居吧?怎麼會是日光呢?而且還是用……叫什麼去了?那什麼加速器的東西?那不是武器吧?而且為什麼陸軍要……」

「我明白。我也覺得益田你說的沒錯。但我怎麼樣就是甩不掉這樣的揣測。至少我認為，舊尾巳村那一帶，過去進行過核能相關研究之類的事，這事錯不了。」

「退讓一百步，假設真的是這樣好了，可是怎麼會說是要危害陛下呢?這部分我無法理解。」

「嗯。」木暮深深點了個頭。「確實就像你說的。」

「那……」

「據我猜想……可能是為了結束戰爭。」

「這說不過去吧?收購那個村子的土地，是昭和八年的事吧?當時戰爭根本還沒有開始啊。難道是為了預防即將到來的戰爭——想要在開始前就讓它結束嗎?而且還是以除掉這個國家最崇高的人的方式?不覺得說不通嗎?而且木暮前輩自己不是說做不出原子彈嗎?」

「我是說過，原子彈造不出來，但造得出別的東西。只要看看廣島和長崎的慘狀就知道了，放射線會造成嚴重的健康問題。」

「原來……是那邊?」

「不就是嗎?就宛如伴隨著黑雲，每天夜晚現身御所上方，危害天皇龍體的……」

鵼。

「前輩是說，寒川博士發現了這個祕密計畫?」

「這就不清楚了。即使發現了，他也是死於意外事故。不過他的遺體會被搬走，理由應該就在這裡。比方說，如果其實他曾經曝露在放射線當中……但問題就是怎麼處理，但這我就不知道了。」

「唔……」

益田雙手環胸，低聲沉吟。

「這些事，木暮前輩也對一月來訪的寒川秀巳先生說了嗎？」

「說了。」木暮回答。「他贊同了我。他應該早就有自己的一套推論了吧。他說要去神戶領的機器，也是他父親的遺物裡應該要有、卻找不到的東西……他是這麼說的。」

「整個教人丈二金剛摸不著頭腦啊。」

益田一臉欲泣地轉向御廚。

蛇（六）

將融的雪再次凍結，地表變得宛如被壓實的碎冰。每走一步，便傳出物體碎裂的差差聲響。

左右有房舍，但全是廢屋。窗玻璃破了，土牆崩坍，木板腐朽。有些房屋甚至屋頂都開了洞。實在不是能住人的狀態。

久住和關口正走在丑松說的，什麼都沒有的地方。

天氣難說晴朗。

中禪寺昨天也沒有回來。他好像已經連續三天在那裡過夜工作了。不過久住不知道中禪寺在忙些什麼。

前天。

不知不覺間，兩人和丑松夫妻閒聊了一小時以上。因為實在過意不去，兩人把買來探望登和子的糕點禮盒送給夫妻後告辭了。

後來關口提議去市內主要的醫院問問，但最後作罷了。確實，就算有許多家，地方都市的醫院也不可能多到哪裡去。和東京規模不同。

但久住覺得這個做法不甚妥當。只要問個幾家，就有可能問到。視情況或許還能見到登和子。但。

——見到她又能怎麼樣？

沒有什麼好說的。

說起來，登和子是飯店員工，久住只是住客。只因為員工請假，住客就四處找她，這不會太脫離常軌嗎？況且回想起來，久住本來還在躲登和子。

因為他沒有什麼可以說的。

那天兩人直接回去飯店，在客房獨自用了晚餐，就寢了。久住對桌坐了一兩個小時，想要寫腳本，卻只是苦思惡想，沒有絲毫進展。

至於昨天，久住生平第一次被抓去打網球這種東西。他拖拖拉拉混到中午，心想繼續和稿紙大眼瞪小眼也沒用，下去大廳，結果被那個怪人給抓住了。

榎木津禮二郎——據說是這家飯店老闆的弟弟，也就是久住的劇團的金主的外孫。

據關口說，這名麗人是個偵探。

這麼告訴他的關口，已經被逮住了。

——你是這隻猴子的朋友嗎！

偵探一看到久住，立刻大喊。

——這樣啊，猴子的朋友是蛇啊！

偵探說著，大步走來。

——也不是蛇，是鳥嗎？

莫名其妙。但即使近看，這個人的相貌也秀麗無比。榎木津說著「你也真是傻」，抓住久住的肩膀晃啊晃，接著更沒頭沒腦地說：「跟這種猴子混在一起，會遭到作祟的，陪我玩吧！」

好像是原本陪他打網球的外國人離開了，偵探窮極無聊。但關口抵死不肯陪他打球。

因為關口打得很爛。

結果變成二對一打網球了。更正確地說，是被強制打球。關口口齒不清地持續抗議，卻毫無效果，結果只能屈從。看來這名其貌不揚的小說家沒有拒絕的選項，遑論久住。

被迫奉陪打了半天的球，久住累壞了。

要是天天這樣，實在吃不消，因此兩人趁著夜裡，說好今天一起外出逃難。

好冷。

「真是無所事事到了極點呢。」關口說。

「無所事事嗎……？」

「就算無所事事，出門才是對的。久住先生已經被他鎖定了，要是我不在，你一定會被他抓走。我一個人逃跑也過意不去……」

「那個人真的很豪邁呢。」久住說，關口回應「他只要閉上嘴巴別動，就是個好人」。

「但他是活的，所以會動也會說話。結果我老是像昨天那樣，被奴役個大半天，期間不斷地受到唾罵嘲笑，實在受不了。」

「唔，是這樣沒錯。」

但久住並不感到不舒服。奔跑跌倒被嘲笑被責怪的期間，他完全無法思考。那段期間，不管是登和子還是戲劇的事，他都拋諸腦後了。

只記得榎木津的哈哈大笑聲。

他不知道為什麼又跑來這裡。

關口也說不出個所以然吧。而且前天他們會來到舊尾巳村這裡，是為了尋找登和子的住處，而現在他們知道在哪裡了。

不是來找登和子的。

不知為何，久住覺得今天她八成也不在家。如果無論如何都想見她，應該要去找她目前應該會在的醫院，但久住並不想這麼做。雖然在聽說是登和子家的那一戶前面叫了幾聲，但不出所料，似乎沒人。

如果是為了找登和子而來，已經可以回去了。但久住和關口都不是來找登和子的。所以兩人沒有回去，在宛如無人死巷的土地徘徊。儘管兩人都沒有理由非在無人的廢村遊蕩不可。

「結果好像把你牽扯進來了，真過意不去。」久住說，關口說「你這樣說就錯了」。

「我們是為了逃離榎木津的魔掌才來的。而他是我的朋友。」

關口這麼說，隱隱地笑了。

「而且是我提議過來看看的。」

「是這樣沒錯啦……」

久住仰望，看看有沒有鳥飛過，但天空只是一片灰濁。

氣溫比街上還要低嗎？

丑松家也不暖和。一開始應該是以取暖的名目打擾的，但屋子裡沒有任何取暖的東西，老實說，天花板高聳的泥土地房間冷極了，但還是沒有這裡這麼冷。再怎麼說，室內總是比戶外溫暖。也許是熱茶的功效。

今天感覺更冷了。冷到讓人忍不住縮起身體。

——我再也……

見不到登和子了吧。

久住總有這樣的預感。

他不知道這是出於不想見到登和子的情緒，還是想要見到她的渴望的另一面。

那也不是寂寥或失落。因為久住並非感到寂寞，也不是失去了什麼。只是這種蕭索的情緒，與眼前這片荒廢的景觀極為相稱。

「不過到底是怎麼一回事呢？收購了土地，卻又置之不理。」

「嗯，認為往後有利用價值，預先買下，結果預測失準，只能丟下不管，這似乎是常有的事喔。令人有些在意的是，不曉得收購的到底是什麼人。丑松先生的太太說有像是軍人的人，對吧？」

「是軍部買下來的嗎？」

「不曉得。」關口語氣陰鬱地回應。

「總覺得有種危險的氣息呢。不過這個國家現在已經沒有軍隊了。如果是當時的軍部買的……那現在是什麼狀態？變成國有地了嗎？」

「我倒不這麼覺得。」小說家應著。「去年，我去尋找一座消失的村子。」

「消失……？意思是廢村，或是經過町村合併而消失的地方嗎？」

「不是，那裡是真的消失不見了。」

「物理性的消失不見嗎？」久住問。

「怎樣叫物理性呢？」關口露出僵硬的笑，望向遠方。「如果說是沉入水壩，或是被山崩掩埋這種物理性，當然不是。但如果說是心理上的，就會變成是錯覺或是搞錯。」

「都不是嗎？」久住問。「不是呢。」關口說著，噘起嘴唇，眉頭深鎖。

「我不太會解釋，但明明確實存在，卻消失不見，是有這種事的。」

關口走近一間廢屋，伸手搭住門板。

「這裡有一棟房子。不光是看得見，還像這樣摸得到，所以它千真萬確存在著。只要查一下，就知道這裡以前住著什麼人吧。但是在這裡的生活，已經無從得知了。即使問以前住在這裡的屋主本人，也不可能知道。」

確實如此。

這是理所當然的事。

時間會流逝。物體雖然會留下，但過去的時光是會消逝不見的。久住這麼說。

「沒錯。那座村子，就像融入過去一樣，消失無蹤了。」關口說。

久住不是很明白。

「那座村子怎麼了？」

「哦，好像再次回到現世來了。雖然結果我沒能去到那裡……啊，那就是診所嗎？」

關口伸手指去。

看起來不像診所，但明顯不同於其他人家。門面很寬闊，但也並未掛出招牌，外觀也沒有任何像是診所的地方。

是一棟……廢屋。

久住這麼說，關口猶疑地說：「雖然是廢屋……」

「怎麼了嗎？」

「不覺得變成廢屋的時間不久嗎？其他房屋感覺幾乎都已經腐朽了，但這裡還保留著生活感……雖然只是感覺。」

語尾相當含糊。是沒有自信吧。

但重新仔細檢視，確實就像闊口說的。如果丑松夫妻說的沒錯，那麼這些腐朽的人家失去主人之後，已經棄置了超過二十年。

相對地，同樣若是相信丑松夫妻的說法，診所直到去年都還有人居住。這是非常大的差異吧。儘管屋頂和柱子的破損程度差不多，但就像闊口說的，即使說不上來是哪裡，似乎仍看得出類似生活殘滓的事物。

話雖如此，窗玻璃破了，屋門前也沒有打掃的樣子。同樣是一棟廢屋。

「有東西動了。」

闊口說，做出踮腳伸長身體的姿勢。

「是有野貓住下來了嗎？」久住說，走近診所的殘骸。「如果直到去年都還有人住……嗯，可能還留著一些食物……天氣很冷嘛。」

久住口中喃喃說著這些，從門口探頭，結果出乎意料，裡面有人。

窗玻璃破口處看到一個小小的背影。

一瞬間看起來像是女童，但對方穿著像白袍的衣物。也許是嬌小的女性。

可能是注意到久住的視線，背對這裡的人影倏地回過頭來。

果然是小孩？久住忍不住這麼想。

相貌童稚，怎麼看都是個少女。在眉毛上方剪齊的劉海更增添了那份稚氣。

剎那間，久住看得痴了。對方精緻美麗，就像個女兒節娃娃。但不是小女孩。

少女——不，女子柳眉微蹙，問：「有什麼事？」

「啊……」

久住整個慌了手腳。

「我、我們在找人……」

這是謊言。

不，雖然也不到謊言，但至少他們現在並未在找人。只是無所事事地閒晃而已。

久住更不知道該把眼睛往哪裡放了。看不出年紀，但顯然不是小孩，而是個鮑伯髮型的嬌小女子。久住覺得不能在近處打量似地細看對方，往後退了兩三步。

對方開了門。

「這一帶的聚落好像沒有人住……你是在找走失的小孩嗎？」

「不是走失的小孩。是村郊那邊的人家……該怎麼說才好……」

關口從背後走過來了：

「您是這間診所的人嗎？」

對了，應該先問這件事的。

「那一戶的櫻田——不對，是淺田嗎？淺田家的老奶奶以前好像在這邊的診所看診，但幾天前病情似乎急轉直下……」

「你是這裡的病患？」女子問。

「不是，聽說這裡的醫生過世了，怎麼說呢……」

結果關口支支吾吾說不下去了。

久住接著關口的話提問。他應該要負責提問才對。

「淺田家的老奶奶好像在二十一日的晚上被送到街上的醫院，後來淺田家一直沒有人，也聯絡不上，連送去哪家醫院都不曉得。我們不知道該怎麼辦……」

「所以過來這間診所？」

「對。雖然也不是來了就能怎麼樣。不好意思，您是診所的人嗎……？」

「對。不，要說是也算是……」

「啊，失禮了。」

久住報上姓名，接著介紹關口。

「關口……先生？」

「對，小說家關口巽先生。」

「別說了，久住先生。」

關口說，低下頭去，就像要把整張臉都埋進圍巾裡。宛如女兒節娃娃的女子微微歪頭看著關口。

「關口……？」

「咦？」

怎麼回事？關口毛毛躁躁，眼神游移，淨是看著不相干的地方。

「你是關口吧？」

「兩、兩位認識？」

久住的問題，被女子以輕盈的笑容避過了：

「不記得我了嗎？我們只在十多年前有過幾面之緣，大概也沒說過話。」

對方都說到這裡了，關口卻仍不肯看女子的臉，羞赧地盯著地面。女子露出困窘的笑容：

「哎呀，你好像還是老樣子。我是聽說你成了小說家……你一點都沒變呢。對了，那個人——中禪寺呢？」

聽到這裡，關口抬頭。

「中禪寺……過得好嗎？你們還有往來嗎？」

「咦？」

關口總算抬頭，目光轉向少女般的女子。

「妳是……」

「我是綠川。」女子說。「綠川佳乃。你果然不記得我了嗎？」

「我記得我記得。」關口慌張地說。「我沒有忘，只是……」

「後來關口你就整個人封閉起來了呢。接下來一團混亂，大概都沒見到面。所以後來就這樣斷了聯絡。」

「嗯。」

關口左手抵在額頭上，就像要抹去什麼似地在臉上摸了一把。

「啊，京極堂他……」

「京極堂？」

「不是，中禪寺，他還是老樣子。現在在開舊書店。」

「開舊書店？我怎麼聽說他成了高等學校的老師？」

「三年前……已經四年了嗎？他辭去教職，開了舊書店……那家店就叫京極堂。所以……啊，他現在也在日光。」

少女般的女子只有目光轉向天空：

「他……在就附近啊。」

「對。我只是陪他一起來的……他是來工作的。」

「舊書商的工作？」

「說是幫忙調查什麼的……這兩三天他都在東照宮還是輪王寺過夜工作。倒是，呃，緣川小姐怎麼……」

「有點事。」

女子——緣川抿唇一笑。

就聽到的來判斷，這名女子和關口年紀相仿吧。那麼應該比久住還要大，但怎麼看都不像。感覺比自己年輕了至少十歲。應該不光是身形嬌小的緣故。

「以前在這間診所當醫生的，是我的叔公。我們已經失聯二十年以上了，雖然早就覺得這輩子大概不會再見面了，結果他也真的過世了。」

「這……」

「你想說聽起來不可置信？真的很巧呢。」

要進來嗎？綠川問。

「你們好像有什麼狀況？外面很冷。」

實際上，身體都快凍僵了。

「雖然這屋子縫隙很多，但至少有暖爐，多少溫暖一些。」

綠川請久住和關口進入廢屋。

出乎意料，屋內相當溫暖。

「沒辦法招待茶水什麼的，隨便坐吧。雖然我能不能隨便亂動這裡面的東西，滿微妙的。」

「不，真的很感謝……」

「我是來整理遺物的。」綠川說。「本來是這麼打算的，但根本沒有什麼遺物，全是文件、病歷那些。」

確實，室內很單調。

架上並排著藥品，也有一些符合醫療場所的設備，但感覺都非常陳舊，與時代脫節了至少二十年。像洗手用的臉盆，明顯是古董了。桌椅也都很老舊。不知為何，久住想起了以前讀的北國的小學校。

綠川請久住和關口在椅子坐下來，自己坐在診療床上。

跳上去般坐下來的動作，怎麼看都是小孩子，但如果說綠川就只是個稚氣的人，絕對不是如此。她仍然是一名成熟女子。

久住覺得她極富魅力。

是久住身邊從沒看過的類型。的確是嬌小纖細沒錯，但久住找不到詞彙能完整地形容她這個人。

關口淺坐在應該是醫生椅的邊緣，終於摘下了圍巾。

「小說家很辛苦嗎？」綠川問。

「我……說是小說家，也是個一文不名、初出茅廬的三流文士，辛苦的是過日子。不，寫東西也很辛苦啦。」

「關口你一點都沒變呢。」綠川說，咯咯笑了。

「那位榎木津先生呢？」

「榎木津也在日光。應該說，我們是三個人一起來的。呃……」

「難道那家日光榎木津飯店的老闆，就是那位榎木津先生？」

「不是，老闆是他哥哥。」不知為何，只有這部分關口的咬字特別清晰。

「這樣啊。感覺他也不是會當老闆的人呢。還有，那位叫什麼去了？戴眼鏡的……」

「大河內嗎？還是藤野學長？大河內很好……藤野學長的話……他已經過世了。」

說到這裡，關口的臉頰和眼神一瞬間泛起了陰鬱之色。

「那，綠川小姐呢……」

「我嗎？我也算是個醫學家。不過不是一般說的醫生，是地方大學研究室的小助手。因為是做基礎醫學，所以不看病。只會用顯微鏡看組織。」

「好厲害。」久住說，綠川笑道：

「你會這麼說，是因為我是女人吧。這一點都沒什麼厲害的。如果是男性，這樣的人多得是。而且基礎醫學經常被臨床的醫生瞧不起。噯，面對病人，和生死抗爭，對我實在有點太沉重，教人畏縮。」

「什麼生死抗爭，說得好像黑道火拚。」

「可是端看醫生怎麼判斷、如何處置，會大大地左右病患的性命，有時甚至可能害病患失去生命，所以是一樣的啊。」

「妳是說誤診嗎？」

「誤診也是，但即使沒有誤診，這樣的風險依然如影隨形。所以我說服自己，基礎醫學的目的，就是要減少那樣的風險。基礎的研究成果能夠減輕臨床的風險，所以這樣的想法也不算錯。不過，或許我只是單純地不想扛起責任罷了。明明又不是什麼偉人，卻掌握別人的生殺大權……這我實在幹不來。這部分是受到我叔公的影響。」綠川說。

「呃，可是妳的叔公是小鎮醫生，是臨床醫吧？」

「不是喔。」綠川說，看了看左右的架子。「叔公好像參加了什麼奇妙的計畫。我之前完全不知道。昨天我聽人說，結果那計畫結束，叔公以普通的醫生身分留在了這裡。那人還說，叔公大概是放棄了什麼。」

「放棄？」

「所謂計畫，是指收購這一帶土地的那件事嗎？」久住問關口，但小說家不知為何心不在焉，只給了個不清不楚的含糊回應。

「我叔公沒有親人。在這裡過世以後，骨灰好像會保管一段期間，但就要被當成無人認領的無主孤魂處理的前一刻，聯絡到我……可是年度末前後大學很忙，所以我才會在這種不上不下的時間請假，來領取骨灰……不過就這樣回去好像也太無情，想說既然都來了，順便來看看叔公生前在哪裡過著怎樣的生活。」

結果——綠川說著，環顧房間。

「診所沒鎖，整個棄置荒廢。裡頭也有藥品，太不小心了。該處理掉的東西還是得處理吧？」

「可能也有劇藥那些嘛。」

「有啊。所以我這樣建議公所，結果公所叫我處理。我想既然這樣，至少帶點叔公的遺物帶回去，可是……」

沒有——綠川說。

神情宛如幼童。

「文件那些我看不出是什麼，但也無法判斷能不能留在這裡，至於病歷那些，是應該保密的個人資料吧？所以我想燒掉可能比較好。」

「燒、燒掉？」

「又不能帶回去。就算帶回去，也不曉得後續要如何處理，而且也覺得我不能看。醫生是有保密義務的。」

所以我要把它們燒掉——綠川說。

「如果你們有空，可以幫我嗎？」

「有……有空是有空……」

久住看向關口。小說家一臉暈了船的表情，渾身虛軟，眼皮鬆弛，與他格格不入的修長睫毛幾乎把眼瞳都蓋住了。

「那個……」

「對不起。」

「呃、怎麼了？」

「我一股腦地只顧著說我的狀況，但你們來到這裡，也有什麼理由，對吧？是不能說的事嗎？」

「啊……」

久住轉向關口，這回小說家正對著久住。他的目光無力。這也難怪，關口只是被久住拖下水的無關的第三者，若有什麼理由，那都是久住的理由。

久住重新自我介紹，說明來到此地的經緯。雖然久住應該沒有保密的義務，但因為情節涉及個人，而且十分嚴重，因此說明起來十分礙口。

綠川認真地聆聽，但久住一說完，她立刻露出微笑，說：「那，燒掉吧。」

「呃，什麼？」

「可是，要燒掉文件，必須先從架子上取出文件，這樣一來，就算不願意，也會看到文件上的文字，真傷腦筋呢。眼前有字，就會不小心看進去嘛。」

「喔……」

綠川輕盈地從床上跳下來，看了看插在架上的文件，說「這個後面再弄」。然後走到關口前面，說：「關口，讓一下。」

「啊？喔。」

關口站了起來。

「從這邊開始吧。」綠川拉開桌底下的抽屜。「這裡有病歷。不是依五十音，而是依日期排列。一般都是按照姓名管理呢。最後看診的病人，是淺田豐女士啊。」

「淺田……」

「會不小心看到呢。」綠川說。「像大掃除的時候，看到鋪在榻榻米底下的舊報紙，就會忍不住讀起來。啊……是心臟問題呢。還有腎臟問題啊。年紀大了，還是得去大醫院好好治療……」

說到這裡，綠川稍微抬頭，眼睛朝上盯著久住。

「欸，人家在努力演戲，久住先生和關口也配合一下，好嗎？」

「哦。」

久住來到綠川旁邊，一起看病歷。

「呃，那櫻田……不對……」

「櫻田？櫻田妙子女士在前年的十一月過世了呢。死亡證明書好像也是叔公開的。這位女士是……啊，結節性甲狀腺腫，是甲狀腺的癌症呢。不，不光是這樣。」

綠川在眉間擠出細紋。

「一定很痛苦吧。要是更早到設備更齊全的醫療機構接受治療的話……」

我們國家還無法讓所有人民都受到充分的醫療照顧呢——綠川自言自語地喃喃道。

「雖然光是戰爭結束，就比以前好多了。然後是……櫻田櫻田……櫻田裕一先生，昭和十九年九月過世。心臟衰竭——不過過世的人有九成九都是心臟衰竭——啊，這好像是中風。應該是腦血管障礙。」

不是被殺的啊？——綠川說。

「這個人就是那位小姐的父親吧？」

「啊……不是，呃……」

丑松說是支那事變那時候。

「姓名是……」

「田端。」關口接口。

「對，田端，但不知道底下的名字叫什麼。」

「支那事變是幾年？」

「我不太清楚，不過盧溝橋事變是昭和十二年吧？接下來……」

久住不知道從那時候到何時算是日中戰爭。印象中那時候一直在打仗，不知不覺間就變成了太平洋戰爭。

「田端啊……」綠川翻著病歷。「啊，昭和十三年三月。田端登和子。」

「登和子？」

「不是男的啊，而且才六歲。」

「那、那就是……」

「就是？難不成你是說這個田端登和子殺了她的父親？她才六歲耶。而且……哎呀，這孩子被赤楝蛇咬了。」

「赤楝蛇嗎？」

一直站在不近不遠處的關口來到久住旁邊。不曉得是對什麼有了反應。這麼說來，幾天前他好像說過，赤楝蛇不太會咬人，也沒有毒。

「好像差點沒命呢。」

「差點沒命？」

「咬傷不只一處，是被咬了好幾口嗎？所以才嚴重中毒……」

「中毒？不過那是赤楝蛇吧？赤楝蛇不是沒有毒嗎？」久住說。

綠川仰望關口。關口驚慌地別開視線。

「我對蛇不熟悉，但從病歷的記載來看，好像並非無毒。應該也是因為年紀還小，上面說口腔等黏膜部分有出血，還有皮下出血、腎功能低下……這是中毒症狀吧？好像視力也暫時減退了，這……」

看起來是九死一生呢——綠川說。

「花了超過一個月才恢復。」

「被赤楝蛇咬到也會這樣嗎？」

「就說我不是蛇類專家，不知道了。要是有血液樣本，是可以進行分析啦。不過如果只是單純被咬，不會變成這樣的。」

生物毒目前還是未知的領域喔——綠川說。

「好像也有一些物種，會把捕食的其他物種的毒性儲存在體內，也有一些毒性本身還沒有被人類發現。植物也是，一堆有毒植物。」

這個世界充滿了我們不了解的事嘛——看上去完全是少女的病理醫生說。

「總而言之，這個女孩在昭和十三年差點送命，這一點不會錯吧。醫生記錄謊言也沒有意義，只能相信了。如果叔公寫這些，是為了欺騙自己身後偷看這些病歷的人，那另當別論。」

「若是這樣，會是什麼情況？」關口問久住。

「什麼情況？」

「哦，就是如果相信登和子小姐的說法，她是在那前後殺害了父親，對吧？雖然丑松先生說的支那事變的時間非常模糊。這果然還是不太可能吧。」

「也許是丑松先生記錯了。會不會是……更久以後的事？」

「沒有更早的紀錄了呢。」綠川說。「五歲的話，實在不可能殺人吧。」

「當時六歲的話，她現在二十二歲左右呢。那……」

「久住先生。」關口出聲。「我明白你想要相信她的說詞，但很有可能她自己的記憶也亂成了一團。首先得先確定她的生父是何時過世的。」

「不愧是小說家。」綠川說。「我本來以為你沒有變，不過關口，你變可靠了呢。已經……成家了？」

不知為何，關口滿臉通紅，一樣不清不楚地囁嚅回應，同時伸出脖子，拱起肩膀。是在表達肯定吧。

「我想也是。榎木津先生和……中禪寺呢？」

「京……中禪寺比我先成家。榎木津……先生還是單身。」

「這樣啊。」綠川的表情變了一下。「我也還是單身。這樣啊。彼此都老大不小了呢。咦？」

「怎麼了？」

「這果然是照姓名排列的。淺田、櫻田、田端，是五十音順呢。可是……啊，接下來是照日期嗎？好奇怪。難道是……一般病患和此外的病患？」

「此外的病患？」

「就是參加那可疑計畫的人……啊。」

綠川的手停住了。

「找到了。田端勳。是這個人嗎？」

「是放在**非一般病患**的病歷裡面嗎？」

「是啊。這與其說是病歷，更像是定期健康檢查的結果呢。可是，啊，是一週進行一次啊。這……是什麼呢？——」綠川說著，捏起纖纖玉手，抵在下巴上。

「怎麼了？」久住問。

「這個田端勳，是剛才被蛇咬的女孩的父親嗎？」

「不知道名字。」久住說，關口也點點頭。

「那，是同姓的無關的人嗎？」

「為什麼這麼說？」

「這個人在昭和十三年三月過世。」

「同一個時期嗎……？」

「日期……是登和子被蛇咬的三天後。」

「三、三天後嗎？」

「登和子沒辦法殺人呢。」綠川說。「她那時候應該非常虛弱，搞不好還在昏迷當中，不可能殺人。」

「呃……那個叫勳的人，死因是什麼？上面沒有寫嗎？」

「這個嘛……」

綠川苦惱地擰緊了眉頭。

由於相貌宛如幼童，不知何故，讓人看了心痛不已。綠川翻著文件。

「那位小姐是怎麼說的？」綠川問。

「說什麼？」

「因為，她不是說她殺了父親嗎？當時她那麼小，我只想得到是不小心把人刺死，其他就是意外事故……」

「好像是勒斃。」久住回答。「她說在她想起來以前，都相信父親是上吊自殺。」

「不可能呢。沒有外傷。這是怎麼回事？好像全身都出問題了，簡直……」

就像遭到放射線曝露——綠川說。

鵺（三）

鵺是怎樣的鳥，綠川不知道。

說到「鵺」，一般都被拿來比喻不知底細，或莫名其妙的事。因為不感興趣，這部分她也不是記得很清楚，但也聽說過鵺是集合了虎、蛇、猿等部位的怪物。

世上沒有那種東西。

世上不存在這樣的複合動物，也不可能製造出來。

擁有不同基因的單獨個體——嵌合體，在植物等是有可能出現的，實際上也有。以嫁接技術栽培不同種類的樹木，就可以視為這種例子。

至於動物，在血液等層級上是有可能的，但因為有免疫作用，無法以成體製造嵌合體。

若是在出現的過程中，比方說，雙胞胎即使是異卵雙生，也共用同一個胎盤，因此在胚胎的階段，是有可能一邊的血液幹細胞移動到另一邊，定著在骨髓上。

發生這種情況時，就會出現擁有兩種不同基因血液的個體——血液嵌合體。但也只是這樣而已。若以ABO式的單純分類進行檢驗，就會是擁有A及O等不同血球的個體，但這種情況，也會因為輸血時的問題而罕見地發生，而且並不會因此而與正常個體有什麼不同。

在鳥類等身上，似乎觀察到有個體是從來自複數胚胎的細胞群發育而成。這不同於像是獅子與老虎雜交出生的獅虎，並非混交而成，而是兼具不同的基因。

否則不可能變成像鵺的東西。

不管怎麼想，頭是猴子、臀部長出蛇的老虎或狸……這樣的生物不可能存在。而且這種生物不是鳥。

即使是不具備生物學知識的古人，應該也都知道。

就是因為不可能存在，才會被拿來比喻神祕的事物嗎？

——不是嗎？

因為不明所以，才會被賦予那種不可能存在的古怪形姿嗎？

綠川想起了中禪寺。中禪寺的話，應該對這類事情知之甚詳。一定會詳細解說。

儘管聽到、知道這些，也沒什麼用處。

離開廢屋般的診所，前往站前下榻處的路上，綠川聆聽著鵺的啼聲。不，她不曉得那是否真的是鵺的叫聲。

——說有多哀淒就有多哀淒啊。

桐山老人這麼說。

就是那樣的啼聲。起初她以為是和笛——像能管或龍笛（註）的橫笛——的聲音，但不可能是笛聲。也不到悲鳴那麼強烈。確實是哀傷、淒涼的音色。

或許是因為正值黃昏。

或許是因為寒冷。

不過，鳥應該並不感到哀傷或淒涼。綠川不明白鵺的生態，但鳥之所以啼叫，都是為了求愛或是威嚇。會感到哀淒，是聽到的人的主觀感受。是任意解讀。

倘若聽在叔公耳中，也是哀淒無比，是因為叔公感到哀淒之故嗎？

啾啾。咻咻。

聲音縈迴不絕。不，應該說令人印象深刻嗎？

註：能管是能伴奏時使用的橫笛，龍笛則是雅樂（宮廷、宗教音樂）使用的竹製橫笛。

與關口重逢，是意料之外。

她並非忘記了，但一直覺得大概再也不會見到他們。她以為雙方緣分已盡。

前來探尋叔公遙遠記憶的殘香，卻找到了不該找到……卻又讓人極其懷念的事物，是這樣的感覺。

長年來被擱置遺忘、難以言說的情感被強烈地攪動，綠川也大受動搖。

但她並非什麼不經事的深閨千金，會因此而方寸大亂。她超出必要地佯裝平靜，因此對方應該什麼都沒有看出來。

——不過。

那個叫久住的年輕人，到底是扛起了什麼重擔？綠川固然大受動搖，但他更要大為震驚。

深信自己殺害了生父的女子……

據說她和久住，只是飯店女僕和客人的關係。而關口更是與這件事毫無瓜葛，甚至連見都沒見過那名女子。

那是幾年前的事了？

過了十四、五年了嗎？

那一天。

關口的眼神就像棄犬。後來他就再也足不出戶，因此那是綠川最後一次看到關口。

她實在不認為關口是那種會去插手管陌生人閒事的人。也許這十幾年間發生過什麼。那麼。

綠川微微搖頭，把從那時候裁剪下來的現實趕出腦袋。兩人重逢只是巧合。巧合沒有意義。追求意義，是愚者的行為。

所以雙方的緣分……就到此為止。

綠川踏上的路，和他們正在走的路，是截然不同的兩條路。只是過去一度相交的幾條路，在廢屋這個點又碰巧再相交了一回罷了。既然方向不同，點再也不會疊成線。

綠川再一次搖頭。

——事到如今，想這些做什麼？

那些不重要。眼下的問題，是那些文件和病歷。那些東西顯然不對勁。並非記述內容有什麼古怪，而是它們的存在方式古怪。

叔公在那裡做什麼？

祕密的……某些事。

有人資助他，這是確定的。不知道是企業還是軍部。但都有辦法收購或接收一半的村子了，這肯定是極具規模的計畫。

——他還說這是一種背叛。

桐山老人這麼說。

意思是叔公背叛了理化學研究所嗎？是對理化學研究所成員的研究舉旗造反了嗎？

——對這個國家沒有好處。

——對世界也有害無益。

那到底是什麼？還有。

——說他是抱著不入虎穴焉得虎子的決心過來的，但洞穴裡沒有老虎。

這是什麼意思？

綠川思考著。

拋開成見——雖然無法徹底丟開——持平地思考的話。

就是叔公認為理研進行的某些研究十分危險，為了阻止、或是否決那項研究，他參加了某人提供資金的、能推翻那項研究的計畫。然而那項計畫失敗，只有叔公被留下……

——放棄了。

是指放棄了阻止研究吧。但。

不存在的老虎是什麼？

如果叔公在找尋它，表示叔公需要那樣東西，來阻止他認為危險的研究吧。

從桐山老人的話來推斷，叔公似乎認為那項研究有損國家利益，甚至對人類有害。

那會是……核能嗎？

確實，當時在理化學研究所，應該以仁科博士為中心，在研究核能的實用化。就連對這方面的事不感興趣的綠川都知道了，研究應該是大張旗鼓，如火如荼。

但那不是國家政策的一部分嗎？假設叔公想要阻止它，就等於是他在對抗國家政策。

這麼一來，叔公參與的祕密計畫的支援者，就**不是**國家或當時的軍部了。

這感覺也難以想像。

根據公所粗略的說明，收購土地的是某家企業。但才剛收購不久，日光就被指定為國家公園，禁止開發，土地只得閒置，在戰後歸還給國家。

聽來合理，卻十分粗糙。綠川不知道國家公園的定義和範圍，但那裡原本是居住區，現在也有一半是普通的村子。她不認為會連有民宅的的土地都指定為公園。會不會原本打算刨掉後山，但後來無法動工了？就算是這樣，那種地方能蓋什麼？

若說是要蓋祕密研究所還是工廠，還比較有可信度。

說起來，假設是企業收購的，叔公怎麼會在那種地點開診所？

關於這一點，公所的回答是「不清楚」。

公所說那是戰前的事了，當事人都過世了，如今也無從知曉當時簽了怎樣的合約。

據說那家企業也在歸還土地後解散了。

未免太巧了。

這種巧到家的事情背後，大抵都有權力的影子。然而這卻與從桐山老人那裡聽來的內容推測出來的情節截然相反。

不該把叔公當成叛徒——反體制的一方嗎？

實在兜不攏。

——再說。

田端這個人的死因，與放射線傷害極為相似。

直接的死因是多重器官衰竭。診斷是慢性縮窄性心包炎，但似乎還併發了消化器官症候群。從似乎每星期進行的田端的健康檢查紀錄來看，還有毛髮脫落、皮膚紅斑等記載。

田端很有可能曝露在放射線當中。那麼心包炎也是放射線心包炎吧。

田端的第一次檢查紀錄，是過世約一年半前。在這個階段，他人非常健康。也就是說……他在一年半之間，持續曝露在低劑量放射線當中嗎？

——怎麼會？

當然，這一定跟祕密計畫有關。那麼就不太可能是民間企業所主導。可是。

綠川的思考似乎就在這裡鑽進了死胡同。

若說不重要，也確實不重要。

她也覺得若是如此重大的祕密，不可能會像那樣丟著不管，更不可能全部丟給遠親的綠川處理。

所以一定不是什麼大不了的事。

但……即使撇開荒唐無稽的祕密那些，醫生家屬能不能任意銷毀廢醫院留下的病歷，又是另一個問題吧。

即使退讓百步，可以銷毀，但私自閱覽也是不對的行為。

——雖然想看的都看了。

這或許觸法了，但只要不說出去，就不會受罰。這應該是道德、倫理上的問題吧。

關口心裡其實是怎麼想的？他人的內心，完全無法捉摸。如果是中禪寺的話……

——不。

這不重要。

比起這些，她更在意似乎困在弒父妄想的女子。那毫無疑問是妄想吧。但綠川無法想像究竟是怎樣的經緯，讓她有了這樣的想法。

而且她的父親……

看見旅館了。她已經住了三天。原本打算明天打道回府，但也許沒辦法了。結果綠川什麼進展也沒有。今天也只是處理掉感覺危險的藥品而已。家具什物那些，丟著應該也不礙事，但病歷和文件，還是應該要銷毀吧。久住說明天也要來幫忙，但……

綠川正要進入旅館，手猝然被人抓住了。

「做什麼？」

是一名陌生男子。

「不好意思，有事想請教一下。」

「我要叫人了。」

「這種情況，聲稱自己不是可疑人物應該沒用……要是有警察手冊就輕鬆了。對了，如果我出示能證明身分的證件，可以和我談談嗎？」

聲音低沉。語氣恭敬，但眼神不善。

男子把手伸進外套，抽出像定期車票的東西出示。

「這是我的證件。」

上面印刷著桐紋。這徽章是……

「法務省……？不是呢。」

「一樣都是桐紋。我就不賣關子了，我是公安調查廳的調查官。」

「公安……」

綠川的表情更加詫異了。

「那你找錯人了吧。我……」

「妳是綠川猪史郎博士的親戚吧？」

綠川一時作聲不得，瞪向男子：

「公安調查廳不是祕密警察嗎？那你應該都已經掌握了吧？」

男子不滿地繃起了臉：

「這是誤會。如果是警察，調查事情就輕鬆多了。我們的工作不是刑案偵辦，而是調查，並沒有特別的權限。」

「那……」

「可以請妳配合嗎？」男子緊咬不放。「調查官不是偵查人員，也無法向法院申請執行令狀，因此也無法請妳到公家機關進行詢問。雖然我認為只要亮出這張證件，妳會知無不言，但我不想強迫。」

也就是說，他在某處守株待兔，而自己掉進網子，所以他尾隨跟來嗎？

「這完全是調查行動。我們不會倚恃強權調查，或強迫民眾配合，也無法這麼做。因此，也許妳會覺得我是在鬼鬼祟祟四處打探……但這只是因為我遵守法令。」

而綠川違反了法令。

但。

事已至此，她逃不掉，也無法矇混過去吧。

「沒錯，我是豬史郎的姪子的女兒。我的祖父和父母都已經離世，所以我應該是豬史郎唯一的血親。」

「這樣啊。」

「你好像輕易就聽信了，但這是我的一面之詞。你不用問我的名字嗎？……不過我現在沒有任何可以證明身分的東西。還是你早就……」

知道了嗎？

「不必了。」男子說。「我不是在調查妳，不需要知道妳的身分和姓名。我得聲明，並不是說我已經掌握了妳的情報。只要調查，輕易就可以查到，但我也不會這麼做。現在我只需要確定妳和綠川博士的關係就行了。」

也就是說，即使綠川假冒身分也無所謂嗎？這……

「說起來，不會有人得知我的身分之後還敢撒謊。」

男子收起證件，微微地笑了。

「那麼，進出那間診所廢墟的人就是妳嘍？」

明明就在監視。

「那裡任何人都可以進出。又沒有上鎖，以那種狀態棄置了將近一年，只要想進去，任何人都……」

「但隨意闖入，還是會構成非法入侵。我是公務員，不能知法犯法。」

綠川這才想到。

比起是否違法，問題更在於責任歸屬吧。需要一個冠冕堂皇的理由，也就是擁有權利的人——自稱擁有該處權利的人的同意嗎？

「這裡很冷。」綠川說。

男子……一陣驚慌。

「我不想在旅途中感冒，而且站在這裡說話，會引人側目，也會給旅館造成困擾。我沒做任何虧心事，不會逃也不會躲，所以……可以先讓我回去客房一下嗎？」

綠川要求，男子語塞了。原來如此，這個人平常都是在男性社會裡靠蠻力處理問題啊——綠川心想。

「我換個衣服，馬上就出來。讓你進客房也很怪，我們找家店坐坐吧。反正也得吃晚飯。」

「好……」男子搔著頭，左右環顧。「這附近……沒什麼好吃的飯館呢。」

「好不好吃無所謂。又不是老饕。」

綠川說，眼睛仍盯著男子的臉，伸手要打開旅館的門。

然而她的手碰到了不是門的東西——似乎是人的手指。是碰上剛好要開門的人了。

是一對男女。應該是住客。

「啊，抱歉。」

抓住門把的男子慌忙縮手，動作十分滑稽，就像碰到了滾燙的水壺般。後頸的髮際剃得很乾淨，劉海卻很長。身形清瘦，下巴形狀倒是很粗獷。

「咦！」

外形處處銳角的男子一看到站在稍遠處的公安，便驚呼了一聲。

「你……我在大磯見過你，對吧？記得你是……」

「你是……偵探嗎？」

「偵探？」

綠川抬頭一看，男子賊笑地說「沒錯」。

「現在是怎樣？喂，你們這幫人是在流行參拜日光嗎！」

公安態度一變，連嗓音都換了一副。

感覺就像一瞬間披盔戴甲了。

偵探後方的女子望向綠川，抱歉地頷首。看起來像在苦笑。年紀似乎和自己差不多。綠川也向對方點頭致意。

偵探說著「這是在說啥啊」。態度很輕浮。

「還有啥，三流小說家、流氓刑警，現在又是蹩腳偵探？你們到底有什麼目的？真是礙眼到家！」

「小說家跟刑警？你的消息也真靈通。雖然我是知道關口先生在這裡啦。」

「關口……？」

綠川喃喃，但對方似乎沒聽見。

「刑警……是哪個刑警啊？啊，既然說流氓，那是木場先生嗎？不不不，木場先生怎麼會跑來栃木？」

偵探問。

「我才想問你。這不可能是巧合。雖然他胡扯些什麼是來觀光的。」

「那應該就是來觀光的吧。我是來工作的，跟那個國字臉的人沒有關係喔。」

「工作？」公安望向女子。

「對啊。我呢，受這位小姐委託，正在找人。我在執行協尋失蹤人口這項如假包換的偵探業務。然後順帶說一聲，我可不是蹩腳偵探。我現在是主任了，主任，主任偵探。」

和偵探一道的女子表情有些為難，說道：

「是的。我不知道什麼如假包換，也不知道蹩不蹩腳，但是我委託他的。」

「不管是找人還是找烏龜，都是如假包換的偵探業務啊。倒是你，你來日光辦什麼任務嗎？你是公安，對吧？該不會有恐怖分子潛伏在日光吧？」

男子是公安這件事，似乎是事實。

但公安否定偵探的話：

「我已經不是警視廳公安一課的人了。雖然一樣叫公安，不過是不同的組織。」

「咦？呃，你是鄉嶋先生，對吧？那，鄉嶋先生是調到公調去了嗎？哎呀呀，這算高升嗎？應該不是左遷吧。原來有這樣的人事異動啊……所以，你在查些什麼？」

「我沒義務告訴你。」

「也是啦，可是公安調查廳耶，不可能會查些尋常小案……哎呀……」

偵探轉向女子，說：

「這下老虎味愈來愈濃了呢。」

「老虎？」

「哦，沒事。木暮前輩說的內容也是，總覺得疑雲重重、詭譎萬分吶。我討厭暴力，但也不喜歡陰謀什麼特高、放射能的，能免則免吶。」

「喂！」

鄉嶋——應該是叫這個姓氏的公安一把揪住偵探的衣領。

「反、反反對暴力……」

「我才不想動什麼粗。益田，你不是在找人嗎？怎麼會跟特高、放射能有關係！說清楚！」

「你沒感受到我打從心底祈求不要有關嗎？又沒入虎穴，虎子卻自己衝過來耶。我是……」

鄉嶋放開了益田——他叫這個名字嗎？

「難、難道，咱們的案子重疊了？」

兩位，都請先冷靜下來吧——綠川說。

猿（四）

這天是星期六，工作也只有半天。

工作頗有進展，但只是確認有哪些內容而已，不論是年代、是出自什麼人的抄本、抄寫的理由，以及為何只有這些埋藏在遠離的地點，都還一無所知。

築山感覺可能的線索，是唯一的外典《西遊記》。仁禮和中禪寺似乎也這麼認為。

但中禪寺不太談這件事。築山認為是因為他還沒有掌握到確證。中禪寺就只是默默地埋首工作。築山很佩服他的身體居然撐得住。現在他也正瞪著文書。

「中禪寺先生，今天你要回去吧？明天休假。」

仁禮問，中禪寺反問：「為什麼問今天？」

「因為你不是已經在這裡睡了四晚了？」

「我說你啊，除了第一天以外，我每天都會回去飯店。」

「是嗎？可是我回去的時候你還在，早上來的時候你也在。沒看見你進出，當然會以為你一直在這裡。」

「真是，你的眼睛到底長在哪裡？沒看到我換衣服嗎？我會回去洗澡的。」

「啊，這樣啊。」

築山也有種中禪寺一直待在這裡的錯覺。築山這麼說，中禪寺瞇眼，說「仁禮也就罷了，怎麼連築山都說這種話」。

「什麼叫我也就罷了？」

「仁禮除了古文書和古紀錄以外，什麼都沒看進眼吧？」

「真沒禮貌，中禪寺先生。我不是也會蒐集赤本漫畫〔註〕和少女小說嗎？我也常看歌劇和電影喔。前陣子不是也才跟你買了一堆戰前的少女雜誌和赤本漫畫嗎？」

「多謝惠顧。」中禪寺說。

「赤本漫畫的新刊漲價了，每一期都買新的，荷包吃不消。我說中禪寺先生，我只是對臉色蒼白、學識淵博的舊書商的和服花紋不感興趣而已，好嗎？而且你說回去，也是去去就回吧？根本沒躺上床好好休息。」

「我今天會回去。」中禪寺笑道。「也有些東西想查一下。」

「結果還不是在工作？」

「我這人就是勞碌命。」中禪寺回答。

「不過查得如何了？你好像請人調了什麼資料，已經有眉目了嗎？」仁禮問。

「唔。」中禪寺低吟，交抱起手臂。「問題就在這兒。這些東西埋藏的地點，是護法天堂的後方……築山，你是這麼說的吧？」

「我是這麼聽說的。不過我沒有看過現場。」

「護法天堂……不是輪王寺東照宮的建築物群當中最古老的一處嗎？」

「是最古老的嗎？應該重建過一次……」築山說。

「是最古老的。」仁禮回答。「我記得是一六〇〇年落成的。是關原之戰那一年，因此時代區分屬於安土桃山。然後應該在落成數十年後重建過。是江戶初期呢。比東照宮還要古老。不過喏，其他建築物也在明治時期燒燬過。」

「這樣啊。常行堂也是在東照宮興建時遷移的嗎？」

「嗯，本來應該在正中央吧？」仁禮說。「常行三昧是天台的四種三昧當中特別重要的行。不過，我也

註：赤本漫畫是二次大戰以後出現的漫畫本，最早在柑仔店當成玩具類販售，後來手塚治虫的《新寶島》大為暢銷，在全國掀起赤本漫畫風潮。

不記得當時山內的伽藍是如何配置的……所以我也不知道。是圓仁〔註一〕建的嗎？圓仁來過日光，對吧？」

「好像有這樣的傳說。據說圓仁來到日光，建了常行堂。」

「果然有來呢。」仁禮說。「慈覺大師〔註二〕真是活躍，在全國各地出沒的次數，大概僅次於弘法大師吧。」

「有很多圓仁開山的寺院嘛。」中禪寺說。「包括復興的在內，東日本就有超過五百間吧。不過這是包括傳說稗史那些的數字。」

「是啊。日光入山也是傳說吧。都說圓仁是在天長〔註三〕時期入山的，但那個時期，圓仁應該在唐國。也有嘉祥〔註四〕入山說，但那個時間他剛回國，兩邊時代都不符合。常行堂創建是在更晚的時代，所以不是圓仁興建的。」築山說。

「這樣啊。在我的印象中，說到圓仁，就是常行堂。說起來，常行堂不是圓仁提案興建的嗎？」仁禮說。

「是啊，沒錯。常行堂的起源，是圓仁自唐歸國後，為了修行念佛三昧，在比叡山興建的。沒有圓仁，就沒有常行堂。」

「圓仁是延曆寺第三代座主，山門派之祖嘛。不過，先不論圓仁是否興建了常行堂……說到天長，在平安時代也是很初期吧？意思是那時候，日光這裡已經屬於天台宗了？」仁禮問。

「不，我覺得不是。因為甚至有空海也入山日光的巷說。」

「弘法大師果然也來啦。」

「所以那是巷說、是稗史。從年代來看，空海不可能入山。那個時期……雖然也沒辦法明確地劃分出是何時到何時，不過我認為曾經有過真言宗與天台宗彼此鬩牆的時期。」

「應該是吧，不過築山，這麼一來，圓仁創建常行堂，應該具有相當重大的意義吧？」

「啊，是啊。常行堂是天台宗的嘛。記得創建是在久安〔註五〕那時候。」

「那是平安末期了呢。天長和久安，不是相隔了三百年之久嗎？就算是傳說，這時間也相差太遠了吧？」

「都是這樣的，仁禮。你不是也說過嗎？神社寺院的由來和起源，都挑對自己有利的寫。如果說圓仁早在天長年間入山日光，興建了常行堂，那就沒有真言宗插手的餘地了，對吧？」

「原來如此。所以為了較勁，才說空海也來過是嗎？真的是，全國到底有多少空海啊？」

「不過久安這個年代，應該也是從許多相關文書裡面推敲出來的，所以我也不清楚正不正確。」築山說。

「那個時期的話，應該也有來自鎌倉幕府的干涉了吧？」中禪寺說。

「是啊，從平安末期到鎌倉初期的動亂時期，日光受到相當大的打擊。好像常行堂也有可能在那時候燒燬。雖然後來好像也燒燬過好幾次。」

「是啊，再怎麼說，日光都是東國的核心嘛。鎌倉幕府好像連日光的別當人事都要干涉，不是嗎？」仁禮說。

「似乎如此……不過源賴朝雖然干涉，但同時也捐獻了不少。可是，日光把鎌倉任命的別當趕了回去，雙方之間應該是有爭執吧。」

「也就是說，那個時期，日光這裡已經明確地形成了僧眾勢力嗎？否則沒辦法反抗體制吧？」築山說。

「是啊。這樣的矛盾留下了後患，建長年間，好像發生過別當與僧眾爆發衝突，縱火燒掉常行堂的事。不過在文應〔註六〕年間又重建了。」

「像這樣聽起來，好像一直在燒毀又重建，不過建長和文應也相距了十年呢。那，此後一直到東照宮落成，都一直風平浪靜嗎？」仁禮問。

註一：圓仁（七九四～八六四）為平安初期的天台宗僧人，師事最澄。
註二：慈覺大師為圓仁的諡號。
註三：天長為平安初期的年號，八二四～八三四。
註四：嘉祥為平安初期的年號，八四八～八五一。
註五：久安為平安後期的年號，一一四五～一一五一。
註六：文應為鎌倉中期的年號，一二六〇～一二六一。

「應該吧。建築物本身改建過許多次，但現在的常行堂的本尊阿彌陀如來好像是平安末期打造的，所以久安年間創建的說法是正確的……」

中禪寺若有所思。

「那，常行堂那個地點怎麼了嗎？」

「不，我介意的是後堂那裡。」中禪寺回道。

「後堂……摩多羅神嗎？」

摩多羅神是祭祀在常行堂的祕佛──或是應該稱為祕神？有別於本尊，安置在奧殿等處。日光的常行堂除了阿彌如來像以外，四隅安置著菩薩像，摩多羅神則祭祀在東北的神祠裡。摩多羅神被視為守護阿彌陀如來的靈威顯赫的神明，卻也十分神祕。

「摩多羅神怎麼了嗎？」

「不，是這樣沒錯，但好像不太對吶。」

中禪寺以指頭抵著下巴。

「中禪寺先生還是老樣子，完全看不出在想什麼呢。」仁禮傻眼地說。「說到摩多羅神，那不是廣隆寺的牛祭裡面登場的，戴著奇妙面具的神嗎？我是在問中禪寺先生查資料有沒有眉目……」

「是我猜錯了嗎……？」中禪寺低吟道。

「猜錯……？這是經典的抄本喔。我覺得跟孫悟空還是摩多羅神都沒有關係。」

「是沒有關係吧。不，我總覺得過度囿於輪王寺、東照宮這些舞台裝置，導致遺漏了什麼。」

「也不能說囿於吧，這東西本來就埋在輪王寺的境內啊。」

「是這樣沒錯，但我覺得……答案在天台宗和山王一實神道以外的地方。」

仁禮轉向築山，聳了聳肩說：

「難得中禪寺秋彥如此舉棋不定。是宗派或教義那些的問題嗎？不過剛才提到，日光從平安後期就一直是天台宗了吧？難道是更早以前？這麼說來，築山先生，開山的勝道上人是什麼宗派的？」

「不知道。」築山回答。

「不可能……是天台宗呢。」仁禮說。

「最澄自唐返國，是延曆〔註一〕二十四年。勝道登上男體山，是延曆元年。時間早多了。」

「是奈良時代呢，根本是古代了。從時代區分來看，算是我的專業。」

「勝道上人是在下野藥師寺修行。」中禪寺維持著相同的姿勢應道。

「啊，這樣啊。說到下野的藥師寺，是弓削道鏡〔註二〕晚年擔任別當的寺院呢。啊，那不是本朝三戒壇〔註三〕的寺院之一嗎？」

那，要說宗派的話——仁禮說。

「是華嚴宗嗎？——不過說天台，那也是鑑真和上〔註四〕的時代嘛。」

「宗派說到底，都是後來才冠上去的。」中禪寺說。「宗派是形式和理論，問題在於它是本質嗎？當然，這不是在說宗教欠缺本質……總之，可以把宗派當成前往目的地的交通手段吧。」

「目的地，是類似開悟的東西嗎？」

「開悟不是目的。」中禪寺說。「也不是在說修行是手段。悟道就是存在本身，修行亦是如此。修行與悟道密不可分，是一直持續到死的。啊，這不是該在僧人的築山面前賣弄的話呢。」

「中禪寺先生的口氣比我更像僧侶。」

築山這麼說，中禪寺露出厭惡萬分的表情：

註一：延曆為奈良後期至平安初期的年號，七八二～八〇六年。

註二：道鏡（？～七七二）為奈良末期的法相宗僧人，弓削氏出身。受稱德天皇重用，成為法王。

註三：三戒壇為奈良時代，聖武天皇下令興建的三處戒壇，為大和東大寺、下野藥師寺及筑前觀世音寺。

註四：鑑真和上（六八八～七六三）為奈良時代自唐前往日本歸化的僧人。日本律宗之祖。

「我是個俗人啊，築山。總而言之，仁禮，不管是真言還是天台，是修驗道還是山王一實神道，最後的終點，都是那裡……」
中禪寺伸手指去。
「那座山。」
「什麼？」
「輪王寺的本尊是千手觀音、阿彌陀如來和馬頭觀音，但這是對應新宮、瀧尾、本宮的日光三所權現，各別被視為大己貴、田心姬、味耜高彥根這些神道教的神明，但這些完全是『權現』，是假借的形姿，對吧？只是為了讓人容易理解的聖像、記號而已。祂們的本質是男體山、女峰山和太郎山。」
在這塊土地的最終目的地，是山——中禪寺說。
「是啊，可是還有東照大權現啊。」仁禮說。
「所謂東照，顧名思義，是照亮東方，對吧？」
「是啊，這怎麼了嗎？」
「土地的咒力，比教義宗旨更要強大。」
「在定名為東照之前，草案階段，似乎有東光、日本這些候補。」築山說。
「照耀東方、光輝的日之本——山王權現的本地神被定為天照大神，從這一點也可以看出，一定受到了日光這個地名的影響。天照大神不用說，是皇室的祖神，也是太陽神。大己貴是天照的弟弟須佐之男的子孫或兒子。味耜高彥根則是大己貴和田心姬之子。田心姬是天照與須佐之男締結誓約而生的神明。天海應該是認為，要涵蓋日光三山，天照大神才是最適合的神明，但……」
「結果還是選擇了日光這個地名嗎？」仁禮問。
「日光（NIKKO）一詞，是來自二荒（NIKO）的訛音吧。而NIKO一詞，應該是來自二荒（FUTAARA）〔註一〕，一樣是山。」
「是二荒山神社的讀音呢。可是二荒山……就是男體山嗎？」

「一般認為，二荒山是男體山的古稱，但也有說法認為是指男體山及女峰山這二山。」

「唔，那就是山呢。……我這什麼蠢話啊。」仁禮笑道。

「不過就是這樣。勝道上人把這二荒山（FUTAARA SAN）解釋為補陀落山（FUDARAKU SEN）。也就是觀世音菩薩降臨的，不曉得位在何處的山。」

「是補陀落渡海〔註二〕的補陀落呢。」

「玄奘三藏在《大唐西域記》裡，說布呾落迦山（FUDARAKA SAN）位在南印度的抹剌耶山之東，但似乎無法確定是哪一座山。補陀落渡海常被認為是一種水葬，或是遠渡大海另一頭的儀式，但原本應該是要渡海前往補陀落山吧。目的地是山。」

「是山嗎？」仁禮說。

「說起來，在勝道上人開山以前，山上本來就有人了。二荒山……應該早在開山以前就是修行之地了。」

「山岳佛教嗎？比奈良時代更早？日光修驗道不是在鎌倉以後才出現的嗎？」

「不一定是佛教。」

「噢。」

「山上本來就有人。一直都有。還有神。不，山本身就是神。人一直生活在神的懷抱裡。」

「是所謂的山民嗎？用柳田先生〔註三〕的說法，就是山人，三角寬〔註四〕的說法，就是山窩〔註五〕嗎？」

註一：譯註：二荒的兩種讀音，音讀為「NIKO」，訓讀為「FUTAARA」。
註二：補陀落渡海是日本佛教一種捨身修行的形式。僧侶搭上封死的渡海船，出海漂流，祈求前往補陀落山。
註三：指柳田國男（一八七五～一九六二），日本民俗學的創始人。
註四：三角寬（一九〇三～一九七一），小說家，以山窩族的研究聞名。
註五：山窩，サンカ（SANKA），此詞出現時，漢字有各種表記方式，後來漸漸統一為「山窩」。為據說曾經存在於日本的漂泊流浪集團。傳說以狩獵採集為生，並製作簸箕、掃帚等竹工藝販賣換取收入。

「這樣說可能太粗暴了。」中禪寺說。「山窩是以漢字去表音，原本好像是警察的行話，是一種蔑稱，以對方是罪犯為前提。山人也是……柳田翁應該是把山人視為原住民的後裔，但我對此存疑。野獸、怪物以及神之間，難以明確劃分。」

「這麼說來，中禪寺先生不同意零落的神〔註一〕這樣的觀點呢。」仁禮說。

「我是認為神不會零落啦。這不是重點，問題是山民。」

「我不懂哪裡有問題。」

「所以重點在於山啊。山民……唔，山民也是漂泊民，但明治以後，統統被歸類為賤民了。他們原本有各種稱呼，像是轉場者、做簸箕的、『砰』等等，然而這些稱呼和樣態都消失了。如今還保留著的，就只有叉鬼了吧。」

「獵熊人嗎？」築山問。

中禪寺回應：

「是啊。叉鬼是有流派的。有高野派和日光派。」

「日光派？」

「對。他們的說法是，他們獲得同意，可以在山裡殺生。」

「誰同意的啊？狩獵許可證嗎？不過現在未經許可亂開槍，一樣會被抓，是這個意思嗎？」

「是啊。他們擁有執照，獲准獵捕山中的鳥獸。不過這張執照的發行人不是國家。頒發執照給高野派的叉鬼的是……」

弘法大師——中禪寺說。

「又是空海！呃，空海不是僧侶嗎？佛門子弟怎麼可以同意殺生？」

「沒辦法啊，人家自古就是這麼生活的。不過空海並非鼓勵殺生，他採取的是赦免殺生罪的立場，讓叉鬼即使結束禽獸的生命，也不構成罪過。另一方面，日光派這邊，則是日光權現同意狩獵。」

「日光權現嗎……？」

「對。是分成三所以前的……應該說，是包括三所全部的日光山整體的權現。這個權現……」是蛇——中禪寺說。

「蛇？」

「是蛇。跟蜈蚣大戰。」

「蛇和蜈蚣經常大戰呢。」仁禮說，但築山不認為這不是什麼廣為人知的例子。

「那是傳說嗎？」

「唔，也是有這種傳說，不過這算是由來。」

「是社寺的由來嗎？」

「你看。」

中禪寺轉頭，就像在指示什麼，但四面都是牆壁，就好像他能看透牆壁另一頭似的。

「就那邊的……二荒山神社的由來啊。築山你知道吧？」

「日光二荒山神社的由來，簡單分類的話，似乎有兩種系統流傳。《日光山緣起》二卷，和《補陀落山緣起》吧。中禪寺先生說的，是《日光山》那邊嗎？」

「是啊。不過這類寺社的由來，看似和當地的傳說等等密切相關，卻也不盡然如此。有類似模式的東西。」

「因為是一種宣傳嘛。」仁禮說。「我這話不是在貶低，但有很多創作和捏造的成分。族譜那些也是，都是為了建立權威而編造的。」

「是啊。二荒山神社的由來也是，不能否認就像是熟悉的傳說故事大雜燴。我不知道《日光山緣起》成

註一：零落的神（神の零落）是民俗學家柳田國男提出的觀點，認為妖怪即是零落的神。

立的年代，但也許它受到《御伽草子》〔註一〕那些的影響。《日光山緣起》的前半，簡而言之，就是貴種流離譚〔註二〕。」

「貴人很容易被流放呢。」

「是啊。上卷的內容是，有宇中將觸怒天皇，遭到放逐，在陸奧國娶了富豪之女朝日姬，卻慘遭奇禍身亡。下卷描述死去的有宇中將復生，與朝日姬重逢。」

「復活嗎？這情節與其說是《御伽草子》，更接近說經節〔註三〕呢。根本是小栗判官〔註四〕的故事翻版嘛。」

「寺社由來都是這樣的。然後生還的有宇中將和朝日姬生了一個孩子，叫馬頭御前。而馬頭御前的孩子叫小野猿丸。」

「猴子嗎？會發光嗎？」仁禮打諢說。

「不會發光，而且是人。是射箭高手。猿丸在日光權現與赤城明神的大戰中立下武功。」

「哦，赤城山是蜈蚣嘛。」

「對，日光山是蛇。猿丸以他精湛的箭法擊退了蜈蚣。」

「那是權現和明神的天神大戰呢。」

「是啊。也可以把有宇中將視為男體山、朝日姬視為女峰山、馬頭御前視為太郎山。或者說，應該就是這樣吧。」

「而且本宮的本地神是馬頭觀音嘛。」

「想要牽強附會，要怎麼說都行。等於是那三所權現的上方，有日光權現鎮坐著。而底下……」

「是猴子嗎？」

「就說是人了。小野猿丸的子孫，代代都是祭祀日光權現的神官……傳說是這麼說的。重點是，這裡的日光權現是蛇體。傳說中禪寺湖也有蛇神呢。而且之所以會和赤城明神打起來，原因好像也是為了爭奪中禪寺湖……」

「跟中禪寺先生有關係嗎？」仁禮問。

「跟我有什麼關係？」

「哦，因為都是中禪寺啊。」

「我對家系和血統那些毫無興趣，所以也沒有追溯過。雖然不知道能追溯到幾代，但族譜那些一點都不可信吧。」

「中禪寺先生不會感到好奇嗎？」

「不會。祖先、家族裡有再厲害的偉人，都不值得拿來說嘴，反過來說，就算有罪人還是惡人，也沒有什麼好引以為恥的。那跟我個人毫無關係。」

「是這樣沒錯啦。因為你說猿丸的子孫代代都是神官，所以我想說中禪寺先生家裡是不是也是這樣。神職不是世襲的嗎？」

「我父親是傳教士。」中禪寺說。「我的神職是從祖父那裡繼承的，但曾祖父好像是入贅的，所以沒什麼血統可言。說起來，成天吹噓父親了不起、祖先很偉大的人，不是笨就是無能。完全就是空心草包，只好依靠那種東西。」

「好刻薄喔。」仁禮笑道。

「這不是廢話嗎？而且本來就無關吧。」

「唔，好吧。可是說到蛇，印象中就是水神，但山的神格化是蛇，這也不算罕見呢。神話裡面有很多。

註一：《御伽草子》是室町時代到江戶初期完成的短篇故事總稱。風格偏向勸善懲惡的童話。

註二：貴種流離譚是血統高貴的人物經歷流離劫難並克服的故事類型。

註三：說經節是流行於中世紀末期至近世的說唱表演形式，將佛教的講經內容通俗化，配上樂曲，或是人偶表演。

註四：《小栗判官》為說經節的代表作之一，大意為小栗遭到妻子一族殺害，在閻魔王的安排下復生，與妻子重逢，向妻子一族復仇。

我覺得太陽信仰也是山岳宗教的附屬，不是日光獨有的吧。」

「你說的沒錯。不過我在意的是，蛇和蜈蚣的天神大戰這件事，直接被日光叉鬼的祕傳書所引用。」

「什麼祕傳書？」

「我剛才說的狩獵許可證啊。那叫《山立根本之卷》。是叉鬼的由來書。內容是由於助日光權現擊退赤城神有功，做為回報，獲准在山中獵捕禽獸。」

「叉鬼嗎？還是猴子？」

「就說不是猴子了。猿丸是人名啦。而且日光叉鬼那邊，名字不一樣，是叫萬事萬三郎，被視為日光叉鬼之祖。」

「先是摩多羅（MATARA）神，然後是叉鬼（MATAGI）啊。兩邊有什麼關聯啊？真是不懂。築山先生你懂嗎？」

「嗯。」

大概理解了。

雖然或許只是自以為理解。

「也就是……今昔重疊，對吧？」築山說。

「更不懂了。」仁禮說。

「我不太會解釋，不過現在這座輪王寺是天台宗的寺院，東照宮是山王一實神道的祭祀機構。神佛判然令以後變成了這樣，但是在近世，兩者原本是一體的。」

「所以呢？」

「現在分開了，但並不是說過去的儀式、樣貌都消失了。我覺得就像雙重曝光的照片一樣，重疊、保留下來了。同樣地，在中世——也就是東照宮完成以前，日光的各種活動，顯然是以常行堂為中心。常行堂的本尊是阿彌陀如來，但摩多羅神也是絕對不容忽視、值得一書的神靈。常行堂的儀式中，摩多羅神不可或缺。而那項儀式是祕儀。摩多羅神是被隱藏起來的神明。」

「是這樣嗎？」

「為什麼會是祕密，理由我也不清楚，但就是這樣。後來東照權現鎮坐在這塊土地，常行堂被遷移到現今的位置，祭儀也斷絕了，從平安時期一直持續的大念佛會也成了絕響。雖然在過去，那是最受重視的一項活動。同時，與常行堂相關的堂僧，以及『結眾』這個經營祭儀的團體也解散了。可是……」

那些。

「也一樣保留下來了吧。」

「就像多重曝光一樣嗎？」

「沒錯。中禪寺先生就是像這樣一層層抽絲剝繭了吧。一路回溯到勝道上人開山以前。是嗎？」

中禪寺又陷入沉思。

「在將日光的山定為靈場之際，絕對需要原本就住在山上的人們的協助。但他們應該也有自己的信仰。」

「那些信仰也保留下來了嗎？」仁禮問。

「應該吧？」築山說。

「當然留下來了。」中禪寺說。

「這，到底是幾重曝光啊？我不懂相紙、乾板那些，但曝光那麼多次，都變成白色了吧。那種東西，不會換個招牌、貼上紙張，就被覆蓋掉嗎？」

「不管上面貼了什麼，底下的東西還是會透出來。撕下來重貼也一樣。所以會變成貼了一層又一層。即使如此……」

「還是會透出來嗎？雖然也不是不懂……這件事就像是翻開天海，底下是圓仁，翻開圓仁，底下是勝道，再翻開勝道，底下冒出叉鬼，對吧？」

「所以說，那些都是貼上去的紙，重點在底下。底子不是紙，而是像石頭的東西，所以只要把紙一張張撕下來，或許就能看到刻在那石上的東西……我是這麼認為的。」

「是可以理解啦。」仁禮說。「我非常清楚，自己偏重文獻，所以很不擅長思考那種難以訴諸言語的抽象問題。就算要比喻……對，如果是有隻狸子〔註一〕從久能山跑到祭祀蛇的猴子那裡，命令把牠祭祀成老虎，這樣還可以理解。」

「那什麼啊？」中禪寺笑道。「根本就是鵼了嘛。」

「可是不就是這樣嗎？天海要人把家康祭祀為阿彌陀如來，但結果山神還是蛇。」

——這樣啊。

「中禪寺先生說的，宗派是後來加上去的，就是這個意思嗎？」

聽到這裡，築山終於恍然大悟。

「你認為那根基的部分，才是本質，是嗎？」

「坦白說，我不想用本質、現象這類詞彙，因為這不是在探討哲學。不過也沒有別的詞彙可以適切地表達了。」

「我不認為會有中禪寺先生找不到的詞彙，不過……是啊，那是否就類似於信仰**本身**？」

「這樣說更莫名其妙。」仁禮說。「什麼叫信仰本身？」

「這個嘛……。比方說，我會去想，這塊土地在祭祀家康公以前的天台宗儀式是怎麼樣的，仁禮也會去想，勝道上人是什麼宗派的、在勝道之前是不是就有修驗道，無可避免地會落入這樣的觀點、思維，對吧？」

「這樣不行嗎？」

「不是不行，可是就算沒有宗派那些，人還是有信仰吧？說到底，根本之處總是有著那份信仰……」

「意思是不分宗派嗎？」

「對，比方說，寺院有本尊，神社有祭神，我們會禮拜這些。可是，我們並不是在拜佛像或是御神體的鏡子，對吧？」

「那當然啦。像只是像，依代〔註二〕就只是依代。」

「所以了，即使神在本地的化身是佛，那佛也僅僅是權現，這些東西都是……這樣說很大逆不道，不過借用中禪寺先生的說法，或許它們都只不過是記號罷了。天台以天台的做法，山王一實神道以山王一實神道的做法，在信仰著那樣東西。」

「那樣東西……是什麼？」

「就是……那根基的部分啊。我不太會解釋，呃，該怎麼說才好呢？」

「是所謂的……超越者嗎？」

「有些不太一樣呢。是更原始的事物吧……。是必須畏懼、崇敬的對象。在這塊土地的話，或許……就是山。」

「山嗎？」

「我們很容易忽略了山。」中禪寺說。

「因為上面被紙蓋住了嗎？」

「是啊。把紙一層層撕下來，就能漸漸看到底下的古層，但我們會不由自主地把看到的古層放進民間信仰、土著宗教等框架去理解。但這樣的理解，終究只是與既有的宗教比較而來的理解。」

「這樣子不行嗎？」

「不是不行，應該也是有用的方法。不過我說的是，從每一層都能看到的最底層，很容易被忽略掉。見樹不見林，即使見了林……」

也不見山——中禪寺說。

「我覺得山才是一切的根本。」

「是啊。我是佛門子弟，所以以佛教的儀式來祭拜那座山。但此外的人，也都用不同的儀式去祭祀。只是這樣而已……是嗎？」

註一：日文的狸常用來比喻老謀深算的人，這裡的狸子指的是天海。

註二：依代也稱憑代，為神道教中神靈依附之物，可能是樹木、岩石、動物或人。

「哦……」仁禮嘴巴半張。

「相信那套做法和儀式，應該就是所謂的信仰……但這幾天，我淨是在想，儀式和信仰**本身**或許沒有什麼關係。小峰先生誠摯地敬拜猴子，但他並不是任何一間寺院的檀家，也不是神社氏子了。」

「是……這樣沒錯啦。這實在不像築山先生會說的話。是被朝夕相處的中禪寺先生給感化了嗎？」

「或許吧。」築山說，中禪寺說「饒了我吧」。

「好吧，兩位的高論我某程度理解了，不過這跟這次的調查有什麼具體的關聯嗎？」

「我是在思考，或許有某個可能。」

「中禪寺先生，這些抄本不管怎麼想都沒那麼古老啊。用層來說的話，是狸子層吧。」

「狸子層？」

「就是東照權現鎮坐此地以後的事啊。大前提是，這些書是天海藏的藏書抄本，對吧？」

「天海藏裡也包括了東照宮完成以前的藏書吧？」

「是啊。難不成中禪寺先生找到證據，證明《西遊記》被捐贈是更早以前的事，緊接著這些抄本被製作……」

「沒有那種證據。」中禪寺說。「要是那樣，事情就更簡單了。如果找到那種證據，我會第一個通知你們，我現在也已經回去飯店睡大覺了。就是因為什麼線索都沒有，才會在這兒想東想西。」

仁禮歪起了頭：

「連結不上呢……」

「只看物品的話，會這麼覺得。問題是，是誰為了什麼而製作了這些抄本、又怎麼會埋在那種地方。」

「是啊。這麼說來，我都把注意力放在檢查內容上，但那些也是調查工作的項目呢。可是就算可以推測，也沒辦法確定吧？」

「嗯，所以我才沒說話啊。要檢查的只剩下一箱，就快大功告成了吧。所以我才想從別的角度來思考。」

「跟摩多羅神和叉鬼都沒有關係吧。」

「或許……也不見得哦。」中禪寺說。「好了，我們賴在這裡閒聊，安田嫂會沒辦法回去，就先收工吧。我還要去查些東西。」

「不休息嗎？」

「仁禮你自己回去旅舍以後，還不是會讀古文書？唔，我是希望星期一以前能理出個頭緒……」

中禪寺說完，站了起來。

「辛苦了。」

築山目送著中禪寺離開的背影。

「中禪寺先生應該有什麼假說吧。他不是那種像無頭蒼蠅的人，應該超前我們兩、三步，但我完全看不出他正往哪裡走去。啊，築山先生，要不要一起去吃午飯？」

「不……我是很想，但今天跟人有約。嗯，一點雜事。我沒你和中禪寺先生那麼熱愛工作。」

——那個人。

寒川秀巳。

築山沒有把寒川的事告訴中禪寺。仁禮知道三天前小峰莊前面出現可疑男子，發生了一點糾紛，而築山偶然在場。但他也只知道這麼多了。築山請小峰不要報警，因此仁禮也不知道更多的細節。

他並非刻意隱瞞，只是也沒有聊到這個話題，所以沒有說出來。過了一天以後，他覺得也沒有什麼好說的，結果就這麼錯失了說出來的機會，只是這樣而已。

——那天。

築山請小峰代為向仁禮傳話，帶著寒川離開了。原本他打算親自告訴仁禮，但實在放不下寒川。

兩人進了咖啡廳，築山聽了寒川的說法。

寒川的說詞十分奇妙。

寒川當時手裡的東西，居然是蓋格—米勒計數器，也就是所謂的放射線偵測器。令人驚訝的是，寒川正在測量日光各處的放射線。他似乎沒有發瘋，也不是在撒謊，但築山不太能理解他所說的內容。

那天築山很累了。所以。

和寒川相約再次見面。沒錯……今天接下來，築山要去見寒川秀巳。

狸（五）

感覺糟透了。

格格不入。如坐針氈。渾身不對勁。

時髦雅致，裝模作樣，看起來很高級，一點都不骯髒。沒有任何與木場共通之處。

最重要的是，這家飯店。

——怎麼會是這裡啦？

木場踏緊凍僵的地面。

這家飯店的老闆是木場的朋友的哥哥。說是朋友，也只是認識多年的孽緣，他絕對不想說什麼兩人就像哥兒們，或是總角之交。木場完全清楚自己是個笨蛋，但他認為那小子——榎木津禮二郎，是自己望塵莫及的大笨蛋。

據鄉嶋說，同樣從戰時就認識的冤家闊口，還有他的朋友中禪寺也來到日光了。既然如此，那個笨蛋一定也在這裡。

雖然木場也不是討厭那小子。

所以他聽說登和子工作的地方是日光榎木津飯店時，懊喪不已。

這次木場實在不行。情勢每況愈下。說起來，被長門和近野慫恿說動的階段，他就沒救了。就像民間故事裡被狸子迷騙的傻子一樣，最後一定會掉進田裡的堆肥裡。

在這當中，唯一像樣的線索，就是笹村倫子這個名字。

但也有可能只是同姓。世上姓笹村的人多如牛毛。也沒有任何確證。

但。

聽說被認定葬身火窟的笹村夫妻託付給日光朋友的孩子當中，其中一個當時才出生不久。年齡……大致符合。

無望的發展讓直覺和嗅覺都衰退了，但那衰退的直覺和嗅覺告訴他，這樣就對了。

既然沒有半點頭緒，也只能闖闖看了。

然後，想到倫子也在榎木津的飯店工作，木場頓時萎靡了。

登和子很平靜。

把登和子從佛具行帶到田貫屋的那個佛師，那天也沒有回來。他好像聯絡了田貫屋，說挑選木材花了點工夫，但這一兩天會回來一趟。

隔天木場去了公所。他想問出關於KIRIYAMA KANSAKU的情報，卻是白跑一趟。是假名、要不然就是死了，或是搬走了嗎？

也有可能從一開始就沒有戶籍，也沒有住民票。即使在昭和現代，還是有不少人沒有戶籍。

木場順便查了一下登和子的父親。

田端勳確實在昭和十三年辦理了死亡登記。已經死了。

當時登和子六歲。符合登和子的自述。但這不代表人就是登和子殺的，木場也實在不認為是她殺的。資料上沒有寫死因，因此不清楚。

不過……

木場在懷疑。

死亡是可以偽裝的。

從芝公園消失的三具遺體。如果其中兩具被當成笹村夫妻的替身的話，那麼笹村夫妻還活在世上。假設搬走屍體的是特高警察……

雖然完全不明白是什麼樣的關聯，但感覺其中有某種像是陰謀的事物。如果田端的死也同樣是偽裝的話……

會有什麼連在一起嗎？

鄉嶋好像在打探田端的事。公調怎麼會調查早在十六年前死亡的人？假設田端根本沒死……

果然疑雲重重。二十年前的遺體消失，還有登和子生父的死，被這些疑雲籠罩在一起。而乍看之下無關的兩件事……

——都有笹村這個人嗎？

昨天木場去了日光警察署。

這邊也可以說是撲空了。

沒有案子的紀錄。不管是二十年前或十六年前，都沒有發生刑事案。木場死纏爛打地調查，但找不到類似的案子。

二十年前，屍體消失的同一天，發生了墜崖事故。因為是事故，因此沒有留下詳細紀錄。當時有關的人也幾乎——應該說全部，都退休或死亡了。

這是沒辦法的事。

從各縣的警察部變成自治體警察，再變成國家地方警察，組織變了好幾次。中間隔著戰爭和占領，原本的管轄機關內務省也解體了。而且還要再進一步改制。

不過，有件事讓他介意。

聽說在墜崖事故中過世的男子家屬，在去年年底到站前派出所打聽當時承辦的警察官。那名家屬記得的承辦刑警很久前已經退休了，但人還很健朗，警察署聯絡本人詢問之後，告知對方住址。

木場有些好奇。

他認為十六年前可能也發生過什麼事，把留存的紀錄仔仔細細看了個遍，卻完全沒有引起他注意的案子。只有田端死亡三個月前，有過一起可疑的死亡案件。

這邊也被認定沒有犯罪嫌疑。當然沒有解剖，因此死因等等不清楚，好像是喝得爛醉，跌落水路死亡。

那麼應該就是溺死吧。

而且時間相差了三個月，也沒辦法當替身吧。

實在是沒個結果。

警察署裡只有偵查資料和紀錄。除了被當成刑事案件、進行偵辦的案子以外，都沒有紀錄。而且也不是完整地被保管下來。

加上並非一切資料都能自由閱覽。

木場信口開河，說是在調查與轄區發生的案子相關的事，幸而沒有人懷疑他的說詞。也因為即將進行組織改編，沒有人想到居然會有個傻子特地從東京跑來調查甚至未被列為刑案的陳年怪案吧。

也可以說是警察手冊立了大功。

若是無法證明身分，木場當然會吃閉門羹吧。為了保險起見，木場也搬出了警視廳麻布署刑事課搜查一係係長近野論的名號和聯絡方式。因為他打算萬一出了什麼問題，就叫近野扛起責任。他不認為這是在推諉責任。

木場只是奉近野的命令行動的傀儡，這是千真萬確的事實。

結果他沒有引起疑心，順利閱覽了資料，但這也是因為木場調閱的都是未成案、甚至不是刑事案的垃圾資料吧。

應該還有其他被隱匿的文件。

不是說刻意藏起來。不輕易示人，自有它的理由。只是，木場不認為這起荒唐的案子會與那類重要案件有關，即使有關，也完全不曉得是如何有關，因此也不可能向對方索取，或是尋找。

比方說，若是進入法庭審判程序，檢察或法院應該會留下更詳盡的紀錄，但這種情況，不可能說去就去，叫對方提供資料。警察手冊也不管用，必須透過正式程序申請調閱，若是被駁回，就看不到了。

倒不如說，沒有那種東西。

以為警察、檢察或法院，甚至是栃木縣會有東京的芝公園三具屍體消失的怪案的相關紀錄，那才是神智不正常。

離開警察署時，天色已經黑了。

木場找了家便宜的飯館果腹，回到田貫屋時，已經晚上九點多了。登和子好像已經睡了。

那個佛師好像也回來了，但也沒有什麼要說的，所以木場睡了。平常木場不會在這種時間上床，但他莫名疲累。

廉價旅舍的被子很薄，寒冷極了。

木場以為早睡應該會早起，結果隔天早上八點多才離開被窩。

佛師已經出門了，登和子好像也回去佛具行了。田貫屋的老闆說登和子對木場萬分感謝。

木場不記得自己做了什麼值得被感謝的事。

老闆說，登和子說想親自道個謝，所以還會再來，不過那樣……

也令人困擾。

視情況，木場也想再次問個清楚，但那姑娘的記憶本來就很混亂，也不曉得六歲時的記憶有多少可以當真。就算要問案，也應該問她身邊的關係人，而不是她本人吧。

雖然連關係人有哪些人、在哪裡都不清楚。

需要……更多不必要的情報。

木場覺得去圖書館翻舊報紙或許還比較管用，便問了田貫屋的老闆，但老闆說不知道。田上似乎連圖書館是什麼樣的地方都不曉得。老闆說今市的公民館好像有那種地方，但木場懶得跑去今市。

然後，木場踩著沉重的步伐，來到了日光榎木津飯店。

他覺得這房子奇形怪狀。看不出是和風還是洋風。也不是和洋折衷。外觀是洋樓，設計卻是和風，結果變成了無國籍的印象。如果說它是東南亞的建築物，也確實很像。

木場盡可能虛張聲勢，大搖大擺地進入建築物。有外國人正在談笑。

才十年左右以前，雙方還是敵人。因此木場舉槍瞄準他們。他覺得他們都瘋了。

根本沒有彼此殘殺的理由。

只是國家命令他們互相殘殺。

即使如此，聽到命令，就乖乖去殺人，自己也是瘋了。就算當時不可能拒絕，木場在戰場上也沒有一絲一毫的疑問。他奮勇殺敵。

——戰鬥到底……是嗎？

顯然失心瘋了。現在他這麼認為。什麼人種、國籍，那些都不重要。實際上現在木場看到的外國人，他就分不出是美國人還是俄國人。他與他們無冤無仇，也沒有芥蒂。外國人開心地笑著，看起來很愉快，令人莞爾。

但是。

木場別開了目光。

大概是因為……愧疚。不是別人，就是自己，在戰場上停止思考，將外國人視為仇敵，試圖消滅他們。

而那份像罪惡感的情緒又會翻轉，變成：這樣的我就算被外國人攻擊也是沒辦法的事，不，外國人一定會攻擊我。

為了抵消身為加害者的罪惡感，會萌生超出必要的被害者意識吧。

自己膽小而懦弱。膽小會激發敵意。正因為清楚這樣的感受毫無道理，結果木場別開了目光。

木場有個同事極端厭惡美國人。他說自己這輩子都不可能跟朝別國丟原子彈的傢伙共存。可是，假設現在在一旁談笑的人是美國人，原子彈也不是他丟的吧？同事說，就算是這樣也一樣。

那名同事是長崎人。

木場可以理解他的感受。這樣的憎恨與悲哀，一定就像墓誌銘一樣刻在了心裡，即使想要抹去也不可能。在人身上刻下這種東西的戰爭，不是什麼好東西。

真要計較起來，朝美國人開槍、丟手榴彈的木場，跟扔下原子彈的那些人也沒有兩樣。差別只在於規模大小而已吧。一樣都奪走了人命。不是數量的問題。即使被憎恨、嫌惡，也無從辯白。所以木場……

別開了目光。

因為他是懦夫。

也許戰爭是懦夫才會發動的。

穿過外國人熱鬧說笑的大廳，來到帳房——應該不叫這名稱吧——前面。一名正經八百的男子以裝模作樣的聲音問什麼「請問有預約嗎」，所以木場默默地亮出警察手冊。

近野叫他盡量別拿出來，但總覺得自己一直在亮警徽。

「有事問一下。」

「是！」

「不用是啦。這不是犯罪調查，不用怕。要是怕傷體面，可以換個地方。」

「請、請問有何見教……」

「這裡的女傭裡面，是不是有個叫笹村的？」

「女傭？啊，女僕嗎？是的，有的，請問笹村怎麼了嗎？」

「她在嗎？」

「她……她今天請假，所以不在。」

「請假啊。」

登和子也請了假。

「請問，笹村做了什麼……」

「不，不是那姑娘做了什麼。」

沒做什麼，怎麼好叫對方說出笹村的背景？

「那位笹村小姐是誰介紹進來的嗎？在雇員工的時候，有沒有專門負責的人？」

「是……」

男子對站在一旁的年輕女孩說「去叫栗山過來」。一會兒後，一名打扮時髦的女傭——女僕現身了。她算是女總管嗎？

男子窸窸窣窣地對她說了什麼。
「啊，倫子是老闆介紹進來的。」
「老闆？是這樣嗎？」
「對，我是這麼聽說的。這怎麼了嗎？」
「沒事，這樣啊。那得問老闆才知道了嗎？老闆呢？」
「昨晚不是來了嗎？」
「這我知道，沒有出門吧？」
「老闆的行程我不清楚。總經理的話應該知道。」
「總經理剛才外出了……」
「你們在那裡嘰嘰咕咕些什麼？你們說的那個老闆，是不是榎木津總一郎？」
「沒、沒錯。」
「我……雖然不太想說，不過我是……」
「喂，方塊人！」
背後響起最不想聽見的聲音。
「你就算跑來栃木縣，還是一樣方吶。從後面看也是方的，嚇人嘛，這個豆腐人！」
話聲剛落，背部就遭到一陣撞擊。是被踹了一腳。
「王八蛋，你做什麼！」
「轉過來也是方的吶。喂，你在這種地方做什麼？是白癬惡化了嗎？」
「禮二郎，你還是老樣子，成天瘋言瘋語。這裡沒你的事。再給我胡鬧，小心我把你的腦袋劈成兩半，混帳東西。」
「是禮……禮二郎先生的朋友嗎？」男子以欲泣的聲音說。
「哇哈哈哈！我實在是不想認識這種野蠻的骰子人，不過我們老早以前就不幸認識了，所以我們認識沒錯！」

「野蠻你個頭，混帳。你這蠢貨一見面就踢人家的背，有資格說人野蠻嗎？我沒空陪你在那裡瞎說。喂，員工。」

「是！」

「把你們這個腦袋生蟲的東西弄走，否則我不保證後果。還有，把這個瘋子的哥哥叫過來。他人在吧？」

「呃、呃……」

「你是來找那個笨哥哥的？」

「你少囉唆。我從以前就知道你們一家人都是呆瓜，但跟你比起來，你哥實在像話太多了。他是這家客店的老闆吧？」

「他太沒膽識了，為了糊口，不得不開這種店。證據就是，每次看到他都不怎麼快活的樣子。而且他實在太吝嗇、太小家子氣啦！」

「有你這種弟弟，實在快活不起來吧。而且他才不小氣。你哥以前請我吃過可樂餅蕎麥麵。」

「蠢東西，那筆錢是我付的。你說等你出人頭地了再還我，結果也沒還。」

「你哥說要請客的。」

「找哥太無能了，動不動就隨便亂誇口。明明就算討好你這種立方體也沒半點好處嘛，哇哈哈哈哈！」

「喂，禮二郎……」

一道可憐兮兮的聲音傳來，轉頭一看，榎木津的哥哥不知所措地杵在那裡。

「這裡還有客人，不要太大聲好嗎？你的笑聲真的很刺耳。」

「因為是宇宙的聲音嘛！」呆弟弟說了沒腦的話。

「員工來通知有刑警上門，還以為是誰，這不是木場嗎？怎麼了？是禮二郎叫你來的嗎？」

「誰會叫這種紅蘿蔔丁來。」

「好啦你閉嘴閃邊去。去那邊欺負關口吧。」

「猴子跑掉了。」

「哈！隨便啦。我有事要找總一郎先生。喂，員工，拜託，把那張洋娃娃臉藏到我看不到的地方去。」

「原來你那雙瞇瞇眼看得見嗎！」

說完這話，榎木津突然沉默了。

可能是因為弟弟安靜下來了，總一郎說「我們換個地方說話吧」。

在帳房人員引路下，木場被帶到像會客室的房間。不知為何，榎木津也跟來了。是閒閒沒事做吧。然後不知為何，總一郎也沒有制止弟弟。

這對兄弟好像在成年的時候，從父親那裡得到了生前贈予的部分財產，此後從家中獨立出去。哥哥用那筆錢開了爵士樂俱樂部，攢了一筆錢，蓋了這家旅店。聽說其他還有不少事業。而弟弟在糊里糊塗之間，不知不覺成了私家偵探。

被帶到房間的木場在沙發坐下來，總一郎便在他對面落坐，而蠢弟弟不知為何，占據了看上去最尊貴的單人椅。

總一郎和禮二郎長得不太像。只有眉毛形狀有些相近，但其他看不到任何相似的地方。弟弟的容貌就像人工物，但哥哥的相貌極為普通，讓木場看了安心。

「那，你說笹村怎麼了嗎？」

「哦，不是說那姑娘怎麼了，只是想說也許她是我在找的人，想要了解一下她的身分。」

因為是舊識，不必亮警察手冊，不需要麻煩的步驟，也不會引起戒心。也許木場很走運。

「身分啊……」

「聽說是你介紹進來的，不是嗎？」

「是這樣嗎……？」

不過總一郎確實就像弟弟說的，有些軟弱。

「你說你在找人，是怎樣的人？名字一樣嗎？」

「同姓，年齡也差不多吻合。只知道這樣而已。」

「笹村啊……我想想……。她才剛進來沒幾個月，但很勤勞，手腳也俐落，大家對她評價很不錯。」

「你根本忘記了吧。」弟弟說。

「我才沒忘，可是……」

「蠢哥哥，奇裝異服的人啦。」

「什麼奇裝異服啦？你說的話都讓人聽不懂，說人話好嗎？」

不知道是怎麼個原理，但聽說禮二郎**看得見**。不過似乎不是看得見鬼怪或是未來那些。夥伴之間是說，他好像看得到他人的記憶，但不管怎麼樣，那都是胡說八道。即使是真的，這個蠢偵探的詞彙少得可憐，而且偏頗，所以說什麼都沒人聽得懂。

「就是那個像祭典的人啊。背上寫著印度的字。」

「少在那裡瘋言瘋語，蠢偵探。」木場罵道，同時總一郎說：「啊我知道了。」

「居然聽懂？」

「我想起來了。那是梵字吧，禮二郎？」

「不曉得。梵文還是奧義書（註一）還是神代文字（註二）那些，我全都不會讀。」

「少在那裡炫耀。認得那種怪字的才是少數吧。可是梵字的話，我也認得。雖然是讀不懂啦。那……」

「是她哥哥介紹的。」總一郎說。

「哥哥？她有哥哥嗎？」

「對，雖然年紀相差很多……不過喏，中禪寺那兒，他跟妹妹也差了十歲左右吧？」

註一：奧義書（Upanishads）為古印度經典，是吠陀梵文聖典。

註二：神代文字是漢字傳入日本前，日本所使用的文字。但其真偽頗有爭論，最近學界認為是後世所偽造。

「沒差那麼多啦。那不重要……」

「他說差了十二歲呢。」總一郎說。

這人性情很溫吞。

「年紀不重要……也很重要啦，不過她哥哥是什麼人？你認識的人嗎？」

「去年我請他雕了佛像。」

「佛像？為啥？」

「為什麼，因為外國人喜歡啊。外國人喜歡日本的東西。」

「佛像……佛像是印度那裡的吧？」

「你真是無知啊。」弟弟說。

「怎樣啦？」

「印度是印度。」

聽不懂。

「什麼都可以的。只要有東洋味，他們都喜歡。他們連中國和日本有什麼差別都不懂。但就算這樣，也不好意思全用假的充數，所以我盡量採用日本的設計。飯店不是裝飾了很多嗎？繪扇、羽子板〔註一〕那些。」

木場完全沒印象。

「花也是，都是每個月請插花老師來插的喔。走廊的橋也是，是請來造傳統橋梁的師傅蓋的。然後有外國人問有沒有佛像。可是總不能去跟寺院要佛像，所以我請了佛師。」總一郎說。

「佛師？你說佛師？」

「對啊，你知道佛師嗎？不是武士〔註二〕喔。」

「我知道。那個佛師……」

「笹村先生。」

「真是急死人，那個佛師穿著奇怪的衣服嗎？」

「不奇怪啊。他穿和服。如果說穿和服很奇怪的話，那和尚還有中禪寺都很奇怪了。只是……對，如果要說哪裡特別，他穿著白色和服外褂，背上染著一個梵字。」

「那個人就是笹村倫子的哥哥嗎？」

據登和子的說法，倫子年約二十歲。聽說笹村的小孩二十年前剛出生，因此年齡吻合。那麼哥哥在當時十二歲左右嗎？可是。

「他技術很好。我委託他做了阿彌陀像、馬頭觀音和千手觀音，也就是這日光三山的神佛。晚點你也欣賞一下吧。」

「不用了，反正我也看不懂。然後呢？」

「然後……因為做得很好，太受歡迎了，所以現在我請他雕一尊不動明王，就憾滿淵的不動明王。不過他說要花點時間。」

「這些不重要啦。我要問的是他妹妹。」

「所以啦，那是他送來完成的阿彌陀如來像的時候吧。去年……秋天左右。他說他妹妹想要進來這裡工作……好像是這樣。」

「怎麼這麼不清不楚的？」

「我記得不是很清楚。」哥哥說，弟弟接口說「因為笨嘛」。

「那，總一郎先生，那位佛師是誰介紹的？」

「哦，幫忙做欄杆金飾的裝飾師傅常去佛具行，在那裡……不對，還是相反？」

「什麼相反？」

註一：羽子板是日本傳統打羽毛球用的木板，由於被認為有驅魔之效，漸漸發展出過年裝飾用的華麗羽子板。

註二：「佛師」（BUSSHI）與「武士」（BUSHI）在日文中發音相近。

「是聽說我們飯店在找佛師，毛遂自薦的嗎？好像是請佛具行透過師傅牽線的。應該是這樣吧……」

「佛具行，那是寬永堂嗎？」

「啊，就是這家店。好像在日光車站附近，但我沒去過呢。」

——那。

其中必有什麼企圖。

那名佛師，是否就是救了想要尋短的登和子，把她交給田貫屋的人——投宿在木場對面客房的人？

但登和子完全沒提到他是同事倫子的哥哥。應該不是刻意隱瞞，而是不知道。如果知道，當木場問她有沒有聽過笹村這個姓氏時，應該就會說出來吧。也就是說，佛師不知道登和子在哪裡工作，要不然就是……刻意對登和子隱瞞他和倫子的關係。

「量斗，你在找什麼？」

「兩斗？噢，量斗啊。吵死了混帳。跟你無關啦。」

「可是那姑娘不是這家飯店的女僕嗎？你是迷上人家，把人家綁架了嗎？」

——那姑娘。

是在說登和子嗎？不，是倫子吧。

「所以叫你閉嘴啦。那，那個佛師……他住在日光嗎？」

「應該是住在東京。」總一郎回答。「不過好像常來日光。妹妹好像一直都在日光。」

「她在這裡工作，這不是廢話嗎？」

「不是那個意思。我是說她是日光出生長大的。」

「出生長大？」

「我這麼聽說。」

「父母呢？」

「不知道。」總一郎乾脆地回應。

「總一郎先生，你這樣太隨便了吧。就算要雇人，來歷也太不清不楚了吧？」
「她是個好女孩。我剛才也說了，大家對她評價很好。而且我跟她哥哥有生意往來，不需要知道更多了。」
「她哥哥叫什麼？」
「就笹村先生啊。」
「這我知道。他住在東京嗎？」
「聯絡住址是……等一下。」
總一郎起身離開房間了。
如果不是熟人，不可能這麼順利。有這個蠢偵探在場令人火大，但木場認為結果是皆大歡喜。
然而。
「也沒有什麼吧。」
榎木津突然開口。
「什麼叫也沒有什麼？」
「沒有什麼，就是沒有什麼啊。大概沒什麼值得好奇的事。如果有什麼，就是更大的什麼，那不是你好奇就能怎麼樣的。」
一頭霧水。
確實……
不知道發生了什麼事。
或許根本什麼事都沒發生。
「喂，你的臉方成那樣，卻頂著那張臉跑到這種地方，既然都來了，要不要打網球？」
「啊？那什麼東西？」
木場努力不去看這個笨朋友，但他的邀約實在太令人錯愕，他忍不住看了對方的臉。

榎木津半瞇著那雙大眼睛，面無表情地看著木場的腦袋部位。

「那姑娘，猴子的鳥朋友也很關心。」

「你啊……。猴子是……關口嗎？鳥又是誰？鳥口嗎？」

鳥口是三流雜誌的編輯。

「栃木才沒有那種鳥頭。」榎木津說。「是在附近跟猴子認識的，叫什麼韭菜還支柱的。網球打得很爛，但動作比猴子敏捷多了。」

「反正你又給人家亂取名字了吧。韭菜跟支柱也差太多了。那個人……」

是指登和子嗎？

還是。

「好像非常關心喔。」榎木津說。

「那個人……」

「跟猴子一起跑了。」

「去哪了？觀光嗎？」

「八成是去無人的村郊喝茶去了吧。都忠告他跟猴子混在一起會被作祟了。」

「作祟的就是你吧。沒人的地方，是要怎麼喝茶？自己帶水壺去嗎？」

「他們說前天去喝茶了，可能那裡有會向路人奉茶的變態吧。反正你腦袋那麼不靈光，要是不打網球，就別在那裡學京極了，回東京去搬石頭吧。」

「你說誰在學賣舊書的？跟你打交道浪費的這三十年光陰，我到底要找誰賠啊？」

「居然不聽我的忠告，你這遭天譴的東西！」

這時。

門「砰」地一聲打開來，總一郎回來了。

「我去看過收據了。名字叫笹村市雄。住址在下谷。我把住址抄來了。」

木場……氣歸氣，但稍微氣消了些。

虎（六）

御廚有種某些事物摻雜在一起的奇妙感受。雖然摻雜，卻又彼此分離，不會完全融合在一起。

她覺得那就像是以墨汁畫過水面形成的花紋。墨是墨，水是水，卻在同一片水面形成漩渦，或是暈開來，就宛如帶來颱風的烏雲般混濁翻湧，描繪出美麗但又奇妙的花紋。是這種印象。

御廚是來尋找寒川的。只要找到寒川——即使沒有找到，只要知道他在哪裡——即使不知道他在哪裡，只要能確定他平安無事，那就足夠了。她這麼想。

雖然很想見到寒川，想得無以復加，卻也覺得若是見不到他也無所謂。是這種感覺。

當然，若是見到他的人，會如釋重負吧。或許還會掉幾滴眼淚。御廚喜歡寒川。但這樣的感情，是開始尋找寒川之後才萌生出來的。她覺得在藥局裡只是痴等他回來那時候，並不是這樣的感情。

當然，她應該就是想要見到寒川，才會開始找他，因此或許只是對自己的感情沒有自覺而已。

在每個地方被介紹是寒川的未婚妻，御廚覺得這應該也不算錯，但這部分她到現在都還沒有自覺。這些事她總覺得不是很明白。

因此來到日光以後，有多想見到寒川，可能再也見不到他的預感就變得有多強烈。

並不是放棄了。

想見他，但見不到也沒關係，是這種奇妙的感情。兩者不會融合，卻是摻雜在一起的。

她覺得愈是追趕，寒川在追查的神祕事物，其巨大便與日俱增。雖然寒川到底想要做什麼，依舊模糊不清，但御廚覺得其中沒有她介入的餘地。

那是與喜歡、愛戀、疼惜這類感情徹底相斥的事物。寒川在對抗那個事物。她這麼感覺。

會去想這些，或許是因為連續不斷地見到過去從未接觸過的類型的人。

崇尚尊王的退休刑警、被稱為公安的公家調查員，這些大概是渾渾噩噩過日子，一輩子都不會遇到的人。他們看到的世界，一定和御廚看到的世界迥然不同。

雖然一樣，卻不相同。

雖然覺得追根究底，每個人應該都不同，但他們眼中所見，和御廚安穩的日常實在相距太遠了。

不，若要這麼說，極其自然地與這樣的人打交道的益田，對御廚來說就已經是異類了。只是稍微習慣了他這個人而已。

那些過去不曾接觸過的人們的世界，同樣宛如流入水中的墨汁般，流入了御廚的世界。

相交但不會融合的世界……

然後是綠川。

綠川佳乃這個人很奇妙。

明明是初會，卻讓人感覺相識已久。她和益田的關係其實很遠，是益田相熟的人以前認識的人，感覺卻是這幾天遇到的人裡面，與御廚最親近的人。不過……

御廚和益田被鄉嶋糾纏，沒辦法進去旅舍，是綠川為她們解了圍。

綠川很強悍。

鄉嶋這個人很可怕。雖然不清楚他是不是壞人——應該不是——但眼神就像剃刀一樣鋒利，說話像剪刀一樣尖銳。

光是這樣，就把御廚嚇得動彈不得。

然而綠川卻能滿不在乎，稀鬆平常地**打發**了那個可怕的調查員。調查員被**打發**，就這麼離開了。

趕走鄉嶋後，綠川開口第一句話是：

——我餓了。

接著，不管怎麼看都只是個少女的強悍女子提議說：「要不要先回客房，再一起去吃點什麼？」

然後，綠川、益田以及御廚三個人，在稱不上高檔的居酒屋交換了情報。

益田聽到綠川的話，臉上一陣青一陣白。

「呃，這……怎麼看都不可能無關呢，對吧？」

益田轉向御廚徵求同意。老實說，御廚不是很懂。

「哪個地方有關？那個……放射能？放射性物質？是那些嗎？」

「我說御廚小姐，放射性物質可不是隨便到處都有的。然後，木暮先生不是說了嗎？那個燃燒的石碑，有可能是契忍可夫光。」

「那是放射能嗎？」

「我認為不是。」綠川說。「我也不是很清楚，不過契忍可夫光，是電子在某些物質裡面移動的時候，前進的速度比光還要快的時候發出來的光。」

完全聽不懂。

「綠川小姐好聰明啊。雖然我聽不懂。比光還要快，有這種東西嗎？」

「一般沒有吧。」綠川說。「不過那是電子。」

「我不懂什麼是電子。」

「我聽說使用什麼加速器的話，在某些條件下，就會變得比光還要快。那完全不是我的專業領域，所以我不是很了解，不過核分裂還是核反應那些……」

「妳說的加速器，是不是迴旋加速器？」

益田一臉排斥地說。

「對，一直旋轉的東西，圓形加速器。」

「看吧。」益田望向御廚說。「和寅兄不是說了嗎？是在製造鐳啊。然後這位綠川小姐的叔公待的診所在……叫什麼去了？舊尾巳村，是嗎？」

「是啊。」

「看吧。」

「到底要看什麼？」

「御廚小姐，那裡應該就在寒川先生的父親遭遇事故的地點附近。也就是說，寒川先生的父親的遺體被搬過去的診所，就是綠川小姐叔公的診所。」

「啊。」

「就說有關嘛。」益田說，撩起劉海。「然後就是那個可能的秘密計畫。木暮先生荒誕無稽的推理不是愈來愈像一回事了嗎？真傷腦筋。可是，假設真的是這樣的話喔，寒川先生是不是也去了那間診所？」

「在我過去之前，那裡都是空屋。」綠川說。「應該超過半年都沒有人住了。不過那裡門也沒鎖，想要進去就能進去吧。」

「綠川小姐是什麼時候去的？」

「我是二十三日到日光的，隔天二十四日去那裡。星期三吧。然後一直到今天，連續去了三天。」

「那他可能是妳不在的時候去的。」

「不太可能。」綠川說。「我去的時候，看起來直到最近都沒有人進出的樣子。屋子裡也沒有被翻過的痕跡。喏，如果門曾經開關，不是看得出來嗎？地上積了厚厚的一層灰，如果有人進去過，絕對會留下腳印。」

「但沒有任何腳印？」

「沒有呢。不過應該有人去到門口。最近有時候不是會下雪嗎？我去的那天，地面還積著雪，上面有腳印。所以我以為是剛才那個公安在門口察看，不過也許是那位……寒川先生嗎？可能是他去過。」

「這樣啊。」

「不過大家都好守法。」綠川說。「門沒鎖，想進去就可以進去，卻沒有人這麼做。我以為像那個公安，就會滿不在乎地闖進去。」

「他沒有進去嗎？」

「他說他奉公守法。真令人意外。不過嗯，那只是表面話啦。好像只要說得過去就行了。」

「妳是怎麼把他趕走的？」益田問。

「也沒怎麼樣啊。他大概不是要找我，而是想看診所裡面留下的文件或病歷。但我也不曉得我有沒有權利看那些東西，所以跟他說會問問公所，然後視情況燒毀處理。」

「喔……」

「其實我本來打算今天就要燒掉的，卻沒有燒成。應該趕快燒掉的。」

「那妳要怎麼做？」

「就我剛才說的啊。明天去問問公所，我猜公所應該會推說不知道，叫我自行決定，所以嗯，我會自行決定。」

「自行決定……」

「因為又不能丟著不管，也不能帶回去，那就只能燒了吧？不過要什麼時候燒，我自己決定。我跟那個公安說，他無論如何都想看的話，就趁我燒掉之前過來。」

「他居然同意了。」

「我猜只要這麼說，因為我可能明天就燒了，他無論如何都想看的話，應該會趁今晚偷溜進去吧。雖然是非法侵入民宅，但不是我的責任，我也不會告他。」

「綠川小姐好豁達喔。」益田說。

御廚不這麼想。綠川這個人，是不是把所有事都放在與自己相同的高度看待？既不抬高也不鄙視。

因此大部分的事對她來說，都是稀鬆平常。

和經常自輕自賤的御廚相差甚遠，但或許就是那種踏實的感覺讓她安心。御廚對綠川的印象，就是不論是深奧的科學還是高尚的哲學，都能放在和討論白蘿蔔價錢相同的水準來談論。御廚只能談論白蘿蔔。

「嗯，不管是他偷看了，還是我先燒了，都一樣就這樣結束了。雖然我不知道他在打探些什麼，但反正與我無關。」

「太佩服了。」益田搖晃劉海說。「不過不管怎麼樣，這都是公安調查廳在四處探查的案子。」

「是啊，可是他是公務員，不是壞人吧？如果他在做壞事，那就是問題，但如果不是，交給他處理就行了吧？」

「所言甚是。」益田說。「老虎的尾巴，避開的人才是贏家。話說回來，關口先生也真是的，怎麼會跑來這種地方，插手這麼棘手的事？他就是學不到教訓呢。」

「學不到教訓？」

「綠川小姐，關口先生他啊，從前年夏天開始，真的是一而再、再而三地被捲進麻煩裡喔。完全就像被螢光燈吸引的蛾一樣，飛蛾撲火的次數，兩隻手指頭都不夠數。」

「是喔？」

綠川睜圓了眼睛。那張臉幾乎就是幼童。

「這才令我意外。他那個人該說是害羞還是內向，笨口拙舌，動不動就臉紅。」

「沒錯，而且一下子就大汗淋漓。這些就像妳說的，一點都沒變。只是，他有幾乎是主動跳進麻煩事裡的毛病啊。夥伴都說他是不是遭到作祟了。」

「這樣啊。」綠川說，將杯中的酒一飲而盡。

雖然有張娃娃臉，但酒量似乎很好。

「你說的麻煩，是怎樣的麻煩？」

「最近的一樁是什麼去了？妳知道去年發生在大磯的連續毒殺案嗎？」

「知道。」

「那，白樺湖的由良邸的事件？」

「知道，但不是很清楚。」

「這些事他都牽扯其中。還有武藏野的分屍案和箱根山的和尚命案。雖然沒有上報，不過伊豆山裸女殺人棄屍案，他還被當成嫌犯逮捕了。」

「天哪……」綠川目瞪口呆了。

御廚納悶了：

「這些案子，在事務所的時候，益田先生不是說都是你那裡的偵探長解決的嗎？」

「唔，是這樣沒錯啊。」

「原來是這樣。那位偵探長是榎木津先生，對吧？那，關口每次都被榎木津先生搭救嗎？」

「這個嘛……很微妙。」

「你撒了謊嗎？」御廚問，益田激烈地搖頭。劉海飛揚得幾乎好笑。

「什麼話！我這人很膽小，卻是個正人君子。我會誇張渲染，但絕不會信口開河。我從沒撒過謊，也沒撒過網！」

「那，是哪裡微妙？」

益田雙手環胸：

「在識破真相這部分，偵探長的本事是千真萬確的。幾乎都逃不過他的法眼。如果說這樣就叫解決，確實是解決了。可是呢，偵探長毫無收拾事件或平息糾紛的能力。因為他最痛恨疏通化解和收拾善後這些瑣事了。」

「他從以前就是這樣。」綠川哈哈大笑。

「我想也是。江山易改，本性難移嘛。那是天生的，一輩子都改不了。他具備的能力就只有粉碎和殲滅。那個大叔連解謎都不屑嘛。」

「雖然是個萬人迷。」綠川說。「像女學生那些，都聚在他身邊看得發痴，黏在他後頭跟來跟去呢。他也很受男學生歡迎。像我因為敢正常跟他說話，被嫉妒得跟什麼似的。」

「咦？呃，難道綠川小姐……」

「什麼？不是啦。喂，不要誤會，我不可能跟那種人交往。就像益田你說的，他從那時候就是那樣嘛。什麼都難不倒、厲害得不得了，可是……」

「個性讓人不敢領教嘛。」

「對啊。是不知情的女生在旁邊瞎起鬨。」

畢竟他長得太俊美了——益田和綠川異口同聲說。到底是個怎樣的人？

「可是，那關口不是被榎木津先生拯救的嗎？」

「在箱根山，榎木津先生是救了關口先生。在物理上。」

「物理上？」

「榎木津先生把昏迷的關口先生從火場中背出來。唔，所以呢，是啊，大致上平息紛亂的，主要都是中禪寺先生呢。」

「中禪寺啊……」

「中禪寺先生也一樣不是等閒人物呢。我再也沒有看過像他那樣渾身道理的人了。就連糾結成團的線，他都能爬梳開來。不只是爬梳開來，還把它們一根根拉得筆直，整整齊齊地排好呢。」

「一點都沒錯。」綠川不知為何開心地說。

「而關口先生要說的話，會把排得整整齊齊的東西踩得亂七八糟，不是嗎？不過那怎麼說呢？看起來……就只有關口先生被拯救了。雖然中禪寺先生老是堅稱關口先生不是他朋友。那人伶牙俐齒嘛。關口先生則是嘴巴死了。」

「這樣啊，他們還是一樣好呢。」

「天曉得，那樣算好嗎？我跟他們也才往來了一年多，所以不是很清楚。所以只要跟關口先生在一起，幾乎都會吃苦頭。雖然跟榎木津先生在一起，也一樣要吃苦頭。」

「那，久住先生也危險了呢。不過這次的事，好像是久住先生把關口扯進去的。」

「那個小說家很擅長把別人的不幸變成自己的。可是那個殺死自己父親的小姐，感覺也是很棘手的問題呢。」

「不過不可能。」綠川說。「當時她才六歲呢。而且被毒蛇咬傷，正在鬼門關徘徊，不可能殺人的。再說，她父親不是被殺的，應該是死於放射線傷害。」

「就是說呢。」益田說著，斟了酒。「是老虎啊。」
「是啊，雖然很不真實。」
「可是，綠川小姐妳要怎麼做？真的要把病歷燒了嗎？」
「是啊。久住先生和關口說明天下午要來幫忙。我上午還是會去公所問一下……不過公所應該是覺得都無所謂。」
「怎麼會，那樣一個祕密計畫耶？」
「因為那跟公所無關啊。本來就因為町村合併，亂成一團了。所以手續那些也很繁雜，交接那些也都沒完成。那種幾百年前的祕密計畫不管是真是假，都不重要了吧？應該說，那是祕密計畫，所以公所不會知道吧。」
「對喔，是國家還是軍部那些的計畫。」
總覺得……
整件事愈來愈遙遠了。
寒川涉入了這樣的事嗎？不，是想要涉入這樣的事嗎？寒川秀巳不是小鎮藥局的老闆嗎？國家、軍方、祕密、核子物質，不是應該與他無關嗎？
到了這時，御廚總算理解了益田害怕的理由。她真正遲鈍到家了。要面對那種一個人實在不可能承受的駭人事物……
——太可怕了。
御廚垂下了目光。
可是。她感覺到視線，抬頭望去。
綠川正在看她。
「但願可以找到他。」綠川說。
這句話，讓積壓在御廚身上的龐大事物倏忽消失了。沒錯，就是這樣。找到寒川，這樣就好了。

「對了！」

益田突然發出莫名起勁的聲音。

「綠川小姐，明天我們也可以去診所打擾嗎？」

「咦？可以啊。」

「那裡會不會也有寒川先生父親的病歷？」

「不曉得耶……」

綠川聳了聳肩。

可能是因為照明昏暗的關係，她不管怎麼看都是個小女孩。聽說綠川是大正出生的，年紀應該和御廚差不多才對。

「被送過去的時候已經是屍體了吧？也沒有解剖……可是開了死亡證明書嗎？我不是臨床醫生，所以沒開過。死亡證明書是要交出去的，對吧？會有副本嗎？」

「應該有吧。我猜。」

「就算有，不是脖子摔斷嗎？那應該不會有更多的描述了。」

「或許吧，可是……」

「死亡證明書是用來證明人已經死掉，不是解剖報告，驗屍報告也是要交給警方的文件，不是病歷。難道你認為死因有什麼可疑之處？」

「哦……」

益田一瞬間鼓足了勁要說話，但立刻又萎靡下去。

「可疑的不是死因，而是遺體的處理方式嘛。木暮先生說是特高警察幹的，但也沒有確證。不過如果不是的話，真的是如墮五里霧了。」

「我這邊也是。我實在弄不懂叔公到底是反對還是協助國家政策了。雖然聽到類似反對的事，但不管怎麼想，那麼可疑的計畫，若是沒有軍部之類的單位參與，實在不可能實現。」

「要收購土地，需要龐大的資金嘛。」

「叔公原本到底是想要做什麼呢？」

綠川仰望居酒屋污黑的天花板。

「如果叔公還在世，真想見見他，但再也見不到了呢。」

對啊。

這個人再也見不到想見的人了。

「雖然我也不是在找叔公啦。可是，還是其實是在找？雖然我完全沒有採取行動。」

「再也見不到了呢。」御廚說，綠川說「不過見到骨灰了」。

「裝在廉價的罈子裡。印象中叔公塊頭滿高大的，卻被裝進這麼小的罈子裡。」

「變成骨灰了嘛。」益田油嘴滑舌地說。

「不過我就像你們看到的，個子這麼矮，二十年前更小，所以全部都只是印象而已。我也記得叔公不是個會發牢騷或吐苦水的人……」

但其實也不盡然——綠川說。

「妳怎麼知道的？」

「聽人說的。因為是轉述，所以也不曉得是真是假，也沒有辦法確定了呢。不管問什麼，骨灰都不會回應。骨灰什麼都不會告訴我嘛。」

「骨灰不會說話嘛。」

「雖然只要分析，是可以看出許多事。骨頭其實能說出很多事實喔。但沒辦法知道生前在想些什麼、是什麼感受。」

都說死了就沒了，說的真對呢——綠川說。

「所以御廚小姐，妳一定要找到那位……寒川先生，是嗎？」

「嗯……」

「應該說……益田，是你要找到吧。你是那個什麼去了？」

「主任。」

「主任。主要的任事者，對吧？」

「主要都交給我，這是我的工作嘛。」

「真可靠。」綠川笑。「可是寒川先生在日光這裡的話，應該可以找到吧？一定要找到他。我想寒川先生一定也很寂寞。」

「他會寂寞嗎？」御廚問。

如果寂寞，應該會聯絡吧？

別說聯絡了，不是應該要回來才對嗎？

「應該是有什麼不能回去的理由吧。但我覺得不是什麼重大的理由。」

「是嗎？」

「不……御廚小姐──妳叫富美，是嗎？我覺得並不是他覺得妳不重要了，或是變心了。但是與這些感情無關，怎麼說，有時候就是會意氣用事起來。因為有時候我也會這樣。」

「這樣嗎？」

御廚不是很了解。

「很想念某個人，也不是聯絡不上，不必千辛萬苦也能見到，然而卻不知為何……就是沒有去找對方。不是不想見到對方，反而是想念極了，卻什麼也不做。」

這御廚有些可以理解。

「喏，把什麼東西收到高處的架上之後，雖然想要拿下來，但拿下來需要腳凳，腳凳也就在旁邊而已，卻不知怎地就是不想搬，然後就懶得拿下來了，有時候不是會這樣嗎？」

「有的。」

「只是把腳凳搬過來放到架子下面而已，很簡單，卻不去做。然後就拿不到那東西。就是這種感覺。」

「是時機的問題嗎？」益田說。「有時候就是會**錯過**去做什麼事呢。明明沒什麼大不了的理由，結果就是做不到了。那類**錯過**的事，其實都是做得到的事，對吧？」

「或許吧。有些事情錯過時機就做不到了，但幾乎都只是不去做而已。雖然我沒有確證，只是隨口說說，但我猜寒川先生可能也是因為這樣，錯失了聯絡的時機而已。」

會是……這樣嗎？

「世上充滿了我們不知道的事，所以會害怕或是難過，但絕大部分的事，其實都沒什麼。罕見地也會發生驚天動地的大事，但這樣的事難得一見的。」

「這話真是一點都不錯。」益田說。「遇到老虎也不是那麼常見的事呢。」

「這就不曉得了。」綠川說。「不過寒川先生現在只有一個人吧？那他一定很寂寞。尤其是黃昏的時候。」

因為鵺會啼叫。

「什麼鵺？」

「會發出哀淒叫聲的鳥。」

「說是鵺，會很像妖怪耶。」益田說。「那是虎鶇啦。鵺的話，是中禪寺先生的本行了。是那個吧？頭是猴子、身體是狸子、手腳是老虎，尾巴是蛇的怪物。」

「世上沒有那種東西吧？」綠川笑道。

御廚覺得怪物都是不存在的。

「那是鳥啦。歔歔咻咻地啼叫，聽起來很悲涼。雖然或許只是因為聽說聲音哀淒，有了先入為主的想法，所以聽起來如此而已……不過就連住在山裡的人也說聽了感到淒涼，所以一定就是這樣。」

「綠川小姐認識住在山裡的人嗎？」

「嗯。有位老先生偶爾會去診所，他告訴我許多叔公的事。他說他住在附近的山上。」

「住在山上……是從事林業的人嗎？」

「他說是叉鬼。」

「什麼？叉鬼？」

「名字叫什麼去了？是一位叫桐山寬作的老爺爺。」

「請請、請再說一次！」

找到寬作了！——益田驚呼。

綠川一臉呆愣，問：

「什麼意思？寬作先生……怎麼了嗎？那位桐山先生就只是個普通的老先生啊。已經快八十了，搞不好八十多了。」

益田露出似欣喜又似為難的表情，說：

「幾歲都沒關係。我們一直在找這個人。我們也等於是為了追查KIRIYAMA KANSAKU（桐山寬作）這個名字，才會來到日光的。」

對吧？益田向御廚尋求同意。

是這樣沒錯。

「寒川先生的父親參加的調查團，嚮導好像就是那位桐山先生，寒川先生很有可能在去年找到他，並且見到他……的樣子。」

「真的嗎！」綠川睜圓了眼睛。「居然有這種事？」

「就是有啊。沒有條件如此吻合的同名同姓的人吧？哎呀，以結果來說，下榻那家旅舍真是對了，御廚小姐。雖說遇到綠川小姐是巧合，不過真是重大收獲。」

「這應該……是巧合吧。」綠川說。

「不能是巧合嗎？」

「不是不能，但也覺得……好像巧過頭了。」

「請不要說不吉利的話啊，綠川小姐。」益田板起臉孔。「去年春天可是發生過操弄巧合的可怕事件。

不，說操弄有些不對，該怎麼說……」

「唔，我是照我自己的方便在行動，益田和御廚小姐應該也是，所以今天在那裡遇到，應該是巧合吧。」

「就是吧。」

「是啊。」綠川這麼說，接著望向御廚，說：「冨美小姐要不要去要個水？」

因為御廚整個人怔在那裡，也許綠川以為她喝醉了。雖然御廚並沒有喝多少，而且她平常就恍恍惚惚的。

倒是被人用「冨美小姐」稱呼，她覺得很新鮮，瞬間忘了回話，望向綠川。

綠川後方。

稍遠處的座位坐著一名女子。

不知為何，起初御廚覺得是店裡的人，但是不可能。員工不可能坐在深處桌位吃吃喝喝。御廚轉念，心想那應該是在等人。女人一個人進居酒屋，這種狀況雖然並非不可能，但相當罕見。而且。

不是旅人——御廚這麼感覺。

怎麼會這麼想呢？女子很年輕。看上去還不到二十，但她在喝酒，所以滿二十了吧。一頭漆黑的長髮紮在腦後，膚色雪白，眼睛細長，唇如櫻桃。雖然脂粉未施，但眼周看上去淡淡地殷紅。

甚至有種妖艷之感。

是因為被燈籠、電燈泡這些不太高檔的低俗燈光照耀的關係嗎？

——不是。

近前的綠川也處在相同的光源下，看起來卻徹頭徹尾地健康。為什麼呢？御廚正自納悶，凝目細看，女子霍地站了起來。應該是要回去了吧。御廚別開目光，登時回想起來。那是……

昨天跟在益田身後的女子。

「冨美小姐，怎麼了？」綠川問。

女子一度回頭。

看起來淡淡地笑了。

鵺（四）

這天，綠川可以說運氣背到家了。

她一早就出門去市公所，不出所料，對方反應冷淡，因此綠川直接去診所了。下午關口和久住說要來幫忙，益田和御廚也說要來，她覺得必須提早到場，安排一下流程。

不是說人多就好。她覺得油腔滑調愛脫線的益田和笨口拙舌兼笨手笨腳的關口搭在一起，會拖累工作進度，而且御廚的目的是找人，久住的目的是解謎，若是發現任何有關的東西，工作就會打住吧。

因為每個人各有算盤。

也不保證那個公安不會出現。

也有可能他早就搶先等在那裡了。

原本這應該只是一場撿拾叔公回憶渣滓的單人旅程，沒想到短短一天，就變得熱鬧非凡。

到舊尾巳村有段距離。幸而天氣不錯，因此綠川放空腦袋，漫不經心地走著。景色還不壞，因此心情也不差。

到這裡……都還好。

來到快進村子的地方時，她隱隱有了不祥的預感。

有人進進出出。

從來沒有這樣的情形，綠川進村子的時間不一定，但從來沒有跟任何人錯身而過。

廢村地區的入口附近，站著一名額頭貼藥膏的婦人，因此綠川向她打聽是否出了什麼事。

「出事啦，失火啦。」婦人說。

「失火……哪裡失火？」

「再過去的地方。」

「再過去……沒有住人對吧？」

「妳怎麼知道？」婦人說。「對了，妳是誰啊？不是這裡的人吧？」

「我是……以前在診所的綠川醫生的親戚。」

「哎呀哎呀。」婦人在額頭擠出皺紋，右側的的藥膏被擠得搖搖欲墜。

「親戚啊？醫生死掉嘍。去年走的。」

「我知道。我是來整理遺物的。」

「整理……那妳快去啊！雖然好像只是小火災，不過失火的地方就是診所。遺物那些……」

「啊……」

預感成真了。

不過綠川並不怎麼驚訝。

反正她本來就打算把文件燒掉。

「我家就在這兒，是最近的一戶。天還沒亮的時候，我家死鬼去茅廁，說對面那裡亮亮的，我出來一看，發現失火了。雖然也不是近到會被火燒到，但萬一丟著不管，變成森林火災就糟了嘛。天乾物燥嘛。所以我連忙去了過去的木島家，借電話通知了消防隊。」

「那是幾點的事？」

「凌晨四五點那時候吧。消防隊一下子就回去了，然後警察過來了。應該還在那裡吧。沒人的地方，怎麼會燒起來呢？」

——是公安幹的嗎？

但宣稱連非法侵入都不幹的守法者，會做出縱火這種事來嗎？當然，守法的態度也有可能只是嘴上說說，綠川也知道戰前的特高警察摧殘了多少無辜百姓的生命，但……

那樣的話，為何先前都不直接闖進去？

「大嬸，妳有沒有看到陌生人經過這裡？」

「我又不是站在這裡守衛，不曉得啦。哦，大前天是有東京的學士大人還是文士大人上門來啦。白天的時候。」

是關口和久住吧。

「好啦，妳快去吧。」婦人說。「那叫負責人嗎？警察說找不到負責人，正在頭痛。」

「啊……好。」

感覺不太妙。

昨天和前天，綠川都在屋裡點燃了暖爐。

當然離開前，她再三確認火苗已經徹底熄滅。綠川在北國住過，這部分特別小心，但事情總有個萬一。

即使不是她的疏忽，若是被布置成未徹底熄滅爐火而導致失火，或許就無從辯白了。

診所有兩名警官。

綠川說明身分，對方立刻說要帶她去問話。態度莫名蠻橫。

連屋裡都不讓她看。門口的玻璃幾乎都破了，但建築物本身似乎沒什麼損壞。只是不曉得室內燒得有多嚴重。

就在這當中，已經過了中午。

關口和益田他們很快就會來了吧。但她懶得說明這件事，也覺得說什麼都只會讓事情變得更複雜，因此什麼也沒說。

她也不願意隨便把他們牽扯進來。

但如果有一名警官留在那裡，他們前去拜訪，或許會引起疑心。

綠川在警官陪同下前往派出所，被執拗地問東問西。綠川沒有什麼好隱瞞的，因此一切據實回答，卻逐一遭到質疑。但即使要向公所或職場求證，這天剛好星期六，每個地方都只上班半天。什麼都無法確認。

不過火源似乎不是暖爐。似乎不是失火，而是縱火。那麼綠川沒有動機。

雖然她本來就打算要燒文件，但沒必要連房子都燒了。燒了房子，對她也沒有好處。

綠川這麼說，結果引來更強烈的懷疑。

而且這名警官連綠川的年齡都不相信。

從剛見面開始，就把她當成小孩子看待。不管怎麼看，綠川年紀都比對方大，但對方深信綠川就是個小孩，冥頑不靈。就算要謊報年齡，有人會故意把自己報老嗎？除了有年齡下限的情況，應該不太有人會這麼做。

綠川清楚自己娃娃臉又嬌小，因此也習慣受到誤解了，但也沒道理就要任人看輕。即使她真的比對方年輕，顯然也不是三歲小孩了，對方不應該以大欺小。

加上還有性別的問題。

女人這個屬性，與大學醫學院基礎醫學系研究室助教這個頭銜沒有任何關聯。更進一步說，那不是頭銜，只是職業。那只是她的工作。

對方應該只能依靠地位、名聲這些去掂量一個人吧。真是可悲。

外貌像孩子的女人不可能是醫生，這完全是偏見，而且如果說長得像孩子的女人就可以瞧不起，這才是豈有此理。

這名警官真正不講理。

他說，妳說的話實在不曉得能不能信。還說，差不多該從實招來了吧？更說，我是不覺得妳是縱火犯啦，但如果妳不說實話，也抓不到犯人啦。

綠川真想說，我說的都是實話，快點去抓犯人。

不過這樣的對待，她早就習慣了。

她不認為這是應該要習慣的事，因此每一次都挺身反抗，但就算反抗，社會也不會一朝一夕突然改變。對症治療已經無效，這個社會需要的是治本，或者說改善體質。

如此一想。

也許中禪寺和榎木津，都沒有感染世俗及社會所罹患的疾病。因此她才能自然地與他們相處。

——雖然那都是過去的事了。

她不知道現在的他們怎麼樣。

想著這些，綠川漸漸火大起來了。證明叔公在世的碩果僅存的物品或許大半都不幸焚毀的這個節骨眼，自己為何非在這裡讓這種煮爛的烏龍麵條般的警官踩在地上糟蹋？

綠川正要開口時，門打開來了。

雖然因逆光而成了一道剪影，但那個輪廓她認得。毫無疑問，就是那名公安。

「有……有事嗎？」警官問。

「這是我的證件。」

是那天的證件嗎？完全看不見。

「看不到啊。」警官說，從椅子站起來，走近男子。男子稍微上前，在警官耳畔細語了什麼。聲音很低，什麼都聽不見。

「什麼？」

「懷疑的話，可以自己去問。」

警官把臉湊近證件，嗅聞氣味似地查看。

「不，本官並沒有懷疑，那……」

「那位小姐的身分我可以保證。剛才我在現場問過犯案時刻，她有那段時間的不在場證明。」

「可、可是…」

「她跟那間診所的關係，也如同她說的那樣。如果懷疑，等下週一去問市公所吧。」

「是……。可、可是……」

「你把她扣在這裡盤問也沒有用。而且她是那間診所的醫生的親戚，反而是被害人吧？土地和建築物的權利那些也很模糊，首先應該要請她確認受損狀況吧？這點事，就連派出所巡查都知道。還是要我直接跟你上頭說？」

「上頭？」

「借一下電話。」男子——是叫鄉嶋嗎？——說道，上前一步。警官跺腳似地原地踩了幾步制止。

「不、不勞麻煩了。」

「我想也是。我有事正在請她協助調查，人被你扣在這裡……」

「不，本、本官現在就放了她。只、只是……」

「只是什麼？」

「也、也有可能還要再請教她狀況，那個……」

「她不是把旅舍、住家和上班地點都告訴你了嗎？沒有嗎？」

「有的。」警官惶恐地說。

「那就沒什麼好擔心的。聯絡得上。難道你要說她謊報？還是她會逃亡？又沒有理由。」

「可是……」

「怎樣？」鄉嶋恫嚇道。

「沒事……」

「那就好。我現在要跟她一起去現場，查看有沒有丟失什麼物品。人我帶走了。」

「去、去現場嗎？」

「不行嗎？有可能不是單純的縱火吧？你們根本什麼都沒調查嘛。」

走吧——鄉嶋說。

警官以最敬禮木立原地。

明明上一秒還是一坨軟爛的烏龍麵。綠川穿過他旁邊，也超過鄉嶋，搶先出去外面。冰冷的空氣舒爽極了。

沒吃午飯，肚子餓了。

遇到這個人時，她都剛好肚子餓。

「是要去診所嗎？」

「沒錯。」

「不是強制嗎？」綠川問，鄉嶋說「不是」。

「剛才你說會保證我的身分。」

「我並沒有調查妳。」

「那……」

「妳沒有向警察撒謊吧？我看得出來，妳是不是能對警察的盤問謊話連篇的人。我幹這一行也很久了。」

「是喔。」

看來也不是特別信任綠川。

「你不認為是我放的火嗎？」

「不認為。」

「你在監視我吧？」綠川說，鄉嶋說「隨妳怎麼想」。

「有那麼一下，我懷疑是你縱的火。」

「一下而已嗎？」

「一下而已。倒是，你去過診所的話，有沒有遇到關口他們？」

「關口？不是益田嗎？」

「益田和他的委託人御廚小姐也說要去，不過關口和他的朋友說好要幫忙銷毀文件。你昨天不是在監視我嗎？」

「我可不是一天二十四小時都跟著妳。」

「果然在盯稍我嘛。」

「什麼盯稍、監視，說得也太難聽了。我是在調查。妳只是和調查對象有關的人。倒是……妳跟關口是什麼關係？」鄉嶋問。

「隨便你猜。」

「我猜不到。不重要。」

真麻煩——鄉嶋嘀咕道。

「那夥人也在啊。」

「你沒遇到他們呢。」

「沒有。妳前腳剛走，我後腳就到了。我從現場的警官那裡聽到狀況，就直接去派出所了。那麼，那夥人現在在那裡嗎？」

「你說從警官那裡聽到，但應該是威脅他說出來的吧。雖然或許你沒那個意思。」

「我沒那個意思，但我清楚自己能構成威脅。但如果我不亮亮招子……」

「關口和益田都會被抓呢。」

「沒錯。」鄉嶋說。「他們不可能跟縱火有關，我也不願意這麼想。關口和益田背後都有麻煩的傢伙。」

「是指榎木津先生和中禪寺嗎？」

「妳……到底是什麼來頭？」鄉嶋轉向綠川。

眼鏡底下的眼睛稍微瞪大了些。

「你不是保證我身分清白嗎？」

「嘖！」

鄉嶋調整眼鏡位置，把臉埋進圍巾裡。

「妳連中禪寺都認識？」

「只知道他這個人而已。」綠川說。

這是真的。

「重點是，鄉嶋先生……是嗎？你看過現場，對吧？警察不讓我看，桌子沒事嗎？」

「桌子……妳說診察室的桌子嗎？問這個做什麼？」

「這是我猜的……你是不是想看田端動的定期體檢資料？」

鄉嶋停下了腳步。

「病歷都收在桌子下方的抽屜。或者你要看的不是病歷，是那些像設計圖還是算式的文件？那些是在架子上。」

「妳知道多少？」

「我什麼都不知道。」綠川說。

「什麼都不知道，不可能憑空冒出田端的名字。」

「應該是**另一件事**。」

沒錯，應該是另一件事。綠川不知道公安調查廳這個機關都在調查什麼樣的案子，但至少不會去追查十幾年前的小女孩的妄想吧。

至於益田，綠川認為更是完全不相干的事。雖然綠川並不知道御廚的未婚夫是什麼人。

「我太疏忽了。」

鄉嶋從內袋掏出外國菸。

「如果妳跟那夥人是一道的……我應該多加提防的。」

「我不是跟他們一起的。」

不可能。

「我們都已經超過十年沒聯絡了。」

往來的期間，也只有短短兩年而已。若是俯瞰過往的人生，是連十五分之一都不到的一個點而已。

「那，怎麼樣？」綠川問。

「什麼東西怎麼樣？」

「就屋內的狀況啊。」

「哦。」

鄉嶋點燃香菸，叼在嘴裡，把濾嘴的部分咬扁了。

「我沒有仔細檢查。應該是把架上的文件搬到桌上點火。」

「搬到桌上？」

「比起縱火，感覺更像是在燒文件。不過在木造小屋裡這麼做，一樣是縱火。天花板也燒焦了，如果發現得更晚一些，應該整棟屋子都會燒光吧。桌子還維持著形狀，但抽屜裡面怎麼樣就不清楚了。」

「這樣啊。」

那……是有人替綠川做了她想做的事嗎？只是在室內燒文件，實在太亂來了。

「我再問一次，你想看田端先生的定期體檢資料……我猜的，對嗎？」

鄉嶋嘆了一口氣：

「不光是那個而已。」

「那是個人資訊。醫生有保密義務的。如果鄉嶋先生有正當理由，我當然不吝讓你閱覽。」

「沒有不當的理由，只是缺少正當的手段去蒐集被隱藏的情報罷了。我之前也說過，我們經常被誤認為祕密警察，但完全不一樣。我們和警察不同，沒有任何強制的權限，也拿不到保證執行權的令狀，但也不是在進行超出法律規範的活動。簡而言之，跟平民百姓沒兩樣。不能說的就只有……」

調查理由而已——鄉嶋說。

「雖然正當，卻是祕密嗎？」

「輕率公開，有可能造成不必要的社會動盪……只是這樣罷了。沒有什麼陰謀。」

「這樣啊。」

「沒錯。」

鄉嶋停步，不悅地擦了幾次火柴，但微弱的火苗全被寒風吹熄了。

鄉嶋放棄抽菸，邁開步伐。

就這樣走了一段路。

「你跟他們……有往來嗎？」綠川問。

「他們？哦，沒有。榎木津在某個圈子很有名，但我跟他沒關係。中禪寺的話……以前跟他共事過。不過是戰時的事了。」

至於其他人，就只是資料上知道而已——鄉嶋說。

「那夥人每一個都跟麻煩的重大案件有關。就算沒打過照面，不想知道也會知道。幹這一行，就算不想聽，風聲也會自個兒傳進耳朵裡。」

「這樣啊。」

鳥兒在啼叫。

屋舍已經變得稀疏。

「田端勳先生有可能是受到放射線傷害。我懷疑不是在一定期間受到低劑量曝露，就是在某個時間點，曝露在超過一定劑量的放射線當中。」

「喂……」

「整理的時候不小心瞄到的。閉著眼睛沒辦法分類嘛。」

鄉嶋皺起眉頭。他的面相原本就凶狠，這下更是活脫惡徒一個。

「定期體檢的資料嗎？妳記得有幾個人嗎？」

「我沒有算。而且那不是個人病歷檔案，而是一次體檢一頁，依照日期排列，所以……田端先生是昭和十一年底到昭和十三年三月過世為止，總共有約一年半的體檢資料。幾乎每個星期都體檢，所以光是田端先生的，就有八十頁左右吧。因此沒辦法從張數推估人數呢。所以……不清楚。體檢次數好像也是因人而異。」

「其他人的名字，妳還記得嗎？」

「不記得。」綠川說。「沒那麼剛好記得呢。田端勳先生只是因為別的事才會注意到。我想想，就我隨手翻閱的感覺來看，大概有十五到二十人，不過中間好像有換人。」

「換人？」

「時間是昭和八年到敗戰不久前吧，有六、七年份左右……這樣應該有一千張左右。那麼應該會是五、六人份，但印象中名字更多。那麼，應該是兩、三年就換一批人吧？」

「妳真聰明。」鄉嶋說。

「希望沒有燒光。那些東西現在只是燒剩的殘骸了。我不曉得我有沒有權利，但我同意你閱覽。」

「不知道還剩下多少。而且那夥人在那裡吧？」

他們在那裡……會有什麼不方便嗎？

「那個地方以前在做什麼？」

綠川覺得對這種人，開門見山最管用。

鄉嶋停頓了一拍，說「我就是在調查這件事」。

「不知道嗎？」

「知道的話，就不必這麼麻煩了。好吧，再瞞下去也沒意思，我就告訴妳吧。我的工作是清除垃圾。」

「垃圾？」

「沒錯。日本打了敗仗，帝國陸軍和帝國海軍都解散了，內務省也解體了。占領也解除了，有種一切都已成過眼雲煙的氛圍，對吧？藍天白雲，就彷彿連戰後都過去了。這真是太荒謬了。」

「我不是很懂你的意思。難道是有人還在企圖挑起那場愚蠢的戰爭嗎？」

「不是那樣。軍方和內務省都沒了，但並非所有的一切都消失了。就算投降、解除武裝，各地還是留下了一堆東西。被解體的是組織，但人和東西都還留著。人會裝傻、危險的東西會被藏起來。多的是開溜的時候順手埋掉的東西。但埋了那些東西的人消失了，所以有一堆東西就這樣無人知曉，不曉得哪裡埋著什麼樣危險的垃圾。」

「你是在找那些東西嗎？」

「找到挖出來，清理乾淨。」

「現在才在做這種事？」

「就是現在才能做啊。達成和平協議，恢復主權，總算有了點樣子，不是嗎？公安調查廳成立，警察法修正，所以……現在才能做這些。別看我這樣，我也是遵守和平憲法，為了維護民主主義國家，在打撈淤泥般的穢物……清理臭水溝啊。」

「雖然也不是不能理解，但很少有人會這麼想喔。」

「因為我們盡可能低調。戰前的特別高等警察算是祕密警察，不分對象，濫抓平民。可是我……不一樣。我自認為不同。我被交付的任務，是逮到戰前這個**已死的怪物的幽靈**。」

「怪物的幽靈……？」

「沒錯。」

「很吃虧的工作呢。」

這是綠川的真心話。鄉嶋說的，應該是他的肺腑之言。他的長相和態度讓他看上去像個惡人，但他其實並不是多壞的人吧。

「那你是說，這前面有怪物的幽靈？」

「似乎是。」

「我叔公是在幫忙怪物嗎？」

「不曉得。至少他似乎派上了用場。」

那麼……

那個怪物死了，所以叔公放棄了什麼嗎？總覺得兜不攏。

還是不明白叔公的立場是體制還是反體制。叔公是潛入體制內的祕密計畫，意圖暗中破壞嗎？那樣的話，既然怪物已死，他的目的也就成功了。然而。

那樣的話，叔公又是放棄了什麼？

沒有虎子，是什麼意思？

鄉嶋停下腳步。

「雖然狀況變得很古怪……我可以叫妳綠川小姐嗎？」

仔細想想，綠川沒有正式自我介紹。她只承認自己是綠川豬史郎的親戚。

「可以。」

「我還是不要去關口他們在的地方比較好。那夥人……尤其是那個小說家，會想太多或是誤會。要是蹩腳偵探也在，會讓方向偏離得更離譜。要是他們跑來插手與他們無關的事，只會造成我的麻煩。」

「也有可能反過來吧？」

「什麼叫反過來？」

「他們兩個都知道鄉嶋先生在四處打探某些事吧？或許也已經從警官那裡聽說你今天去過診所。那麼不好好交換情報，只會惹來猜疑吧？」

「情報不能透露。」

「是祕密，對吧？可是如果那些人覺得有什麼祕密，大概會想要揭發開來，然後查到錯誤的答案去，把狀況搞得更複雜……我覺得會變成這樣。」

「他們就是不懂分寸。」鄉嶋說。「要是中禪寺也在，另當別論。」

「中禪寺就懂分寸嗎？」

鄉嶋的鼻梁擠出皺紋：

「我的意思是，他的學識和閱歷，讓他能體諒我的處境。要是不小心為敵，再也沒有比他更難對付的人了。」

——確實，

很難對付吧。

「可是如果不去那裡，你要怎麼做？不用確認了嗎？」

「不是。綠川小姐，如果有燒剩下來的文件……」

就丟了吧——鄉嶋說。

「丟了？」

「我會撿起來。燒剩下來的殘渣，一般都會丟棄。這是很正常的處理方式。」

「那種東西要怎麼丟？要是放在建築物外面，又會被點火吧？而且也會被人看到吧？」

「在屋後挖個洞埋了吧。」鄉嶋說。「洞叫蹩腳偵探去挖就行了。」

「要挖洞的話，應該是要找益田沒錯，不過鄉嶋先生要把它挖出來嗎？」

「這點小事還不算委屈。」

「這步驟也太麻煩了。」綠川說。「守法真是辛苦啊。仔細想想，這與其說是守法，根本是鑽法律漏洞吧？」

「總比違法或超越法規的手段像話多了。」

「我是能理解啦……結果還是得在暗中運作、從背後設法，總有種犯規的感覺呢。我之前對你似乎有諸多誤會，但現在理解你的理念、工作內容和處境了，所以我會協助你，不會再多問。不過得實際看到，才知道還有沒有燒剩下來的文件，也有可能全是白費喔？」

「我的工作就是白費的累積。」鄉嶋停步，再次叨了一根菸。「妳去吧。欠妳一回。」

「這話有點不適合你耶。」

綠川說完，沒有看鄉嶋，輕輕揮了揮手。

這動作一定讓鄉嶋很尷尬吧。她覺得這個可怕的男人，或許從來沒有被人揮手道別的經驗。

她不是存心作弄對方，而是一種敬愛的表現。綠川向來信任不把她當小孩的人。

很快就來到村郊了。

上午交談過的婦人眼尖地看見綠川，走出家門口。

「咦？我還以為妳被警察抓走了。喏，警察什麼人都亂抓嘛。」

「我獲釋了。」

「真的被抓了嗎？」

婦人的眼睛和嘴巴都張得老大。

「只是被找去問話而已啦。」

「這丫頭！」婦人做出拍東西的動作。「倒是，東京的學士大人去診所嘍。那個人看起來也很可疑，會不會被抓啊？」

「可能被抓了。我去看看。」

綠川進入無人的區域。

可能是因為無人通行，不同於街上，日陰處還殘留著積雪。雪不太乾淨。

綠川的注意力正被髒兮兮的積雪吸引，這時傳來破嗓的叫聲：

「綠川小姐……！」

益田正高高地揮舞右手。

綠川從來沒有被人這樣迎接過。想到剛才的鄉嶋或許也是同樣的尷尬，她感到有些過意不去。

「妳被釋放了嗎？」

「對。雖然也不是被逮捕。」

「就是嘛，又不是關口先生。」

仔細一看，關口和久住在診所前不知所措地站著。一旁，表情難以言喻的警官更加不知所措地杵著。

「現在是那種狀態。」

「富美小姐呢？」

「哦，她去附近散步了。因為已經像那樣膠著了一小時左右了。警官不讓我們進去，本來還說要把我們扣留起來，直到支援前來。」

「支援？」

「哦，那位鄉嶋先生大概來過。他向那名巡查下了某些指示吧。總之他叫我們等到負責人過來。我東問西問，問出負責人就是妳。」

「噢，我也是鄉嶋先生幫忙解圍的。」

「什麼？」

「人不可貌相，他人滿好的。」

綠川說著，走到警官前面。

「不好意思，我回來了，我就是這裡的負責人。」

「啊……」

「市公所委託我處理這裡的東西，我可以進去吧？這些人是我的幫手。」

「呃……」

警官的態度猶疑不定。

「我們五個人要進去裡面，警察先生請在這邊看著。對了，裡面警察已經看過了吧？」

「啊，呃，是。」

真的猶疑不定。

「我們沒有手套那些裝備，不過昨天也來過，到處都是我們的指紋了。我們要進去嘍。」

正確地說，益田和御廚是第一次來，但細節無所謂了。

往旁邊一看，關口正看著綠川，表情可憐巴巴到了極點。

「碎玻璃好危險。」

是因為高溫而破裂嗎？她打開屋門。因為濕掉了，相當難開，但總算是推開來了。內側並未散落著太多玻璃碎片。先是久住，接著是關口入內。關口想要關門，綠川說開著就好。反正門上的玻璃都破了，關了也沒意義。益田是去找御廚了吧。

「好慘啊。」

關口難得口齒清晰地說，綠川朝他望去。小說家正仰望著天花板。抬頭一看，天花板燒得一片焦黑。

而久住在檢查書桌。地板都淹水了。

「桌上堆著文件。這應該是淋上油之後再放火的。這實在……」

一片漆黑。書桌邊緣還有一些燒剩散落的紙張，但桌板已經化成黑炭了。整疊紙張幾乎都成了灰，一動就揚起灰燼。

「抽屜還能開嗎？」

久住蹲身，抓住中間的抽屜。

上層和中間的抽屜已經成了焦炭。

「打得開，可是……啊。」

把手好像掉了。

「裝病歷的是最下面的抽屜吧？這邊打得開嗎？啊。」

綠川探頭一看，裡面是空的。

「燒掉了呢。唔，省了工夫嗎？」

「是燒掉了嗎？」關口低聲開口。「架上的文件，加上抽屜裡放的病歷，我覺得灰燼的量有點太少。」

「是……嗎？」

綠川檢查櫃子。

聽關口這麼一說，也覺得確實如此，但她不清楚紙類的體積會因為燃燒而有多少變化，因此老實說，不是很確定。

「關口，假設灰燼太少，這代表了什麼？」

「哦，會不會是……被拿走了？犯人把部分文件帶走，為了掩飾拿走了哪些文件，把剩下的燒掉……之類的。」

「啊，原來如此。」久住點點頭。「這樣一想，似乎也可以理解這奇妙的縱火方式了。如果是要燒掉屋子，我覺得不會用這種方法，但如果只想燒掉文件，搬到外面燒掉就行了……」

「會這麼做嗎？」

益田出現在門口。

「連那人偷走了什麼都不曉得啊。綠川小姐，病歷妳應該看了一些，但架上的文件呢？」

「看是看了，但看不懂。」

「看不懂的話，就算那人默默抽走，我們也不曉得被拿走了什麼啊。問題是，為什麼是今天凌晨動手？」

「什麼意思？」關口問。

「就是，綠川小姐說她今天要燒文件，對吧？關口先生還有……久住先生嗎？久住先生也是來幫忙的吧？」

「是啊。」

「那明天來就沒用了。機會只有一個晚上。對了，知道這件事的除了兩位以外還有誰？有沒有告訴榎木津先生他們？」

「沒有啊。昨天我跟久住先生吃過飯，直接就睡了。京極堂也沒回來。」

「那……只剩下鄉嶋先生嗎？」

「我覺得應該不是他……就算是，他也不會拿走文件，遑論燒掉。」

不是鄉嶋。綠川有近似確信的信心。

「就是說呢。公調的話，應該不會留下證據嘛。」

「你不就知道我們要燒文件嗎？」關口說。

對於益田，關口的態度似乎有些蠻橫。

「你從佳乃小姐那裡聽說了吧？」

「是啊。那其他知道的就只有我跟御廚小姐……可是我們沒有告訴任何人啊。我這人是很輕浮，但嘴巴牢靠得很的。我是偵探嘛。至於御廚小姐，她在栃木縣內連會交談的朋友都沒有吧。」

——不。

這麼說來。

「昨天富美小姐不是說嗎？之前尾隨益田你的女人也在居酒屋裡。」綠川說。

「哦。」

不知為何，益田這時撩起了劉海。

「我是偵探，只有我尾隨別人，沒有人尾隨我的。而且御廚小姐說是一個漂亮的年輕小姐。不是我自誇，我可沒那麼有女人緣。」

「我可以理解你沒有女人緣，不過因為是在旅途中……昨天我們聊天的時候，也毫無防備呢。我也完全沒提防，就跟你說今天要燒文件的事。如果有人在附近偷聽，是有辦法得知這件事的。」

「怎麼可能？枥木這裡有那種間諜似的人嗎？」

「鄉嶋先生不就在這裡嗎？」關口說。「據我聽說，鄉嶋先生跟陸軍中野學校的創設有關呢，那不就是不折不扣的間諜嗎？鄉嶋先生都在這裡四處亂晃了，或許還有別的間諜。」

「這我倒是存疑。不，可是……」

畢竟是老虎嘛——益田說了莫名其妙的話。

御廚來到了偵探的身後。她的眉毛垂成八字形，一副有話想說的樣子。益田問她怎麼了，御廚一臉茫然，開口：

「寒川先生他……」

猿（五）

築山極不穩定。搖擺不安。

寒川秀巳比約定的時間晚了差不多兩小時才現身。就在築山認定他不會來了，準備起身離開的時候，寒川出現了。

寒川似乎疲憊不堪，卻也十分興奮的樣子。然後他……渾身髒兮兮。

相約的地點是一家生意不錯的雅緻咖啡廳，因此一身衣物髒兮兮皺巴巴的寒川相當引人側目。舉止也有些可疑，因此築山沒有坐回去，直接離開座位，帶著寒川轉移陣地。

幾經考慮，築山決定把寒川帶到自己的租屋處。

房間不算整潔，但沒有人會來拜訪，房東也極少會來。最重要的是，他想不到其他地點。

寒川沒有拒絕，唯唯諾諾地跟著築山走。

看上去相當疲勞。然而布滿血絲的雙眼睜得老大，呼吸也很急促。是神經亢奮吧。寒川似乎一早就完全沒有進食，路上的便當店還有賣剩的便當，築山順手買了回來。他說他已經吃過了，是買給寒川的，寒川惶恐不已。

不過即使寒川準時到店裡來，築山應該也會請他吃午飯，所以算是省了一些。

進入租屋處，待寒川吃過便當，喝過茶，他似乎總算恢復人樣了。

寒川先前穿著外套，所以沒看出來，但他身上的髒污並不是泥巴。襯衫袖口沾上了油污。

「抱歉遲到這麼久。」寒川行禮說。

「不會，只是口頭約定而已，你也沒理由非遵守不可。」

「要是這樣說，我才沒有理由讓築山先生對我這麼好。如果那時候不是築山先生經過，我應該已經被扭送警局，萬一被逮捕，現在已經在牢籠裡了。」

「那並不構成犯罪行為吧？」築山說，寒川回道：

「但我是不折不扣的可疑人物。就像那家旅舍老闆說的，我趴在陌生人家的屋子前鬼鬼祟祟。要是我家前面有這樣一個怪人，我絕對會報警。而且……」

我已經是罪犯了——寒川說。

「你……做了什麼嗎？」

「我做了犯罪行為。不過我不後悔。」

「寒川先生……」

「可以聽我說嗎？」寒川說道。

寒川秀巳說他在東京經營一家藥局。年輕時候，他曾想靠研究藥學立身揚名，但由於經濟因素，放棄成為學者，加上戰爭逼迫，最後成了個賣藥的。

本人說得宛如一場挫敗，但築山覺得他很了不起。寒川說藥局現在雇了兩名藥劑師和一名會計，更令人敬佩了。然而寒川的感受，築山也不是不了解。

築山本來想要成為一名**真正**的僧侶。

不是擁有自己的寺院、在教團成為幹部那些。而是信仰、修行、傳教、濟世——築山心目中理想的僧侶，純粹就只是如此。

然而老家的寺院因為經營不善而廢寺，讓這個夢想破滅了。與信仰或修行毫無關係，結果是受到經濟因素的影響。

當然，沒有寺院，照樣能夠信仰和修行。傳教和濟世應該也不是問題。他依然名列僧籍，因此一樣能夠以僧人自居，以僧人身分過下去。更重要的是，築山是一名佛教徒。無論身在任何環境、處在任何境遇，都不妨礙他身為一名佛教徒。

然而，築山認為自己終歸是在根本之處挫敗了。不知不覺間，他迷失了真正意義的信仰。

到頭來終究無一物，什麼都不擁有，拋棄一切，但信仰應該還是在。不，這才是信仰。然而社會卻也不允許他切斷與社會的連結，在真正的意義上出家。

因為信仰沒辦法還債。老家的寺院經營，從很久前就出問題了。

當然，這不是社會的錯，而是自己的錯。因此身為僧人，築山一樣失敗了。

寒川或許也是一樣的。

寒川說他的父親是一名植物病理學家。

似乎是在該界頗有名望的研究者，但厭惡結黨，也沒有加入大學等研究機關，是所謂的在野學者。

寒川說他會立志投身藥學研究，也是受到父親為人極大的影響。

但是……做研究要錢。

幸而寒川家代代家道殷實，因此寒川的父親不必勞動，就能潛心研究。但錢財只出不進，不管再怎麼富貴的人家，也總有床頭金盡、坐吃山空的一天。但寒川說他父親從來不曾為金錢煩惱。不知道是有人望，或是學術成績獲得極高的評價，有許多人資助他。

而他的父親過世了。留下了龐大的債務，寒川賣掉繼承而來的全部財產，還清了負債。

當時還是學生的寒川，落得幾乎一文不名。但他還是沒有放棄學業，成了所謂的苦學生，度過了學生時期。

可惜他時運不濟。

築山比寒川年輕了十歲，但經歷過相同的時代。他切膚地了解從日中戰爭一路擴大到太平洋戰爭的那個時代有多麼地艱辛。

被徵兵，復員，雖然慶幸從戰火中倖存，卻也不是一切都能回到原本。

應該不是所有的人都有力氣從頭來過，即使有，還有辦法回到戰前中斷的道路嗎？答案應該是否定的。

築山沒辦法拋棄僧侶的身分，但認為自己已經失去信仰了。他也覺得自己只是戀戀不捨地緊抱著僧侶這個身分不放。這應該是留戀，那麼……

就只是執著。

他認為這樣不配當一個佛教徒。儘管這麼想，卻又拋不下。

因此寒川雖然拋棄研究藥學這條路，但還是考上藥劑師，開了藥局，這段經緯令築山大感共鳴。

白手起家的努力和成果值得喝采，也沒有任何愧對世人之處，然而在某部分，那依然是失敗，也是轉向。

而失敗的契機，在寒川的情況，是父親的死。

寒川的父親死亡的情況，光聽就詭異無比。他的父親——寒川英輔博士在日光的國家公園選定的準備調查活動中，在日光這裡墜崖身亡了。若是只聽到這部分，就只是一場不幸的意外，沒有什麼特別的奇異之處，但前後的狀況，卻透露出某些矛盾。

「這是我聽當時負責家父的事故——已經退休的刑警說的。」

他說聽完之後，疑竇更深了。

寒川英輔的遺體在警方接獲通報後，曾一度消失，隔天清晨又被人搬到診所。當時警方並未向寒川說明遺體曾經消失了一段時間，因此二十年來，他一直深信父親是在深夜時分墜崖的。

「也不是深信，因為警方那樣說明，所以我也就那樣記住了。結果事實根本不是如此，但就算是這樣，那一樣是意外墜崖，所以從這個意義來說，那個謊言關係不大。可是……」

太奇怪了——寒川說。

築山也這麼認為。

「還有遺留的物品。當時警方說明，現場沒有找到遺留物品。說皮包、帽子那些，可能是墜崖的時候掉到別處去了，被人撿走了。」

「結果不是嗎？」

「那名退休刑警說，皮包那些都找到了，但我沒有領到。也就是說，儘管找到了東西，這件事卻被壓下來了。」

「會……變成這樣呢。」

「那只是一場意外事故啊，沒道理不把死者的物品歸還家屬吧？」

「對啊……那名退休刑警怎麼說？」

「他好像相信東西當然還給我了。據他說，先是在崖下找到了錢包和名片夾，所以才知道死者身分……但這些東西也沒有還給我。我一趕到日光，就聽警察說沒有找到遺留物品，但當時連墜崖的現場在那裡都還沒有查出來。」

「啊，因為遺體從現場被搬到了診所，是嗎？」

「沒錯。那名刑警說，是在進行現場勘驗，尋找事故現場的時候找到皮包的，也就是在我抵達之後呢。然後那名刑警當然也看過皮包裡面了。然而他說皮包裡沒裝什麼東西。可是這……太奇怪了。」

「怎麼說？」

「他說連記事本和筆都沒有。就他的記憶，只有眼鏡盒、手帕，還有家裡的鑰匙而已。我覺得這太不自然了。」

「這有什麼問題嗎？」

「因為這等於皮包裡什麼都沒裝啊。家父是去調查的，會拎著什麼都沒裝的皮包去工作嗎？不管是要採集標本，還是要畫下什麼，都需要工具。不可能連紀錄都不做。而且家父關注的是植物的生長和放射線的關係，所以一定……」

都會隨身帶著這個——寒川說，指示脫下的外套。

胸袋裡裝著蓋格—米勒計數器。

「如果皮包裡有這樣的東西，絕對會留下印象。既然沒印象，表示沒有這個東西吧。不，就是沒有。所以那位退休刑警也才會完全沒料到東西沒有歸還給我。畢竟沒理由把一個什麼重要物品都沒有的皮包藏起來。而且那只是一起意外事故，沒道理不把遺物交還家屬。可是……皮包……」

「被人拿走了？」

「就是這樣吧。而且是警方內部的人拿走的。這……不覺得有陰謀的味道嗎？」寒川問。

只是味道的話，築山也隱約嗅到了。

但他完全無法想像，那會是怎樣的陰謀。

他說「完全無法想像呢」。

寒川露出「確實」的表情。

「去年，我在家父的墓前遇到了一個人。」

「什麼人？」

「一名記者的兒子。」寒川說。

「我不懂，這有什麼關聯？」

「是啊，那位先生的父親，是一家小報社的主筆。」

「是地方報嗎？」

「是他的祖父在明治時期創辦的……嗯，一份小報。進入大正時期以後，似乎也刊登了不少反體制的內容，結果因此被盯上了。」

這也難怪吧。

戰前有段時期，只是思想信念不符合國家體制，就會被視為問題，遭到監視與排除。

「他的父母，就在家父過世的同一天過世了。表面上是遇到強盜殺人案，但那個人無法接受。他懷疑父母是遭人謀殺。」

「這……」

也不能斷定不可能嗎？

在當時，只是宣揚不殺生戒，就會被打成非國民。有許多被認定是活動家或運動家的人，遭到投獄，冤死獄中。

「那個人過世的父親，當時似乎在追查一個大案子。當時他才十二、三歲，什麼都不懂，但他說後來發現父親留下的記事本，興起強烈的懷疑，然後開始調查。他依靠記事本中的日光這個地名，以及疑似人名的寒川這個關鍵字，查到了我的父親。然而家父在他父母喪生的同一天……」

「過世了？」

「沒錯。那天是家父的忌日。我這人沒有信仰，本來是不喜歡這樣的說法的，但我覺得就像是亡父在牽引著我，感覺到冥冥之中的某種安排。」

這……可以理解。

巧合有時是奇妙的祥瑞之兆。正因為奇妙，因此會被戴上必然的面具。就和小峰將發光的猴子視為神聖是同樣的道理吧。猴子不會發光，因此不可能是剛好發光。不會發光的東西發光了，因此只能相信，發光是因為它必定要發光。

同樣地，不可能相遇的人邂逅了，會把它視為命中注定的邂逅，也是很合理的事。

「因為這次相遇，寒川先生對令尊的死亡萌生了疑問……是嗎？」

「也不是這樣。一直以來，我就跟那個人一樣，一直難以信服。只是那種無法信服，只是一種相當模糊的感受……」

寒川從口袋裡掏出一樣東西。

似乎是折疊起來的明信片。看起來相當老舊。

「請看。」

明信片泛黃，還有折痕。上面是方正規矩的字跡。

父英輔

秀巳　天氣日漸炎熱，身體是否安康？父頗為健朗，但工作遲無進展。昨日發現一棘手之物。至為棘手。當初調查預定一個月即可完成，但應會延長半月。父外出期間，家中之事務請留心。行程決定後當即聯絡。

「這是……？」

「應是家父過世前一天投寄的明信片。在他死後我才收到的。應該說，我回到東京一看，發現家裡的信箱躺著這張明信片。」

「上面說棘手之物。」

「對。」寒川的目光變得銳利。「是這麼寫著。從某個意義來說，這就像死人捎來的明信片，因此收到時，我驚訝萬分。所以我一讀再讀，然後對上面提到的『棘手之物』好奇起來。我猜想，那當然是與家父的死有關的東西。不過在那個時候，事情已經結束了。」

「被當成事故處理了呢。」

「不光是這樣而已。我收到這張明信片時……寫下這張明信片的本人，已經裝在小骨灰罈裡，就放在我的面前。我在日光這裡把家父火葬了。法律程序那些也都大致完成了，也不打算另外辦葬禮和法事。接下來就送到菩提寺〔註〕，納骨之後就結束了。」

都已經結束了——寒川說。

「意思是在你的心中，這件事已經過去嗎？」

「這也是……但我認為只憑『棘手之物』這段模糊到不行的字句，實在不可能推翻警方的結論。就算告訴警方，也只會被一笑置之。而且，處理的是日光的警察。怎麼說……也沒法子通知。」

或許如此。

即使是築山，也會做出相同的結論吧。

不過。

「留下了疙瘩。畢竟化成骨灰的家父，什麼都不會回答我。但當時的我……實在沒有餘裕去糾結這些事。」

「我能理解。」築山說。「家父不像令尊那麼了不起，但……」

築山的父親不光是寺院經營失敗，還侵占向檀家募來重建寺院的善款，捲款失蹤。築山必須收拾父親留下來的爛攤子。即使沒有侵占善款的事，關閉一家寺院，也不是那麼容易的事。他向檀家、金主真心誠意賠罪，能做的事都做了，然而還是在故鄉待不下去。築山覺得……在塵埃落定的過程中，心中的信仰和教義都磨耗殆盡了。

那才是毫無餘裕。

不過，信仰並未失去。它確實留存著。

「沒錯。」寒川說。「那個疙瘩也不是從心裡消失了。雖然輪廓變得模糊，但一直在內心發酵著，就這樣過了十幾年。然後當生活漸漸穩定下來，我忽然想起來了。一想起來，就開始魂牽夢縈。」

「那你怎麼做？」

「我開始調查。不過說要調查，我也是外行人，不知道該從何著手，而且線索非常少。因為都已經過了十幾年了。不過，我一點一滴地追溯家父的行蹤。就在這時，我遇到了那個人……他叫笹村。」

——這樣啊。

築山想，那麼更會把這個巧合視為命中注定吧。

雖然……那應該就只是巧合。

「那次相遇，讓一直在我內心發酵的疙瘩——難以捉摸的疑惑，有了一個輪廓。」

「原來如此……然後呢？」

「嗯，我來到日光，就是想知道那棘手之物到底是什麼。我是去年秋天來的。」

不知為何，寒川自嘲地笑了一下。

「我依靠從笹村先生那裡得到的線索，更進一步四處調查。然後我確信，日光這裡果然有什麼玄機。接著我又查到家父在來到日光調查時，有一名老人為他在山中嚮導，決定先到日光來找那個人。」

註：菩提寺也稱檀那寺，為家族信仰、安置祖先墓地牌位的寺院。

「找到了嗎？」築山問，寒川說找到了。

「這樣啊。可是，那都已經是二十多年前的事了吧？都過了那麼久，虧你有辦法找到。」

「我能找到他，也就像是天意的安排。對方年紀相當大了，但還很健朗。」

──天意的安排嗎？

「在他的帶領下，我得以去到家父墜崖的地點。笹村先生也從東京趕來了。我們在那裡看到了。」

燃燒的石碑。

「燃燒？什麼意思……？」

「就是字面上的意思。石碑被蒼白的光所籠罩。」

「我……無法想像。首先，你說的那石碑是什麼？是路標嗎？還是像供養塔的東西？日光確實有許多這類石碑和石塔……不過，那裡不是山裡嗎？」

「也不是山裡，是懸崖邊緣。周圍都是茂密的樹木，即使從底下仰望，應該也看不到那座石碑。不過崖下是一座小水潭，是沒有人居住的地方。嗯，那座石碑大概有我這麼高，長滿了青苔，古老腐朽。對，不像五輪塔或墓碑，就像在基座擺上一塊天然石……正面磨平，上面雕刻著一個……那是叫梵字嗎？」

「梵字嗎？」

「對。不過笹村先生說，雖然相似，但那**不是梵字**。他從事雕刻佛像的工作，所以很清楚這些。」

「像梵字的文字……」

會是什麼？

「外行的我只覺得就是梵字……但我不懂梵字，也不清楚意思，總之就是類似梵字的記號。」寒川說。

確實，梵字各別具有意義，但說到近似梵字的文字，築山完全想不到會是什麼。

「那座碑……是啊，怎麼說呢，被一種青白色的……那叫燐光嗎？被那種自然界沒有的光所籠罩。那幕景象真是前所未見。很神祕，對，甚至讓人覺得十分莊嚴。這一點是確定的。」

築山試著想像，但如何絞盡腦汁，都無法描繪出那樣的景象。

「同行的笹村先生，還有帶路的老人，說那座燃燒的碑是神祕。尤其是老人，說那是『御驗』。」

御驗……是靈驗的意思吧。

「老人說，那是日光權現的指引，是**山所顯現的神威**，叫我們不要再繼續牽扯下去，不要再刺探了。老人說，山是不可忤逆的，一旦忤逆山，就會遭到可怕的報應，所以你的調查到此打住吧。笹村先生說他會聽從老人的忠告。」

「那，那個人……」

「對，笹村先生說他不會再挖掘父母的死亡真相，因為再繼續深入追查，有違山的意志。可是……」

我感受不到什麼山的意志——寒川說。

「這是呃……什麼意思？」

「我不是在說那是迷信、落伍的思想。山確實是諸多生命的複合體吧。即使其中誕生出類似意志的事物——如果說誕生這樣的說法太超脫現實，總之，就算人類在其中感受到類似意志的事物，我認為也是很合理的事。將它稱為日光權現敬畏崇拜，既非迷信，也並非超現實。」

我說的對嗎？——寒川問。

「我在信仰方面，只是個凡夫俗子，因此毫無宗教知識的我對著宗教家的築山先生這樣班門弄斧，或許很失禮……」

「不，我能理解你的意思。反而是完全理解。站在這樣的前提下，我想請教的是，你所說的感受不到日光權現的靈驗——山的意志，意思是……道理上明白，但感受上不能體會嗎？」

寒川搖了搖頭。

「不是這樣的。我是**懂了**。」寒川說。

「懂了？」

「對，我並非不懂。我也感受到某種像是巨大意志的事物。那幕情景，就是如此莊嚴神聖。只是……我不認為那所謂山的意志，在禁止我繼續前進。」

「這是……解釋的問題嗎？」

「應該吧。他們把那座燃燒的石碑的神祕，當成了禁忌的象徵吧。若是在當下感受到畏懼，這件事就結束了吧。但我不一樣。對我來說，那青白色的火焰，完全就是路標。在叫我……」

繼續前進。

——這樣啊。

小峰源助將發光的猴子視為神使崇拜，石山嘉助不管猴子發不發光，照樣射殺。而寒川這個人選擇了不同於他們的另一條路。不是抬頭崇拜，也不是居高臨下，而是想要正面去直視。

為何會發光……？

他選擇了探究答案的道路。

「所以我沒有放棄。不，我反而更渴望查出真相了。因此我沒有對笹村先生說什麼，回到東京，繼續調查。然後我福至心靈，有了一個猜想。為了證實，我去年底又回到日光來了。」

「猜想……？」

「對，這個猜想現在成了確信。」

「你……查到了什麼嗎？」

「對。其實前些日子……有人說那石碑發出的青白色火焰……沒錯，有可能是契忍可夫光。我也這麼認為。」

「什麼是契忍可夫光？」

「哦，我在物理學方面也是外行，但聽說是在核分裂連鎖反應的時候放射出來的光。」

「核、核分裂？」

築山懷疑自己聽錯了。

「對，核分裂。」

「是原子彈的那個核分裂？」

「沒錯。我自己實在不能說是正確理解它的原理，不過就是那個核分裂。」

「請等一下，寒川先生，這不會太跳躍了嗎？日光的山裡怎麼會發生那個……核分裂？完全連結不上。石碑在燃燒，這確實是很神祕不可思議的現象，但因為這樣，就說是那個……契忍可夫光？這太離譜了吧。一般不會想到那裡去的。你剛才說有人說，也就是有人告訴你這種天方夜譚？」

「是我去請教的退休刑警告訴我的。」寒川說。

「刑警？」

「對。老實說，我透過調查得到的猜想，其實也很接近。只是我徹底欠缺這方面的知識，因此一直是半信半疑。但是和那位退休刑警談過之後，我的懷疑開始接近確信了。直接說結論，我推測過去在日光這裡，曾經進行過核試驗。」

「呃，請等一下，寒川先生。不管怎麼想，這個結論都太跳躍了吧？你說你在和那位刑警談話以前，就有了接近的猜想，但我首先就不懂怎麼會冒出這樣的想法。除了青白色的光以外，沒有任何關聯。只有這樣，不可能得到那樣的發想吧？」

「請看看這個。」

寒川從內袋取出另一張折起的紙。

似乎是某種文件。

「那座石碑底下掉著這張紙。」

「石碑底下？」

「對。說掉著不太正確呢。應該說埋著——不，夾著比較正確吧。很難形容。」

「也不是挖洞埋起來的嗎？」

「對。石碑的台座岩石……該怎麼說呢，就像墓碑的基座那樣……不過更大，是用那種切割過的石頭重疊而成的，這張紙就類似夾在那座石頭下面。不過上面蓋著泥土枯葉等等，不容易看到……」

築山接過那張紙。

打開來一看，上面並排著數字與記號。

「你認為，這張紙在那裡夾了二十年之久？」

「對。」

可是。

「這有可能嗎？唔，這些數字和記號……是算式嗎？似乎是這類東西，但我才是大外行，看也看不出個所以然。」

「是的，我也一樣。因此我查了一下，但坦白說，查不出什麼名堂。不過我找到了部分符合的算式。從那裡延伸推論，我認為應該是與核分裂反應相關的算式。」

「這東西？」

難以置信。

「唔，整體內容，我到現在依然一頭霧水，但我讀了理化學研究所的仁科博士在昭和十四年公開的論文《高速中子所產生之核分裂產物》，在裡面找到了相似的的算式。」

「這……」

或許是有這種事，但。

「可是這……確實，紙張本身是很舊了，但實在不像在戶外經過日曬雨淋二十年的樣子。」

紙很髒，也很舊了，也有反覆打濕又乾燥的痕跡。上面的文字暈滲模糊，也有多處磨損破裂，還有拭去黴斑的痕跡。它被丟在戶外應該是事實，但築山不清楚處在那樣惡劣的環境底下，紙張會劣化到什麼程度。

紙會燃燒，也抵擋不了濕氣，但只要環境良好，就能保存許久。事實上，收藏在天海藏的文書都經歷了數百年的時光，依然維持著良好的狀態。目前正在調查的文書處在遠比天海藏更糟糕的環境裡，但保存狀態也不算差。不過那也是因為受到外箱和倹飩箱的保護。

曝露在日曬雨淋之下，紙張有辦法撐上二十年之久嗎？

不會腐爛或風化嗎？

——不。

築山也覺得或許是可以撐這麼久的。還是要看條件吧。

但。

「如果這東西二十年前就在，不會說不過去嗎？事故當時，警方也做過現場勘驗吧？卻沒有發現這張紙，不是很奇怪嗎？二十年前的話，這張紙應該更新，那還會遺漏嗎？會不會是現場勘驗後才被放上去的？」

「我也想過這個問題。」寒川說。「但警方認為家父墜崖不是命案或自殺，而是意外事故。若是命案或自殺，應該也會尋找線索，但警方判定是事故。」

「所以不慎遺漏了？」

「不，就算找到了，也會覺得與家父的事故無關。那位退休刑警說，那座石碑正後方有家父失足滑落的痕跡。但除了家父的腳印以外，沒有其他腳印，同時石碑後方沒有容得下多人站立的空間，因此不可能是被推下去的。」

在這樣的情況下——寒川說，豎起食指。

「即使發現石碑下夾著一張像垃圾的紙張，也會認為它毫無意義吧？我並未在二十年前的事故之後親自去到現場……但即使去了，然後發現了這張紙，應該也不會覺得有何關聯。因為當時的我並不知道那裡是什麼樣的地方，也還沒有收到家父的明信片。那麼……」

「說的……也是呢。」

若是毫無質疑餘地的事故，不管現場掉落著什麼樣的東西，都不會放在心上。除非是可能因此造成失足的物品。

「就是說呢。」

除非認定它具有某些價值，否則這就只是一張廢紙。當然，前提是先不考慮上面的內容。這張紙上的算式，和山裡發生的事故之間看不出關聯。那麼……它就是一張廢紙。

「廢紙到處都是嘛。」

「是啊，街上的話。」寒川說。「那個地點，是連住在山上的人都不會靠近的禁地……不會去的地方。帶路的老人說，不會有事去那裡，也沒理由會去，所以才沒有人去而已，但……應該是被當成所謂的『魔所』吧。」

那裡就是**這樣的地方**——寒川說。

——沒錯。

日光的山地，自古以來就是修行場域。是山本身具有靈性的神聖土地。

正因為如此，山也能是魔所。

不得闖入的聖域——禁地，在身為聖地的同時，也是無比恐怖的地方。因此山中確實有魔所。

不，山本身也是魔所吧。

「警察知道那裡是那樣的地方……」

「他們沒有這樣的認知。對體制來說，所有的土地，應該都只是國土的一部分。」

只是地形比較危險而已——寒川說。

「可是請想想看，那裡是連住在山裡的人都不會靠近的地點。這要是其他地方，就沒什麼好奇怪的，但不會有人去的地方掉著一張紙……這分明很不對勁吧？」

確實如此。

那裡算是一種概念的密室。

不過。

「警方看不見那禁地的結界，是嗎？所以就算找到了，也只當成一般廢紙……？」

「對。因為實際上那就是一張又髒又舊的紙。當時石碑在燃燒，而我又讀過家父的明信片，所以才能在其中看出關聯。」

這……稱得上關聯嗎？

確實，那樣的地方掉著這種東西，十分奇妙。但。

結界只存在於概念之中，那裡並非有任何物理性的屏障。就如同結界對警方沒有效用，對於不理解其概念的人而言，結界是不具意義的。

鳥獸昆蟲不會管那裡是魔所還是禁地，照樣在其間穿梭。那裡會下雨，也有陽光，還有風吹，所以也生長著植物。

也因此寒川的父親才能以植物學家的身分，進入那樣的地方調查。

也就是說。

「可是……啊，我並不是要全盤否定你的說法，只是這番推論，我一時難以贊同。先不論紙上的內容，就像你說的，它做為物品，就只是一張廢紙而已吧？這種東西很容易就會從別處飛來……」

「我也想過這個可能性。它有可能是被風吹過來落下的。不，應該就是吧。但就算是這樣，一樣有意義。」

「你是說，怎麼會有這種東西飛過來嗎？」

「這也是疑問之一。借用築山先生的話，日光這塊土地，和那張紙上的算式之間，完全找不到關聯。若要說突兀，那張紙本身就極度突兀。」

「就像你說的吧。所以……」

「對。而且那應該也不是刻意放在那裡的吧。那是數張紙當中的其中一張。只抽出那一張夾在那種地方，沒有意義。」

「就是啊。而且……」

「我明白，也不清楚那頁文件是不是從二十年前就在那裡。或許是在二十年這段不算短的歲月裡，從某處飛過來的。我同意有這個可能性。」

「就是啊。那麼……」

「不管怎麼樣，都是巧合。」寒川說。「但假設是巧合好了，有這種東西飛過來，代表附近有人寫下這種東西，或持有這種東西，對吧？若是這樣的話……」

——對啊。

石碑當時在燃燒。而且是被自然界看不到的神祕青白色光芒所籠罩。而死在那裡的家父，告訴我他發現了棘手之物。而家父……

那麼……

寒川點點頭：

「代表那座燃燒的石碑，位在會有這種文件被風吹來的地點。而死在那裡的家父，告訴我他發現了棘手之物。而家父……」

總是隨身攜帶放射線偵測器——寒川說。

「這一切應該都只是巧合的累積，但……築山先生，你不覺得可以從這當中看出什麼嗎？更進一步說，家父就意外死在同一個地點。而且他的死以事故而言……」

疑點重重——寒川說。

「我不會說不可能是巧合。這張紙在那裡、我發現這張紙、當時石碑在燃燒，這些全都是巧合吧。可是……」

也有不可能是巧合的事——寒川說。

「將重重積累的巧合拿起來細細檢視，不管是家父的死、笹村先生父母的死，都實在不像是單純的意外死亡或強盜殺人了。笹村先生的父親當時在採訪與國家政策有關的某些祕密。家父則說在調查中發現了棘手的東西。這兩個人在同一天——在同一天過世了。當然，或許連這都只是巧合，但即使是巧合……」

有可能無關嗎？

什麼叫無關？

築山思考。世間萬象，皆是以緣分連結在一起。一切現象都是因，因生出果。而這所有的果，皆會成為其他果的因。

從這個意義來看，世上所有的事都密切相關吧。他同意這個觀點。

但。

「笹村先生的父親留下的筆記裡，提到日光這塊土地。而家父客死在日光。家父來到日光，是為了調查植被分布，和笹村先生的父親調查的事應該無關。但我認為不管怎麼樣，日光絕對有**什麼古怪**。」

「這個……嗯，應該是吧……」

但到底是什麼古怪？

築山怎麼樣都不認為日光這裡曾經進行過類似核試驗的活動。築山對這方面的事不熟悉，但還是不覺得日光是適合這類實驗的土地。更適合的土地，應該到處都有吧。

「唔，這我可以理解，但……」

「是的，我完全理解築山先生的疑問。我也想過同樣的問題：為什麼會是日光？我甚至猜測，也許日光山裡有鈾礦。」

「什麼？」

「是的，這當然是外行人瞎猜。日本是沒有鈾礦的……聽說這是常識。不過反過來說，如果採得到鈾礦，那就是為何是日光、非是日光不可最大的理由吧。」

「難道你用那放射線偵測器在調查這件事嗎？那種東西查得出來嗎？」

「查不出來吧。」寒川說。「不，或許查得出來，但如果這麼簡單的儀器就能測出，應該老早就已經被測出，全日本都知道了。雖然也有可能是刻意保密……」

寒川從外套取出那個奇妙的儀器。

「這個儀器和家父常用的一樣。是請同一個業者做的。」

「為了調查日光嗎？」

「不是……」

或許更是為了緬懷——寒川說道，望向窗外。

「這個國家……曾經被丟下原子彈。即使是國產品，現在也能製作出精確度更高的儀器，也可以買到進口貨。但我想要和家父一樣的東西，所以特別請人製作。」

他是想要見到父親吧。

「家父是個怪人，我也沒有被父親疼愛的記憶，但我喜歡家父。雖然我從未想過，竟會在年過不惑的年紀興起這樣的感懷。唔，直接說結論，這塊土地沒有鈾礦。那只是我的妄想。不過，這裡做過實驗。」

「做過實驗……？」

「做過實驗。」

「你……很肯定呢。」

「是啊。」寒川望著窗外回答。「那位退休刑警也一直在懷疑，但他也莫可奈何。會做那種實驗的，八成是軍部，所以一介警察官什麼也做不到吧。」

「呃，請等一下，你有……」

「那個人──退休刑警木暮先生說，沒有任何證據。但木暮先生從二十年前就一直在懷疑。」

「你是被那個人……」

「你是想說我被他感化了吧？可是有些不一樣。就像我剛才說的，我猜測日光這裡有鈾礦，有人想要利用那鈾礦來製造原子彈。實際上，這個國家也曾經想要製造原子彈。」

「我是聽說過這樣的傳聞。」

「那不是傳聞。築山先生比我年輕，所以或許不知道，但是在戰前，核能被吹捧成夢幻的萬能能源。理化學研究所、大學，當然還有軍部，似乎都傾全力開發核能，也大肆宣傳。木暮先生的說法是，實際上真的有原子彈製造計畫。」

「可是日本沒有鈾吧？」

「沒有。不需要。」

「不需要？鈾不是原子彈的原料嗎？就是因為沒有鈾……」

「是在進行製造人工核物質的實驗。」

「人工？」

「一定就是這樣。」

「那種東西……做得出來嗎？」

「那張紙。我剛才說過對吧？讓我解開算式的契機，是仁科博士的論文《高速中子所產生之核分裂產物》——那就是核分裂的產物啊。」

「它能成為核燃料……？」

「我沒辦法說明。」寒川說。「我不是原子物理學家，只是個未能成為藥學家的藥局老闆。不過，那位仁科博士在昭和十二年開發成功的迴旋加速器，標榜是人工鐳製造機。可以用人工製造出放射性物質。」

這件事的話……築山也知道。

前些日子才剛成為話題。

「原子彈根本不應該被製造出來。看看廣島和長崎的例子就知道了。原子彈這種炸彈、破壞武器確實威力驚人。但就算撇開它的爆炸力不談，放射性物質對人體的傷害也太大了。」

「這我也知道。可是……」

「有些地方放射線數值很高。」寒川唐突地說。

「什麼？」

「木暮先生也猜到實驗進行的地點了。不過我無法完全相信他的說法。我說我並非被他感化，就是指這件事。聽過他的話以後，我依然沒有拋棄日光有鈾礦的想法，以及曾經在製造原子彈的疑心。剛好我訂的這個偵測器完成了，所以我去取了貨……第三次回到日光，四處測量。雖然這舉動實在很可笑。我打算若是沒有任何反應，就去木暮先生猜測的地區看看。我測量的地點，幾乎都沒有反應，或者說都在標準值內。可是……」

「有什麼地方特別高嗎？」

「對。就是……你替我解圍的呃……小峰先生家嗎？那一戶附近的森林裡。我剛好在那裡測量，有幾個地點測到的數值高得異常。所以……我才會仔細探測那一帶。」

原來是這麼一回事嗎？

「只有那裡嗎？」

「當然，我並未測遍每一個角落，也沒有蒐集到足以進行統計的數據資料。而且這個儀器的精確度也沒有那麼高。不過那裡有反應，這是確定的。就連精確度這麼差的偵測器反應都那麼激烈了，那裡一定埋著放射性物質。」

築山細細地端詳那個偵測器。

「這……唔，假設你說的是真的，那測出來的數值，是會危害健康的量嗎？」

「不曉得呢。」寒川說。「不是大範圍測出高數值，是非常小的區域。如果一直站在那上面，或許會曝露在放射線當中，但沒有人會這麼做吧。因為數值極高的點，是在森林裡。」

「小峰莊前面呢？」

「是有一些反應，所以我才會仔細地測量。看起來完全就像個變態吧。」

寒川落寞地笑道。

「不過，其他土地是不是也有這種情形？聽說自然界也會有放射線吧？」

「對啊。」寒川把偵測器收進外套裡。「這樣你能理解為何我沒有直接前往木暮先生指出的地區，而是在日光各地晃來晃去了嗎？」

「不，我不明白。」

「我想也是。其實我應該第一個前往那塊石碑所在的懸崖上方，測量放射線，事實上我也打算這麼做，但這件事有困難。」

「為什麼？」

「我去不了。」寒川說。「我不知道怎麼走，也不能請先前的老嚮導再次帶路。因為他已經警告過我，叫我不要再繼續查下去了。他說那樣會觸犯禁忌。所以我沒辦法再叫他帶我去。只是，家父墜崖的崖下的話，我可以去。木暮先生指出的地區，正是那裡。」

「那裡是……」

「嗯，那個地方，以前好像叫做尾巳村。現在……應該說從當時好像就已經沒有人居住了。」

「那位刑警說那裡是實驗場嗎？」

「對。那裡也就是……我看到家父的遺體的地方。」

「什麼意思？」

「家父的遺體被搬過去的診所，也在那個區域。」

「呃，你剛才不是說那裡沒有人住嗎？」

「對。二十年前，我沒有聽說這些事，也不知道，但那間診所不知為何孤伶伶地坐落在遠離村人生活區域的無人之地……非常不自然。」

「尾巳村嗎？」

築山不知道這座村子。

「也因為這些關係……我遲遲下不了決心前往。是害怕觸碰核心吧。但是被小峰先生逮住以後，我改變了主意，心想不能再繼續磨蹭下去，昨晚……去了一趟。」

「去那個尾巳村嗎？」

「我先去了診所。那裡好像已經成了空屋，但似乎有人進出。我在那裡……」

找到了證據——寒川說。

「證據……什、什麼證據？」

不行。

不知不覺間，築山徹底被寒川的論述給吞噬了。

燃燒的石碑與發光的猴子，寒川的生平與自己的境遇化成疊影，即將融為一體——他開始萌生出類似這樣的酩酊感。

不能被迷惑了。

「寒川先生，你在調查的時候，都盡可能保持冷靜，秉持客觀，這一點我明白了。但你還是先有了結論，只挑選能支持這結論的資訊拼湊在一起吧？你自省這個結論荒誕無稽，但就我聽來，已經超越了荒誕無稽的範疇。日光沒有做過什麼核試驗。不管怎麼想，這都是不可能的事。你因為目睹了燃燒的石碑這個神祕體驗……」

「所以說，我有證據。」

寒川沒有被築山的話動搖，但顯得有些落寞地再次說道。

「你、你找到了什麼？」

「對，幸好診所沒有上鎖，所以……」

「你進去了？寒川先生，這可不叫幸好，就算那是廢屋，你那也是……」

「非法侵入民宅，對吧？我明白。」

「你明白，卻……」

寒川微笑，接著說：

「室內並不寒冷。暖爐還有餘溫，所以在我進去以前，是有人的。只是好像沒有電。我沒看到電線桿，但二十年前那裡有電燈，所以應該有發電機……不知道。所以我先回街上一趟，買了提燈和燃料，火速趕回去。」

「為什麼？」

「因為架子上存放著大量的文件，我想調查那些文件的內容。有些裝訂成冊，也有些只是疊成一落落。也有冊子。我檢查了尺寸相近的一疊紙……結果缺了一張。」

「什麼東西缺了一張？」

「這個。」

寒川捏起記載著算式的髒兮兮紙張。

「就是這張紙。這原本是那間診所保管的文件一部分。它的出處，就是那間診所。我檢查過了，這毫無疑問，是與核分裂反應實驗相關的算式和資料。也有迴旋加速器的設計圖。然後書桌抽屜裡的病歷中，也存放著疑似曝露在放射線的人的體檢資料。」

「那種東西……看得出來嗎？」

「看得出來啊。」寒川說。「我不是醫生，但職業相近。我的工作是根據醫院開的病歷和指示單調劑，因此必須具備基礎知識，也擁有一定的知識。我也學習過放射線傷害……雖然是臨陣磨槍的知識。那間診所是……」

「在、在那麼小的地方，沒有設備，不可能進行什麼核分裂實驗吧！太荒唐了。」

「實驗本身應該是在別的地方進行的。在那間診所的更前方——更深處。沒錯，就在那座懸崖底下，水潭旁邊的地方。那間診所，應該是用來管理那裡的工人的健康吧。」

「這是你的臆測吧？」

「不是。」

寒川盯著築山的眼睛說。

「請先假設就是如此。確認家父死亡的，是那間診所的醫生。」

「應……應該是吧……」

「那間診所，是那項祕密計畫的一部分。是笹村先生的父親調查、我的父親不小心觸碰的與核子有關的祕密計畫一部分。若是這樣的話……」

他們要如何隱藏、竄改，都不是問題吧？——寒川幾乎是第一次粗聲粗氣地說。

「家父的死被布置過了。把不自然的遺體搬到診所，是為了掩飾殺害地點和死因。」

「不，為什麼？這樣做有什麼意義？警方不是查到死亡地點，做過調查，也驗屍了嗎？」

「如果那根本不是墜崖死亡的話呢？家父沒有經過司法解剖，甚至是行政解剖。家父的脖子斷了，但這是不是為了讓死因看起來顯而易見的布置？」

「你是說，失足摔落這件事根本就是假的嗎？」

「木暮刑警說，其實家父被搬到診所超過半天以前，警方接到通報，說懸崖底下有屍體。我說過好幾次，那座懸崖下方沒有住人，也不會有人經過。如果真的是在那種地方墜崖，不可能輕易被人發現。」
「這……可是……不，總覺得……」
——很奇怪。
「在那一帶，若要偽裝成摔死，只有那座懸崖是合理的地點。所以偽裝成從那裡摔落。但是掉在那種地方，不知道何年何月才會被人發現，所以主動報警。會不會是這樣？」
「呃……」
——這，有些不對勁。
「皮包裡的東西也是，不方便被警察看到的東西都拿走了。但可能是想到家屬檢查之後，或許會想到少了哪些東西，所以……又收回去了。」
「被警方扣押之後嗎？那一開始不要讓警方拿走不就好了？」
「是為了讓警方相信那裡就是墜崖地點。只有懸崖上的鞋印，說服力不夠。」
「遺體呢？遺體又怎麼說？如果令尊的死是經過加工，把屍體放在懸崖下不是比較自然嗎？為何要特地搬到診所去？」
「這是我的猜想，如果被送到其他醫院或是警察那裡，可能會出問題。一定是因為驗屍程序無論如何都必須在那間診所進行……」
「寒川先生……寒川先生，這聽起來確實合理，但這是因為你硬是把它合理化。是牽強附會。以可能性來說，無法斷定不可能，但……」
「我明白。」寒川說。「這一切都是我的想像。」
「就是啊。那種……」
「對，已經無從得知了。無法確定了。可是……」
「可是什麼？」

「我有……可怕的核試驗的證據。」

寒川再取出一張紙。

「為了保險起見，我只帶了一頁出來。這一頁相當於它的下一頁。」

寒川把兩張紙並排在榻榻米上。

一張是污損、暈滲、飽經風吹雨打的紙頁。

另一張雖然陳舊，但十分乾淨。

「請比較看看。這兩張的紙質是一樣的，對吧？文字的墨跡、筆跡也都一樣。怎麼樣？」

看起來確實如此。

「可是寒川先生……」

「不光是這兩張而已。這份文件有多達上百頁。」

「或許吧，但無法確定這就是核試驗的證據啊。什麼都沒有。即使就像你說的，這是與核能或放射性物質的研究有關的文件，也證明不了曾經有實驗在進行。會不會這種種的一切，都是那名退休刑警的妄想？而且這個國家……不是沒有成功做出原子彈嗎？」

「對。那好像……不是在嘗試製造原子彈。」

「那……」

「那是昭和九年的事。戰爭還沒有開始，不需要什麼大量破壞武器。而且二十年前那個年代，還不太清楚放射線對人體的傷害。可是實際上呢？放射性物質是比任何劇毒都更可怕的東西。築山先生也知道吧？你知道那些遭到原子彈放射線侵害的人，後來經歷了什麼樣的折磨吧？」

寒川瞪大了眼睛：

「我知道。那……」

「我認為那是在做人體實驗。」寒川說。

「人體實驗？什麼人體實驗？」

「應該是在實驗用放射線照射人體，會造成什麼樣的影響。我覺得只有這個可能了。他們並不是在追求核分裂反應得到的巨大能量，而是在摸索當時被吹捧為夢幻能源、萬能科學鍊金術的核能的其他用途吧。」

「不，就算退讓百步，真的是這樣好了，那不就是他們超前預測到放射性物質的危險性，為了應變它所帶來的災難，而進行研究嗎？」

「若是那樣，根本沒必要遮遮掩掩。不需要收購日光山腳的土地，不為人知地進行。不，即使是那樣的研究，無論目的是什麼，人體實驗都是不人道的。」

「這……確實如此……」

「我認為在那裡開發的，果然還是武器。不過不是做為武力、會造成物理性破壞的原子彈那樣的武器。因為也沒有鈾這個原料。他們是利用會造成可怕的健康傷害及死亡的看不見的放射線，在製造駭人聽聞、禁忌的東西。」

「寒、寒川先生……」

「如今世人都見識到原子彈那連上天都為之畏懼的威力，那種研究已經沒有意義了。那是人類不該染指、無比邪惡的東西。所以我把它的研究成果和資料全部燒掉了。」

「燒掉了？你擅作主張？」

「沒錯。我把所有的資料堆到桌上，淋上提燈的燃料點火。」

「你在室內燒嗎？那……」

「對，我縱了火。我想要把一切都燒了。就算延燒開來，反正周圍都是空屋。不過，結果建築物沒有燒掉。意外地很快就被發現了。不過，文件應該幾乎都燒光了。」

「你、你……」

「沒錯，我說過了，我已經是犯罪者了。我一直看著火燒開來，但消防隊來了……所以我逃走了。那裡全是廢屋，可以藏身的地方多得是。很快地警察來了，可能是看熱鬧的，也有人來了，我不斷地往深處……往那座懸崖的方向逃。」

然後。

「然後我找到了。」寒川說。

那已經不是正常人的神情了。不，也許寒川眼前的築山也一樣。

「你找到了什麼？」

「迴旋加速器。」寒川說。

狸（六）

就算是木場，也從未料想到居然會在旅途中幫忙守靈。

從日光榎木津飯店回到田貫屋後，等待著木場的，是奇妙地**傾斜**的老闆田上祥治。

不論是高級、舒適還是便利，對木場都毫無吸引力。低級不快不便，他也完全無所謂。因為便宜，這是當然的。一分錢一分貨，他反倒覺得低級不快不便才適合自己。儘管這麼想，但……同樣是住宿設施，田貫屋和榎木津飯店，真是連半丁點共同之處都沒有。

老闆那身模樣也是，木場不要求盛裝打扮，但打理得稍微乾淨一些也不為過吧？

老闆在髒兮兮的帳房處傾斜三十度坐著，一見木場回來，便發出汽笛般的聲音：

「啊！回來了！」

那聲音實在太古怪了，木場一時沒意會到是人發出來的聲音，甚至還回頭看了一眼。

老闆以傾斜的姿勢，說了難以理解的事。似乎也不是驚慌，但似乎很緊張。木場反問了好幾次，才知道是登和子的外祖母過世了。

田上這個人，遇到自己的事，就會上天下地說個沒完，但好像不擅長轉達事情。即使是簡單的內容，若要正確轉達，就會對他造成壓力。等待轉達的時間一長，那份壓力就不斷地增加，似乎就是這份壓力把他給壓得傾斜了。

「這原本應該是飛腳的工作啊。」老闆一再強調，但木場一頭霧水。

這一帶的**規矩**，葬禮似乎必須由親人以外的人來張羅，家人不能插手。葬禮的大小事，幾乎都由村落的人——組內處理，此時負責通知親朋好友訃報的，習俗上好像就叫做「飛腳」。

「這風俗戰後就式微了。」老闆說。

若要照著這**規矩**來辦，應該要由登和子生活的村子的組來主持葬禮。

但聽說登和子的家所在的地區，已經不能算是村子了。

昭和初期土地被大肆收購，村落有一半以上的村人都遷走了。但行政區分並未變更，因此剩下的地區也沒有被編入鄰村。而且那座村子好像本來就有許多外地遷來的人，也沒有徹底落實這地方的習俗。

後來又經過幾次町村合併。

可能是因為這個緣故，一直沒有明確地形成組或朋輩這類村落組織。結果村人鄰里間的往來等等也變得潦草，互助關係變得稀薄了。自古延續的共同體的樣貌在那裡迅速崩壞了。登和子有密切交流的，據說就只有對面人家而已。

最重要的是，遺體已經從醫院送到佛具行了，也不好再移動到登和子家。那樣太花人力，也太費事。

結果好像就當成是佛具行自家的喪事，由鄰近街坊來主持。不過基本上只有親人參加，一切從簡。

田貫屋的老闆似乎想要向木場轉達這樣的內容，但木場不可能知道當地人理所當然知道的習俗等等，導致老闆的壓力膨脹到非同小可的程度。

但總算是轉達給木場知道了，本以為老闆的傾斜可以復位了，卻也沒有。

好像還有人請田上轉達事情給佛師——笹村市雄。

也就是說。

那個可疑的佛師還沒有回來。

木場先回房間，沒脫外套，點燃香菸，尋思起來。

必須見到笹村市雄才行。不過他想在見到本人之前，再蒐集多一點情報。

木場原本打算一回來就去佛具行。

也沒有思考到深思熟慮的程度，木場便出發前往寬永堂。田上依然傾斜著。

木場來到大馬路，稍微迷路了一下。

因為店門都關了。只靠屋頂上老舊的看板，難以辨識。

門窗緊閉，貼著「忌中」的告示。

又不是上門兜售商品的，自個兒繞到後門也很怪，所以木場敲了敲門，從正門進去。

雖然靈堂還沒布置好，但他先燒了香。

登和子滿臉憔悴，但顯然脫離了先前的混亂，看上去很平靜。

她再三向木場道謝。

登和子說，能為外祖母送終，都是託木場的福。如果不是木場聽她傾訴，她應該也不會回來寬永堂，更重要的是，登和子有可能已經尋了短見，所以……這確實是事實吧。

但木場不覺得這有什麼值得感謝的。

站在木場的角度，他只覺得失去了知道當時狀況的唯一證人。

登和子的外祖母瘦得就像枯枝。木場沒有直接看到遺體，也沒有掀開蓋住遺容的布。只是被子幾乎沒什麼隆起，露出一些的頸部細得就像快折斷一樣，可以輕易窺知人有多消瘦。

很快地，不知道是商店街還是朋輩組，幾名街坊過來，開始布置準備守靈。

木場幫忙了一些粗活。

說是不辦傳統葬禮。

正確地說，是沒辦法辦。菩提寺好像很遠。木場不知道這一帶是土葬還是火葬，但不管怎麼樣，要組成送葬隊伍那些很困難吧。

寬永堂的老闆——淺田兵吉圓臉富態，整個人一團溫厚。聽說年紀三十五左右，所以和木場差不多。老婆多惠體型一樣渾圓，看上去很年輕，但聽說是大姊妻。

木場說想談談，被帶到隔壁房間。

木場先行了個禮，道歉說忙成這樣還提出這種要求，兵吉惶恐地說不會。

「在這一帶，喪家什麼忙都不能幫。喪主是登和，至於我……等於只是提供場地而已。」

「你是故人的親人、親戚吧？」

「是啊，去年過世的我父親，是阿婆的姪子。也就是過世的是我的姑婆。我的祖父母很早就過世了，都是阿婆從小照顧我。」

兵吉很熱情，但看上去很落寞。

「倒是，這次真的謝謝您大力幫忙了。」兵吉說，也行了個禮。

「別這樣，我又沒幫到什麼。」

「不，我聽登和說了。說您是剛好也住在旅店的東京的刑警，總之，謝謝您把登和勸回來了。」

「勸回來……哦，是說那個啊。」

「都是我不好。」兵吉說。「我自己沒有孩子。不，本來有一個，在戰爭中走掉了。我哥哥和弟弟也戰死了。緊接著母親過世，前年妙子表姑也走了。」

妙子好像是登和子的母親。

「家族愈來愈少了。去年我父親撒手人寰，這次又是阿婆。雖然今市那裡是有分家的親戚啦。」

「分家？那這裡是本家嗎？」

「對。嗳，只是間佛具行，也不是什麼大不了的本家，血統那些也不重要啦。可是喏，家族變得這麼冷清……總之，我自己已經放棄有孩子了，所以打算以後要收登和的弟弟當養子……這件事我以前就跟阿婆講過了。然後這回阿婆病況嚴重……醫生說可能沒辦法再開口說話了，所以我就說出來了。」兵吉說。

「說什麼？」

「哦，就是不只最小的那個，要不要三個都給我們家收養。」

「連……登和子小姐一起嗎？」

「是的。登和她真是吃了太多苦了。阿婆病了很久，妙子表姑後來也病了，她一個小姑娘，一直支撐著一家五口。她真的是個好女孩。所以我打算至少讓她從我們家出嫁——不，讓她招贅繼承這家店也行。這家店小歸小，但也算是間老字號，從明治維新前就創業了。」

「你說了這件事嗎？」

聽起來不是什麼壞事。

——不。

那時候登和子被某些壞東西——死神給纏上了嗎？

「說出口後我才想到，阿婆還沒有走啊。卻跟登和說這些，太沒神經了，簡直就像在詛咒阿婆死掉。不出所料，登和激動起來……」

「就……上吊了嗎？」

那……不是這個慈眉善目的佛具行老闆的錯。尋死的原因，是在登和子自己的心裡。

「是啊……。要不是跟我們往來的佛師發現，現在應該正在辦兩場葬禮了。我千哄萬哄，拚命道歉，但登和堅持她不能待在這裡。我實在沒辦法，只好把她送去田貫屋那兒……不過在田貫屋遇到了刑警先生，真是天大的幸運。」

謝謝您——兵吉再次行禮。

「就叫你別這樣了，我什麼都沒做。」

「不，登和一回來，第一個就向我道歉，也答應收養的事了。當然，前提是要看阿婆的狀況。這也都多虧了刑警先生。」

「還好啦。」

或許真是如此，但木場毫無助人的自覺，因此只覺得渾身不自在。

「別說這些了……對了，你知道登和子小姐她爸的事嗎？」

「她爸……櫻田表姑丈嗎？哦，他是個老實人，但沒什麼存在感。是因為身子不好的關係嗎？徵兵檢查也沒過，十年左右以前過世了。是戰爭結束前的事。我復員回來的時候，他已經過世了。」

「不是，是前一個，她的生父。」

「哦，動表姑丈啊。嗯，知道是知道，可是他在我二十來歲的時候就……」

「昭和十三年的時候吧？」

「對，差不多那時候吧。」
「我聽說……他是在儲藏室上吊？」
「是的。」兵吉說。「勳表姑丈他……本來不是個壞人，後來不曉得是遇到什麼不順心的事……」
「他真的是自殺的嗎？」
「真的？……什麼意思？」
「呃……」
「勳表姑丈的事，我們親戚之間都會避談。」兵吉小聲說。
「我聽到的也都不是什麼好話。他不是什麼正經人嗎？」
「這不是什麼好大聲說的事。我們家代代都是佛具行，也會做佛壇那些。上上代我阿公那時候，有個跟我們家做生意的塗師——就是上漆的師傅，他叫孝治，孝治娶了我阿公的妹妹，也就是阿婆。不對，在戶籍上他是入贅女婿。勳表姑丈就是孝治姑公的徒弟。這個徒弟後來就跟妙子表姑在一起了。可是啊，我是不想這麼說，但勳表姑丈的技術很差。然後登和出生沒多久，孝治姑公就過世了——戶長換成下一代的勳表姑丈，但老實說，佛壇那些工作，似乎沒辦法交給表姑丈。」
「哦。」
「工作上的往來就這麼停了。」兵吉說。「停止工作往來的是上一代——也就是我父親。可是啊，再怎麼說都是親戚，登和又才剛出生，孝治姑公生前也很關照我父親，我想這個決定應該很不得已。畢竟是做生意，品質是不能妥協的。」
「技術差的話，那也沒辦法吧。」木場說。「是他自己不長進吧。」
「沒錯。那不是手拙，是隨便。可是這一帶盛產漆器，所以也不怕沒工作。還有托盆、膳台那些的上漆工作可以做。可是嗯，我們家給的工作還是最大宗的，所以生活……」
工作減少，就是這個意思嗎？當然應該不只如此。
「好一段時間，勳表姑丈好像都在做膳台的塗漆工作，但似乎賺得不多……」

「我聽說……他沉迷於酒色？」

「是誰說的？」

「登和子小姐。」

「她是恨她爸嗎……？」兵吉說。

有點不對。

「登和子小姐說她不恨她爸。」木場說。「她說她並不討厭她爸。雖然好像被她爸打過。」

「登和完全不會跟我們說那些，全部都往自己的肚子裡吞。幸好刑警先生問出了她的心內話。」

「他在外頭有女人，是嗎？」

「哦，這事該怎麼說呢？我是有聽說他跟一個招搖的女人走在一起，但老實說不清楚。我父親好像常聽阿婆吐苦水。是啊，大概是動表姑丈過世兩、三年前左右吧，他把工作全丟下了，那是……是叫石山嗎？淨跟那個人一起幹些不好的勾當。」

「不好的勾當？」

賭博嗎？詐騙勒索嗎？竊盜恐嚇嗎？不好的勾當多如牛毛。兵吉說好像也跟一群可疑的傢伙混在一起。

「是跟地痞流氓那些廝混嗎？」

「是啊。黑道的發源地是在上州，對吧？這一帶……應該是有吧，但不是那種的。不過，他們是在做什麼呢？私下轉賣物資嗎？可是那時候還是戰前呢。我不是很清楚。」

「這樣啊。」

人確實是死了嗎？不過。

「噯，動表姑丈不曉得出了什麼事，連相貌都變了。就像刑警先生說的，他過世之前，似乎也會對家人動粗……連性情都變了呢。我父親覺得都是他不給工作害的，一直想要規勸表姑丈，也會接濟他，但最後也……」

他那是走投無路了嗎？——兵吉說。

「總之……不管別人說什麼，他好像都聽不進去，最後我父親也放棄不管了……」

——這樣啊。

對了，葬禮。

「葬禮呢？」

「什麼？葬禮是明天啊。」

「不是這個，我是說田端勳的葬禮。」

「哦，沒有辦。」兵吉說。

「沒有辦……？」

「好像沒法辦。那座村子沒有朋輩組。不，有是有，但勳表姑丈完全沒幫忙過村子裡的事，所以被排擠。根本沒有人要去幫忙。櫻田表姑丈那時候，雖然是戰時，但來了好幾個人幫忙。雖然從簡，但好好地辦了場傳統葬禮。」

「這樣啊。」

原來如此，若是這樣的背景，登和子不記得也是沒辦法的事。

——確實是死了嗎？

不是偽裝成死亡嗎？

「墳墓……確實好好下葬了吧？」

「墳墓嗎？」兵吉露出奇妙的表情。

「就算沒辦葬禮，人還是要下葬吧？」

「不，勳表姑丈應該沒有下葬。」

「沒有下葬？什麼意思？」

「喔，勳表姑丈不是姓田端嗎？所以沒有進淺田家的墓。然後也沒有田端家的墓，所以沒地方去。後來是怎麼處理的去了？是送到附近寺院了嗎？那就跟孤魂沒兩樣了。應該不太可能委託永代供養〔註一〕。哦，櫻田表姑丈進了淺田家的墓。戰時燃料短缺，所以火葬也很辛苦。」

我們家的菩提寺又很遠——兵吉說。

「得先燒成骨灰才能運送。我們家是做這一行的，所以也會跟葬儀社打交道，現在是輕鬆多了，但當時實在是勞師動眾啊。是怎麼處理的去了呢？在以前，連棺桶都是組內自己做的，去河邊撿石頭，釘好棺桶的蓋子，一路抬到墓地去。挖墓穴也是組的工作。櫻田表姑丈那時候已經是火葬了，不過還是組了送葬隊伍。」

勳表姑丈連是不是火葬都不清楚呢——兵吉說，歪起了頭。

「這樣啊。那，連埋在哪裡都不知道嗎？」

「想不太起來了。那個時候……應該還是座棺〔註二〕吧。完全沒印象呢。我父親去幫忙了，但叫我不用去。」

無法完全消除疑慮嗎？

——其他還有什麼？

「對了，這種時候說這個似乎不合時宜，不過再讓我問個問題。就是，阻止登和子小姐那個的……」

「啊，是。」

「那個人是叫笹村嗎？」

「是是是，笹村先生。」

「你們認識很久了？」

「唔，說久也算久。他應該也才三十來歲……是戰後才開始往來的。一開始是怎麼個經緯……是誰介紹的？這邊我不記得了呢。」

「不記得了嗎？」

「不清楚呢。」

「他不是這裡的人吧？」

「哦，他現在不住在這裡，但應該是日光人。他說三、四年前搬到東京去了。在那之前，應該就住在這附近。」

「那知道他的住處吧？不是也會向他訂做東西嗎？」

「不，他說他住的地方通訊不便，家裡當然也沒有牽電話。連有沒有電都不曉得。所以大概每個月一次，他會主動過來。現在他住在東京那裡，有事的時候，可以打電話給他的房東。房東家有電話。也可以打電報，聯絡比以前方便多了，搬得更遠，卻反而更好聯絡了。」

「通訊不便的地方啊……」

木場問在哪一帶，兵吉說應該是靠山那邊。日光有好幾座山。到處都是山。

木場原本懷疑笹村兄妹被KIRIYAMA家收養，就這樣長大成人……

「總之，那個佛師技術很好，做工又精細，他雕刻的阿彌陀像那些，真是非常出色。那家新開的飯店……登和在那裡上班的，榎、榎……」

「日光榎木津飯店嗎？」木場說。

「對。」

「聽說是你把他介紹給那裡的？」

「不是我介紹的。是跟我們店配合的飾品師傅鄉田先生……」

「不是他毛遂自薦的嗎？」

「這個嘛……」

最關鍵的部分似乎老是模糊不清。

註一：永代供養是故人的親人委託寺院管理、祭拜骨灰及墓地。

註二：日本古時至江戶時代，棺材是以坐姿入殮的桶棺為主流，稱為座棺。

笹村這個人十分撲朔迷離，似乎不管怎麼探查，就是會從指尖溜走。

「那個笹村先生……還沒有來呢。」

「哦，他現在好像也還住在田貫屋那裡，但他在日光的時候，好像經常往山上跑。」

「山上啊……」

木場正打算接著打聽KIRIYAMA KANSAKU這個人，這時紙門打開一條縫，兵吉的老婆探頭說：

「老公，丑松先生來了。還有飯店的人。」

「啊，我這就過去。那，刑警先生……啊，對了。」

「怎麼了？」

「丑松先生是阿婆的——登和家對門的鄰居。動表姑丈的事，或許他比我還清楚。」

兵吉說完，起身離開了。

笹村市雄……

木場打開紙門，偷看守靈的場地。

不，他並不是在偷看，但因為是陌生人家的內廳，不知為何讓他有些心虛而已。

好像已經布置妥當了。

一名蓄著鬍碴的五十開外男子，和貌似另一半的婦人並坐在一起。穿的衣服像是下田的農作服。背後拘謹地坐著一名身穿喪服的女子。

穿著農作服的夫妻似乎正頻頻致哀。登和子和兵吉坐在故人枕邊，再三頷首。兵吉說「那時候真是多謝兩位的兒子了」。登和子深深行禮。

那就是那個叫丑松的對門鄰居吧。

喪服女子似曾相識。木場看了一會兒，想起是榎木津飯店的女總管。

木場靜靜地關上紙門，低調地走向玄關。即使低調，也到處都是人，不可能不為人知地離開。他只是單純地覺得別被兵吉或登和子看到就好。

他覺得坐在這裡等，笹村也不會來。既然如此，就守在玄關口，逮住要回去的丑松問話……
沒想到兵吉的老婆在玄關。
「啊，刑警先生，您要回去了嗎？」
「也不是，怎麼說……」
木場並不打算回去。
「我是外地人，想說可能會礙手礙腳。」
「沒這回事的。請問……」
「哦，明天我也會來。可以替我跟妳丈夫還有登和子小姐說一聲嗎？」
既然都這麼說了，也不好賴在玄關，木場在情勢使然下，走出屋外。
明月皓皓遍照。
他也考慮站在這裡等，但實在太冷了。萬一受寒，就得不償失了。
已經夠鈍的直覺會完全鏽掉。
不光是這樣而已。木場認為他這個人差不多全是以肉體構成的。即使無法思考，只要能動，就沒問題。但萬一動不了，自己就成了個無用的長物。他絕少感染風寒，但總是小心駛得萬年船。
這一整天幾乎等於什麼都沒吃，木場也考慮去吃點東西，但又懶得進店家。
結果木場決定回田貫屋休息。他覺得拜託老闆，應該起碼會捏給飯糰給他。
一走進巷弄，四下陡然陷入漆黑。
再拐了個彎。
月光被遮蔽，可疑的氛圍一口氣轉濃了。遠方路燈微弱的光透出不祥。
一瞬間，木場不辨自己身在何處。
消失的三具屍體和被弒父幻影糾纏的女子的事融為一體。
——是狸子在迷惑人。

木場搖了搖頭。

來到先前登和子迎面奔來的小巷。

有人。

一道人影朝這裡走來。

——什麼？

看上去極為奇妙。

那是角嗎？

還是耳朵？

是狸子還是狐狸嗎？不對。

是頭上戴著東西。

不過這影子的形狀也太怪了。

是和服嗎？穿著和服，拉起後衣襬夾在腰帶上嗎？

還有頭上的東西……是紮著頭巾吧。紮法很特別，兩個結就像動物耳朵一樣高高聳立。是巡禮者或修行者紮頭巾的方式，記得……是叫行者包〔註〕。

看不到臉。完全成了剪影。

是因為男子背後，而且是極遙遠之處，那盞不祥的路燈在閃爍之故。

男子以規律的速度朝這裡走近。

木場也沒有停步，繼續前進。

擦身而過的剎那。

月光射下。

照亮那張面無表情的臉。接著。

行者包的打結處尖端，

像蛇一樣掃過木場的鼻頭……

木場這麼感覺。他又走了三步，停下腳步。

——那是。

回頭一望。

已經逐漸遠離的男子背部……

——梵字。

白色和服外褂上印染著梵字。那是……

——笹村。

木場想要出聲叫人，卻不知為何出不了聲。只有嘴巴張成叫人的形狀。

男子遠離，拐過轉角。

那是笹村市雄。被認定在八王子葬身火窟的笹村夫妻的兒子、在登和子周圍糾纏不清的高明佛師。要追上去嗎？

然而……木場沒辦法這麼做。

然後，木場修太郎感到一陣輕微的眩暈。

他差點踉蹌，勉強撐住了。

右手抵住額頭。

他覺得自己可能輕微發燒了。但指頭冰冷失溫，摸不出名堂。用拇指和食指用力按壓太陽穴。掌心冰涼，很舒服。或許果然還是有點發燒。但。

註：行者為修驗道的修行者，也稱山伏。行者包（行者包み）也稱寶冠，以長白布覆頭，在前後交叉後，於兩側向上塞出一小段固定，剩餘的布垂下。

若是在這時候懷疑自己，反而會招來病魔。體幹仍扎實有力。腰腿的強健也依然可靠。他在丹田使勁，挺起胸膛。

——我好得很。

完全是心理作用。

但木場放棄追趕笹村。

這要是平常的木場，已經追上去了。不，現在追也還來得及。反正笹村的目的地是寬永堂。那麼根本不必追，只要等著，就能逮到他。但急也沒什麼意義。就像俗諺說的，欲速則不達。

笹村下榻在田貫屋，也很有可能參加明天的葬禮。抓到他的機會應該多得是。最重要的是，笹村不是嫌犯，也不是關係人。只是在木場情非所願地打探的、與木場無關的案子各處若隱若現的可疑人物而已。

木場站在田貫屋前，再次以雙腳踏穩地面，打開門口。

老闆挺直了。

「咦，刑警大爺，今天不是守靈嗎？」

「我又不是親友，算不上有什麼關係，幹麼陪著人家熬夜？你才是，不去上個香嗎？人家不是幫你做過佛壇？還把姑娘家託給你，你才跟他們情分不淺吧？」

「不是啊，喏，我還要傳話。」

「車站留言版都比你管用。寫在你那顆禿頭上比較簡單明瞭吧。」

還有力氣咒罵，自己好得很。

「我這顆禿頭是遺傳。」老闆自豪地說，似乎不以為意。木場覺得這雖然不是什麼值得自卑的事，但也沒什麼好自豪的。

「留言版的話，大爺還比較像。我從來沒看過臉像大爺這麼方的人。不過大爺那張方臉怎麼好像有點紅？是在喪家那兒喝了神酒嗎？」

「這臭狸子，我才沒喝。守靈招待神酒，宗教不對吧？起碼也說般若湯吧？〔註〕倒是剛才那個人……」

「哦，那個佛師。」
「果然是佛師啊。他叫笹村，對吧？」
「笹村……啊，應該是吧。」
「不是填了登記簿？」木場凶道。「警察應該指導過？」
「有啊，不過他都已經在這兒斷斷續續住了三年了，已經是熟客了。」
「這裡的警察是指導你熟客不必填登記簿嗎？」
「不是啦，可是每次都寫一樣的東西啊。就同一個人嘛。不可能認錯人，所以我想說我這邊幫他填個『佛師』就知道了。住址那些都一樣吧？雖然警察說要叫本人填啦，但我相信他。我正好剛填好。」
老闆翻開住宿登記簿。
「因為不知道要住幾晚，所以沒辦法先寫。我都結帳之後再填。我看看，喏，不只一個月，這次連住了三十五天呢。而且不會像某人一樣討價還價。」
「誰討價還價了？」
「寬永堂的姑娘的住宿費也是，給了十天的錢，結果只住了三天。」
「多收的錢要退給人家啊。」木場說。
「我說過要退啊。」老闆應道。「是人家不收的。佛師說算是添麻煩的賠禮。而且那姑娘才沒填登記簿呢。她來的時候，不是能寫東西的狀態嘛。也就是說，算是我好心提供房間的謝禮。謝禮是沒有行情價的。」
說到這裡，老闆抬頭：
「這不算犯罪吧？」
「不算犯罪，但證明了你是個貪婪的守財奴。呃……喂，田貫屋。」

註：日本的葬禮一般都是佛式，而神酒是神道教用來供神的酒。般若湯為破戒僧人對酒的隱語。

「什麼啦？」老闆向後仰去。

「你說笹村的住宿錢結清了？」

「結清啦。三十五天份的錢，一文不差收到了。他經常外宿沒回來，但房間是他訂的，所以就算沒在房間過夜，我也沒打折扣。這不算犯罪吧？」

「就說不是犯罪了，但證明你是個貪婪的守財奴。我不是問這個，是問笹村已經退房了嗎？」木場問。

「就這樣說了啊。大爺出門後，大概一小時後他回來，我把話傳給他，他說他正好打算今天回去，順道去喪家露個臉再走。然後就在剛剛結帳了。」

——糟了。

已經抓不到人了吧。

——不。

「喂，都這麼晚了，有辦法回東京嗎？還有去東京的夜車嗎？」

「什麼？」

田上望向擺在信樂燒狸子旁邊的時鐘。

「不曉得。我沒去過東京，所以不知道，但應該沒車了吧。」

「那笹村要怎麼回去？」

「我怎麼知道？也許他訂了更高級的旅店，也有可能打算去守靈，隔天早上再回去。」

這……對了。

笹村在東京的住處，木場已經從總一郎那裡聽說了，但為了慎重起見，他還是看了一下登記簿。原本為了罪案偵辦以外的事閱覽個人資訊，應該會構成問題，但看看老闆這樣子，在這間旅店裡，似乎沒有濫用職權這個詞。老闆似乎也完全不覺得這有什麼問題。就算木場不是刑警，八成也會讓他看吧。

但本人填寫登記簿，似乎是近三年前的事，因此花了點時間才找到。

上面填寫的住址，和總一郎告訴他的一樣。似乎沒有隱瞞住處。此外，雖然不是本人填的，但基本上登記簿都還是確實填寫。因為也看不出老闆有什麼造假的動機，所以應該都正確吧。

這時木場喘了一口氣。

「怎麼啦？大爺，你是不是有點發燒？傳染感冒就麻煩嘍。」

老闆說著，用手摀住嘴巴。似乎不是在擔心木場。

「有沒有什麼吃的？」

「什麼？這兒不附餐食，沒有。」

「我知道。什麼吃的都沒有嗎？」

「怎麼了嗎？這時間館子那些也都打烊了。」

「所以我問你有沒有吃的！不管是戰車還是自動車，沒油就動不了吧？我……沒油了。」

「真傷腦筋呢。」老闆又傾斜了。「別看我這樣，我食量很小，所以向來都只準備一點點，吃得精光，這是我的作風。從我老婆還在的時候就這樣了。變成孤家寡人以後，準備的飯菜量也減半了。沒有剩飯剩菜。」

「唉。」

木場認為自己的不適，是因為餓肚子。

「那邊在守靈，應該會供吃食吧？」

「我可沒那麼厚臉皮。」

「大爺不像那種餓肚子也要叼根牙籤裝飽肚的武士啊。明明就很餓嘛。」

木場說不出口，自己的綽號就叫武士。

「對了。」老闆的身體又恢復垂直。「我正準備去寬永堂致個哀。就像大爺說的，也不算沒有情份嘛。我的確是很牽掛。不過先前因為要傳話，所以沒法離開。現在話也傳到了，我可以自由行動了。」

「你不是一直都很自由嗎？」

「才沒這回事。大爺回來了，有人幫忙看帳房了嘛。我去上個香，順帶說一下大爺的狀況，寬永堂應該會給個兩三顆飯糰，附點醬菜吧。畢竟人家這麼感謝大爺嘛。」

老闆說完，慵懶地起身。

「啊，出門前我先去把客房的火鉢生個火。在房間暖和之前，大爺就坐在這裡吧。破房子很冷嘛。不過這裡很溫暖。」

帳房旁邊有火鉢。

老闆先上去二樓一趟，交代木場小心火燭，出門去了。

看來多少還是關心他吧。

木場沒有脫下外套，坐到老闆先前坐的位置。確實，一暖和起來，人就緩過氣來了。

他回想起笹村。

驚鴻一瞥的那張臉。相貌沒什麼特徵。像田貫屋的禿老闆、寬永堂老闆的圓臉，看過一次就不會忘記。不管在哪裡見到，都認得出來。即使忘了名字，也會記得那張臉。

但笹村若是拿掉那身頗為特異的裝扮，應該幾乎不會認得。

——奇裝異服的人，是嗎？

原來如此，雖然不可能知道榎木津那混帳看到了什麼，但若要形容那個男人，也只能這麼說了。他的外表，特徵就只有衣物，或者說造型。換言之，只要脫去那身服裝，就認不出是誰了。

他救了登和子應該是事實。

他是說，登和子在佛具行後面正要上吊嗎？

——後面？

那家店的後面是哪裡？木場沒有繞到後門，是因為覺得自己走後門進去很奇怪，但也是因為不知道後門在哪裡。

既然是建築物，就一定有後面。不可能無法去到屋後，但至少從大馬路看不到後面。兩側有別的店家。若是從別的方向，應該可以去到屋後，但若要從大馬路過去，只能鑽進店家之間的縫隙。

那麼，就不太可能是剛好路過，發現有人正要上吊。

——不。

笹村不是顧客，所以都是從後門進出也說不定。又或是笹村當時已經在店裡，是從室內看見的？或許也有這種情形，但木場覺得難以想像。

——店的後面是什麼樣子？

或許有必要看一看。

在木場心中，以笹村這個人為媒介，兩起事件已經融合為一了。

——蛇和狸都是一路貨色嗎？

木場是糊里糊塗地被下令衝鋒，本來就沒有什麼大不了的目標意識。只是為了激發稀薄的動機，瞄準目標時，前方剛好冒出笹村這個人來罷了。

不過，木場連這樣的自覺都沒有。

約莫半小時後，田上回來了。

禿老闆就像他預告的那樣，帶了飯糰回來。

簍筐裡盛著三顆飯糰，老闆挺胸說「看吧，就像我說的」。雖然不是什麼值得自豪的事，但確實令人感激。

木場坐在帳房吃了起來，飯糰是冷冰冰的鹽巴飯糰，但美味極了。附上的醬油醃土當歸和牛蒡也非常好吃。木場大嚼飯糰，老闆為他泡了熱茶。

老闆的態度很不客氣，所以看不太出來，但其實他人頗為體貼。

老闆說，笹村已經不在寬永堂了。聽說只是去露個臉致個哀，一下就走了。

「星期一是友引（註），所以好像要趁明天直接納骨。這年頭應該很少人遵照古法辦喪事了，但我還是覺

註：友引是日本傳統曆注「六曜」之一，有呼朋引伴之意，認為此日不宜喪葬，適合喜事。

得骨灰至少可以放到七七再納骨啊。」

是這樣嗎？

木場一邊吃著飯糰，一邊揣想登和子的感受，但不可能明白。

肚子一飽，倦怠感淡去了，但同時睏意也席捲上來。木場向老闆道了謝，回去客房。房間說暖不暖。木場脫掉外套和外衣，把仍燒得赤紅的木炭夾進滅火壺裡，就這樣蒙上被子睡了。

木場不太會做夢。

就算做夢，也會忘記。然而醒來時，卻有種在南方戰線敗逃的感覺，也許是做了那時候的夢。醒得不是很暢快，但身體恢復了。下樓一看，老闆已經醒了，說「不快點去，靈車就要來嘍」。

「還有那麼高檔的東西？我以為是要拉棺車過去。」

「大爺，別以為這兒是鄉下地方就瞧不起人。寬永堂可是佛具行呢。跟葬儀社熟得很。」

「那葬禮是怎麼個辦法？總不會要組送葬隊伍一路送到墓地吧？」

「就是請和尚來唸經，然後用靈車載到火葬場，撿骨，送到寺院納骨啊。聽說寬永堂家的菩提寺很遠。我老婆那時候也是這麼辦的。我們家的菩提寺是很近啦，但火葬場很遠。現在都改成現代做法了。喏，我昨天不是也說了嗎？這些統統都要趕在今天弄完。大爺，你要去火葬場嗎？」

「就說我跟他們家沒關係了。」

但昨天傍晚他跟寬永堂的老婆說明天也會去，所以也沒法不去吧。木場連聲道別也沒有，冷冷地開門出去了。

氣溫稍微暖和了些嗎？

寬永堂前面聚集了不少人。

好像在等上香。木場脫下外套拿在手上，等了片刻。

他猜的沒錯，和尚誦經期間，弔客依序進門燒香。那麼跟東京的葬禮沒什麼不同。不過最近好像愈來愈少人家在自家辦葬禮了，木場很少看見這樣的景象。

在日光榎木津飯店招呼木場的男子也在排隊。男子看到木場，露出古怪的表情，向他頷了頷首。手中拿著以紫色的袱紗巾包裹的禮金。

——奠儀嗎？

木場兩手空空。

現在也來不及準備了。

輪到木場了，他進門去，在昨天幫忙組裝的祭壇前上香。登和子默默地深深一禮。旁邊坐著和她長得很像的妹妹，以及一臉欲泣的小弟。

寬永堂夫妻坐在她們後方。

也沒什麼好說的，在這種地方也不能問什麼，因此木場行了個禮便告辭了。

去到門口，昨天穿著務農服裝的男子——丑松也在那裡。

他刮了鬍子，穿的衣服也像樣了些，但也算不上喪服。

——向他打聽一下嗎？

木場決定等丑松出來。

他以為這種情況，弔客會留下來目送出棺，但只見上完香的人都陸續踏上歸途了。木場不知道是本來就這樣，還是特例。也許只有在寺院或殯儀館辦的葬禮，才會目送出棺。在這樣的街上，確實也沒法這麼辦。

木場等了約十五分鐘。

丑松出來了，木場出聲：「丑松先生嗎？」

不知道姓什麼，也只能這麼叫了。丑松脖子一縮，人跳起了三寸之高。

「丑松先生嗎？」

「啊？啊，我是丑松沒錯，你是誰？」

「噢。」

木場亮出警察手冊。

「咦？誰？我們認識嗎？」

「不是，就……我是警察。」

「什麼？警察！」

「小聲點。」木場說。

「不是，我什麼都沒做，只是來上香而已。過世的老太婆是我的……」

「你們是對門鄰居吧？」木場說，丑松說「是啊」，不作聲了。

「放心吧，不是說你做了什麼壞事。如果是，我會更大聲地報上名號。要是被人知道你被警察找上，傳出去也不好聽。」

「那當然了。被人看到也就算了，我會被我老婆揍。我老婆根本不聽人說話的。」

「那，借個面子，跟我來一下。」

「啊，我面子沒那麼大啦。老婆叫我錢跟面子不可以亂借。」

「別囉唆，過來就是了。」

木場拉扯丑松的袖子，進入巷子，但一樣會被人看到。他想了一下，決定把人帶到田貫屋去。

他開門，說要用房間，老闆也不怎麼驚訝，只說了句「抓人犯嗎」。這個田上老闆似乎有些少根筋。

木場拘提嫌犯似地把丑松趕上樓，進入客房。房間和木場離開時一樣，被子也沒折，就對折丟在地上。其他的東西就只有火缽而已，所以也無所謂。

「做什麼？你想把我怎麼樣？」

「沒怎樣啊，只是想問點事情。」

坐吧——木場說。

「你真的是警察嗎？」

「不是給你看過手冊嗎？你沒看到嗎？」

「有手冊就是警察嗎？」丑松問。

警察手冊很方便，但有時也會失效。

「不是什麼大不了的問題，只是想打聽一下你對面人家的事而已。」

「阿婆已經死了啊。枉費我那兩個兒子用大板車把她拖去醫院。我是去給她上香的。」

「這我知道啦。我也去上過香了。我不是要問那個，是要問以前住在那裡的田端勳。」

「田端？」

「你不知道嗎？」

「田端……哦，田端啊。不，我知道。前陣子也才有人問過他。被問到之前，我連他叫什麼都忘了，但那時候想起來了。是淺田家的前一個女婿。」

「有人問過？誰問的？」

鄉嶋嗎？

「兩個從東京來的學士大人。」

「學士？」

「叫什麼我忘了。送了我們家糕點。我家黃臉婆說，昨天失火後他們也跑去看了。」

「失火？」

「哦，聽說我家附近出了小火災。而且是縱火。真是不平靜啊。」

「縱火？那，你說的那兩個學士，是來打聽田端的事嗎？」

「不是。」丑松直接否定。「好像是要找田端的女兒。現在想想，應該叫他們來佛具行就好了，但當時就是沒想到啊。不曉得有沒有見到人。」

是關口和他的朋友——韮菜還是支柱嗎？榎木津那蠢蛋說他們似乎很關心登和子。遇上這種狀況，那個偵探貧瘠的語言能力實在教人火大。

那不重要。

「我要問的不是女兒，是父親——田端的事。你想起來了，對吧？」

「田端啊，田端。田端也死啦。老早以前的事了，是支那事變那時候。」
「這我也知道。他是個怎樣的人？」
「怎樣喔，他是我的同行，在做幫膳台上漆的工作。哦，我從一開始就一直是做膳台上漆的，但是田端……是啊，他不太做膳台、木屐那些的，雖然本來就是塗漆師傅……對了，工作是我介紹給他的。我把自己的工作分給他，真是大方吶。」
丑松笑道。
是田端丟了佛壇工作那時候嗎？
「在那之前，他們家不是還有上一代嗎？」
「上一代……噢，你說過世的阿婆的老伴啊。他不做那種小玩意兒，所以我沒把他當成同行。他女婿是在幫忙他，對了，因為阿婆的老伴過世了，所以他也沒了工作。」
「因為技術差嗎？」
「不……技術應該是不差，但他那個人就是沒耐性，成天怨東怨西。剛好是……喏，他女兒，剛剛不是在那裡嗎？那個女兒剛出生，所以想要多賺一點吧，但塗一個膳台，工錢也沒多少。」
「不是塗漆技術不好嗎？」
「告訴你，這種玩意兒，只要有那個心，阿貓阿狗都做得來啦。我也不是特別拜師學藝過，就只是每天從早到晚，為了溫飽在那裡上漆。塗著塗著，自然而然就上手了。」
「沒有技術好壞之分嗎？」
「沒有啦。就是耐性啦。要是膩了、煩了、塗不好、嫌賺太少，心一浮氣一躁，就做不下去啦。可是不做就只能餓死啦。就算塗出來的成品有點瑕疵，也要硬著頭皮把貨交出去，沒這點臉皮，實在幹不下去這一行。是啦……」
技術好當然最好——丑松說。
「技術好，自然就會有人來找你做。工作一多，承包價就可以抬高。就算價錢不高，做得夠多，賺得也就多。不過要做到這些，首先還是要不眠不休工作啊。就是想要取巧，才會覺得麻煩。埋頭上漆就是了，這是唯一的竅門。那個女婿——田端，是嗎？他就是做不到這一點。」

「沒耐性嗎？」

「他是想一夜致富啦。」丑松說。「輕鬆賺大錢……人人都這麼想，但世上才沒那麼美的事。可是……是啊，他應該是沒有賭錢。」

「女人呢？」

「這個嗎？」丑松豎起小指〔註〕。「沒有，雖然是有這樣的風聲，但他應該沒去嫖妓什麼的。」

「我聽說他在外頭養女人。」

「沒有啦。他要是有本事包養女人，我都開後宮了。而且妙子跟我家那頭母老虎不一樣，是個賢妻良母，他要是在外頭胡搞，真的要遭天打雷劈。」

——沒有情婦嗎？

打著陽傘，一身華美的和服。

膚色白皙，穿著圖樣華麗的和服。

艷光照人。

不，這太具體了。不管那女人是誰，登和子都絕對親眼見過。

「問一下，你……有沒有印象看過一個打陽傘的招搖女人？」

「陽傘？呃，那都十幾年前的事了吧？怎麼可能記得……不，等等。」

丑松交抱起手臂。

「啊，這麼說來，是有這樣一個美人兒呢。」

註：在日本，豎起小指代表女友、女人等意思。

「有嗎？」

「有有有。」丑松不知為何賊兮兮地笑了。「有喔。那身皮膚啊，白得幾乎透明，我還以為是外國明星呢。不過穿的是和服。有有有。對，我想起來了，我看過好幾回。」

「跟田端在一起嗎？」

「嗯……要是稱讚其他女人，我家黃臉婆會生氣，所以我都沒說。我想想，是在哪兒看到的呢？不過我從那時候就在幹這一行了，不會出門走動，會看到的話……是在栗山村嗎？……不對，那是……」

丑松收起下巴，接著突然仰望上方。

「對，是在我家附近。唔……啊，想起來了。」

「想起來了嗎？」

「沒錯。田端……是吧？對，她跟田端在一起。」

「跟他在一起嗎？」

「嗯，沒錯。可是啊，那才不是他的女人。對了對了，那是……對了，是被收購的那一邊。」

「被收購？」

「村子有一半被買走了。」

「被誰買走？」

「不清不楚啊。我家黃臉婆說是軍人，但軍隊不會買那種地方吧？」

「我哪知道那是什麼地方？」

「那裡啥都沒有，就只是座村子。最裡面又是慘遭滅門的鬼屋，再過去就是山了，只有水潭和懸崖。」

「什麼滅門？」

「那裡有一棟空屋，從以前大夥就這麼傳。在村郊。那算村郊嗎？離村子有點遠，幾乎算是山裡了。」

「那裡被收購了嗎？」

「那棟大房子很舊了，又是空屋，所以也不曉得有沒有屋主。去那棟房子方向的村子土地都被買走了。

不過只是買走而已，也沒有做什麼。」

「只是要村人遷走嗎？」

「砸了大把銀子吶。我家土地沒被買走，所以我到現在都還在漆膳台。」

「真是莫名其妙。」

「我也到現在都還是莫名其妙啊。然後，我家和淺田家就在邊緣，被收購的土地的邊緣，變成了現在的村郊。然後，那女人就是**從那一邊來的**。」

「那邊不是什麼都沒有嗎？」

「不是什麼都沒有，只是什麼都沒變而已。沒有蓋新房子，但應該有在做什麼吧，一定是。可是啊，那女人是從鬼屋那裡來的，一開始……對，我還以為是狐狸還是妖怪。就是這麼格格不入。我們那兒才沒有會穿那種漂亮衣裳的美女。」

「不是當地人，是吧？」

「不是村子裡的人。日光這一帶，沒看過那樣的女人。不……那是都市來的吧。」

「東京人嗎？」

「不曉得。是收購地皮那夥人的同夥吧。不過說是同夥，我也不曉得他們是什麼人。剛收購的時候，一大堆人進進出出，我以為要蓋什麼東西，結果什麼也沒蓋。雖然應該是做了什麼吧。」

是這部分和鄉嶋的任務重疊嗎？

「那個女的也做了什麼嗎？」

「不曉得啦。我只是遠遠地看到，又沒講到話。不過對面人家的……田端嗎？田端會跟她說話。不曉得是他搭訕人家，還是人家搭訕他的，那小子，明明長得又沒多好看。」

不過比我像樣嗎？——丑松說。

「所以他們不是搞上了？」

「不是啦。後來我調侃了他幾句。因為我看了多少也覺得眼紅嘛，實在教人羨慕啊。所以我跟他說，我要跟你老婆告狀，結果那小子……」

說是在講工作的事——丑松說。

「工作？」

「嗯，我跟他說，聽你鬼扯，那樣一個大美女，不可能會來委託什麼塗漆工作。就算要發包，也是先找我好嗎？那小子因為成天抱怨，那陣子都沒人要給他工作了。」

——是不好的工作嗎？

「如果不是塗漆，那是什麼工作？」

「我不曉得啦。我當他是在掩飾害臊，跟我扯謊。嗯？可是……」

「可是什麼？」

「好像就是差不多那陣子，他完全不幹塗漆工作了。因為我當他扯謊，所以想都沒想過，不過後來他把接到的工作全丟給我……」

丑松的臉仰得更高了。

「對了，就是那時候。」

丑松自言自語地喃喃了幾回，再三點頭。

「沒錯，對……我調侃他說，你是不是還在跟那個女的搞在一起？結果他拚命辯解說不是那種關係，還說我的工作都給你，你不要說出去……」

「不要說出去？」

「對，他是這麼說的吧。對，他說了。所以我更狐疑了。可是……不管怎麼想，那小子都沒那個膽量跟本事把到那樣的大美人，所以我都當他是在裝腔作勢。根本配不上嘛。簡直鮮花插在牛糞上。所以我認定他就是在撒謊。」

「哪件事撒謊？」木場問。

「哪件事？」

「就是，外遇是撒謊，還是女人委託工作是撒謊？聽你的話，兩邊都像假的。」

「是啊，都假的。」

「都假的？」

「我也打從一開始就不認為他在搞外遇。那個女人，不是會被那種落魄漢拐去的貨色。所以我說他搞外遇，不是真心的，只是在鬧他而已。可是我是在調侃，他卻卯起來分辯什麼那不是外遇，是在談工作，瞎掰這種假惺惺的藉口。所以我覺得被人那樣懷疑，他其實心裡也頗得意。我看他這麼愛面子，就順著揶揄了一下。結果……」

「他就說要把塗漆工作給你？」

「是啊，而且還想堵我的嘴呢。我想起來了……那時候我想，這小子是跟我一樣怕老婆嗎？要不然就是為了往臉上貼金，連工作都可以不要了？不管是什麼，那是座小村子，要是傳出奇怪的流言也不好，所以我就沒說出去了。後來沒多久，他就真的不幹了，把塗漆工作全丟給我了。」

「完全不做塗漆工作了，是吧？」

「是啊。我們家也是這樣，他老婆在織布，所以日子還算過得下去吧，但過得很苦。」

「不工作的話，就只是個廢物，但聽說他還會喝酒抓狂，不是嗎？」

「哦，好像脾氣變得很糟。回想起來，他不工作以後……眼神也愈來愈凶狠，愈來愈不理人，就好像變了個人……印象中是這樣呢。現在想想，身體好像也變得很差。」

「不是走上歪路嗎？」

「不曉得，別人家裡的事我又不清楚。而且我之前根本都忘了。噯，那是沒法如願賺大錢，心情鬱悶，四處遷怒罷了吧。」

「不管有什麼理由，我聽說他連孩子都打。」

「這我也不曉得。」丑松沉思起來。「可是……我記得他不是本來就這麼糟糕，感覺也很愛孩子。我覺得他比我更疼小孩多了。不是我自誇，帶小孩那些事，我半點忙都沒幫過，覺得很對不起老婆小孩呐。我的人生就只有塗漆而已。可是他……不，他很常陪女兒玩。我印象中他很疼小孩。他會那樣急著想要賺錢，也是因為女兒出生吧。」

要是這樣。

田端勳會不會真的從女人那裡接了某些工作？

只知道塗漆這項營生的丑松，聽到工作，也想不到其他職業，但如果那個女人真的介紹了工作，那當然不可能是塗漆。

——不好的事嗎？

什麼不好的事？

田端會阻止丑松說出他和女人的關係，會不會是因為接下的工作見不得光？真正的祕密，會不會其實是那項工作？

登和子也被封了口。

別告訴妳娘喲。

給妳糖吃，別說出去喲。

這是祕密喲。勾手指發誓唷。如果不守信用，蛇就會來找妳唷。

「蛇嗎……？」

「蛇？啊，登和被蛇咬了吶，這麼說來，出過那種意外。」

「你記得嗎？」

「也不是記得，是這會兒想起來了。對門家的事，誰會一直記得啊？連自己家的事都不清楚了。」

「你知道她被蛇咬？」

「哦，因為那事鬧得很大啊。那是什麼時候的事去了？被收購的土地裡，有一間診所。」

「你不是說那裡什麼都沒有？」

「本來就有嘛，有什麼辦法。也不是本來就有，以前沒有，但那時候開了間診所。就孤伶伶的那麼一間。那一帶沒有醫院，所以是很方便啦。不過現在想想，要是那裡沒診所，登和可能早就沒命了。」

「這麼嚴重？是被蝮蛇之類的咬到嗎？」

「總之是毒蛇。是她才五、六歲的時候吧。她比我家最小的還小個兩歲，差不多那個年紀吧。因為還小，所以毒性發作的也快，差點就要沒命了。醫生說可能沒救了，阿婆跟妙子嫂都哭了，鬧得沒個開交。我也去探望了。可是那叫什麼，意識混、混……」

「混濁嗎？」

「對對對。可憐啊，在鬼門關轉了一星期還十天吧。記得過了好久，才總算好了起來。」

「住在那家醫院嗎？」

「不是不是。」丑松說。「那不是可以住院的地方，只是一間診所，很小。我們家的人都很強壯，所以沒去那裡看過醫生，但不是可以住院的地方。只有一開始幫忙急救，然後去家裡看診。」

「那，登和子是在家裡療養嗎？」

「是啊。就躺在工作的地方。她們家那時候已經沒做塗漆工作了，所以很空。阿婆跟妙子嫂就坐在一旁。然後……」

「然後什麼？」

「她爸……咦？對對對，我想起來了！」

丑松拍手。

「什麼？」

「真的嗎？」

「哎呀，原來我記得嘛。那就是田端嗎？田端，父親。那女孩啊，是跟她爸一起的時候被蛇咬的。」

「真的啦。因為……對啊。把她抱去診所的也是她爸。然後……醫生說可能沒救了，然後田端……」

因為受不住，所以死了。

「什麼？」
「田端上吊啦。」
「這我聽說了。」
但沒聽說他自殺的理由。
「因為受不住就死了，是什麼意思？」
「所以說，他女兒被蛇咬的時候，他也在場啦。當然會被怪說有你跟著，怎麼會搞成這樣。等於是眼睜睜看著女兒被咬嘛。」
「是因為自責嗎？他是這麼老實的人嗎？」
「是啊。他本來是很愛孩子的。女兒在自己眼皮子底下被蛇咬，人就快死了，所以絕望了吧。雖然真正的理由，只有他自己才知道啦。」
「喂。」
木場跪起單膝，上身前屈，一把揪住丑松的衣領。
「你、你做什麼？」
「你說的是真的嗎？確定沒錯吧？」
「如果我腦袋沒問題，就是這樣沒錯，不過或許我家黃臉婆記得更清楚。」
「那就把你沒問題的腦袋再擠一擠，再多想起一點。登和子被蛇咬的時候，除了田端動以外，那個漂亮的女人是不是也在場？」
「啊？」
丑松擠出鬥雞眼，就像歌舞伎的角色在擺亮相動作。
「她……在嗎？呃，這麼說來……」
就在這時。
紙門猛地打開來。

發出「砰！」的一道巨響。

榎木津站在門口。

「搞什麼！四方人，你居然瞞著我在玩什麼好玩的東西！你奉為竹馬好友的榎木津禮二郎大爺，特地跑來這窮酸的狸子窩玩啦！」

「你、你這瘋小子少來搗亂！」

「好像很有趣，讓我也參一腳。」

「哪、哪裡有趣了？」

「你不是在玩搖晃那個像熊和冬瓜合體的人的遊戲嗎？搖那個人就會有什麼好玩的事嗎？」

「不改掉你那瘋癲的個性，小心我把你的腦袋擺到台子上，用墓碑輾碎啊，混帳東西。我正在講重要的事，你滾回去啦。沒事幹的話就回去東京啦。好不容易這傢伙終於想起來了……」

「想起來？這個人搖一搖就會想起什麼嗎？那還真是方便。那我來搖得更激烈一點。換我來，阿修。」

「修你個頭，混帳東西。你胡鬧也有個限度。我最痛恨你那種無聊玩笑了，給我適可……」

「嗯？」

叉開兩腳站立的偵探瞇起了眼睛，注視著丑松。丑松狼狽萬狀。

「哼！」

榎木津重重地用鼻子噴氣。

「手裡居然抓著蛇！真是太噁心了。那是棒子嗎？還是雨傘？還有，太不健康了！踉踉蹌蹌，都快跑不動了！」

「什麼？」

「就是，一個穿著漂亮和服的女人跑在前面帶路，後面跟著一個抱著沒力小孩的不健康男人，是這樣嗎？但蛇還是活的！」

「我說禮二郎你啊……」

「就是那樣！」丑松大聲說。

木場放開一直揪在手中的衣領。

「對對對，她就在那裡。」

「什麼啦，連你都被傳染瘋癲了嗎？」

「不是啦。那個女人那時候也在。就是她把田端帶去那間診所的。」

「喂，你不是隨口瞎掰的吧？不要被這腦袋流膿的蠢蛋的胡言亂語牽著走。」

「偵探只說真話。」

「叫你閉嘴。喂，丑松。」

丑松理平變得皺巴巴的衣領，重新坐好。

「我不曉得那件事哪裡重要，但就是那樣，沒有錯。因為刑警先生……」

「怎樣？」

「在那之前，我根本**不曉得**那裡是診所啊！」

「哇哈哈哈哈哈，不曉得嗎？」

榎木津愉快地說。

木場憤憤地仰望他。

「不曉得啊。我不是說，土地被收購以後，什麼都沒有蓋嗎？實際上就只是人搬光而已，看上去跟以前完全一樣。雖然偶爾好像有人進出啦。那樣的地方，誰會想到居然開了一間診所？」

「也是啦。」

「沒有宣傳，連看板都沒有。而且我根本沒想到那裡有人，不知道是當然的。」

「當然了。」榎木津說。「那裡還比較像打鐵的！」

「對啊，那裡本來是打鐵鋪。我不曉得你是誰，不過你好清楚啊。可是那個女的知道。那裡從我家用跑的，連十分鐘都不用。很近。近到連失火都看得到。」

「什麼？那你說的那小火災……」

「診所之前失火了。不過那個醫生很老了，去年過世了，所以診所沒人。」

到底是……怎麼回事？

「噯，聽說登和要是再晚上一點送醫，絕對沒命了，那麼，那個女人就是登和的救命恩人了吶。然後，那裡治好淺田家孫女的事漸漸傳開來，大家才知道那裡是診所，後來開始有人去那兒看病。醫院實在太遠了嘛。而且村裡本來就沒有診所。」

「呵呵呵。」榎木津笑了。「就是你呢。賞猴子和烏茶水的怪人。」

「嗄？」

對了，關口……關口也在這裡閒晃嗎？

到底……出了什麼事？

木場再次不寒而慄。

鵺（五）

有種極為奇妙的感受。

綠川在日光榎木津飯店的大廳喝咖啡看報紙。原本這時間，她應該已經在大學研究室了。

綠川沒有回去。無論如何都要回去的話，是有辦法回去，卻不知怎地不想回去，因此她決定再停留一天。她是在星期六晚上決定的，只要星期日回去就沒問題了，但……

今天已經星期一了。

兩小時前，她聯絡了職場，說明發生火災，被警方限制行動，所以無法回去。已經三月了，雜務很多。她表達歉意，反而得到同情。

雖然不到謊言的程度，但感受上有一半是在撒謊。因為綠川並沒有被限制行動，只是視情況，警方可能會再次請她去說明而已。

她覺得這個可能性很低。

診所裡沒剩下什麼了。能丟的東西都丟了，燒剩的文件和灰燼，她在屋後挖了個洞埋了。

畢竟都和鄉嶋說好了。她覺得那些東西派不上用場，但鄉嶋這個人鍥而不捨，搞不好能從餘燼裡挖掘出某些有用的東西。

不管怎麼樣，綠川都沒有其他能做的事了。

她不知道那間診所往後會如何，但不管是建築物還是土地，權利都不在她的手中，因此無論會變得如何，都與她無關。

已經結束了。

——應該結束了，但……

她望向報紙。自由黨的池田勇人（註）似乎因造船賄賂案而受到調查。還有昭和試刀手這起了無新意的連續殺傷案的凶手落網了。

她不知道是犯罪情節搞錯時代，還是報導方式太落伍。總之無差別殺人是絕不該發生的事吧。她抱著這樣的心思閱讀內文，上面說是感情糾紛導致，讓她莫名其妙。難不成是感情連續發生糾紛？

綠川想著這些，咖啡都涼了。還剩下一半左右。

她正想喝完再點一杯，關口現身了。他還是一樣，表情貧乏。

「也不是道早的時間了呢。」

「是啊。佳乃小姐的工作沒問題嗎？」

綠川說「無限接近蹺班」，關口說「我也是」。

「而且我本來就沒事做。」

「你不寫小說嗎？」

「不是想寫就寫得出來的。倒是，我想到我沒有好好跟妳打招呼。佳乃小姐，好久不見了。」

關口半彎著身，頭要低不低地行禮。綠川笑了。

「坐吧。關口，你的動作跟我們第一次見面那時候一模一樣耶。其他人呢？」

「哦，京極堂——中禪寺一早就出門了。榎木津還在睡吧。久住應該很快就會來了。」

「久住先生還好嗎？」

「不曉得。」

關口神情慵懶。

註：池田勇人（一八九九～一九六五），日本政治家，歷任大藏大臣、通商產業大臣、內閣總理大臣等。提出所得倍增計畫，為戰後日本的高度經濟成長的功臣之一。

「昨天榎木津好像得到了登和子小姐的某些情報，晚上打電話到我的客房，但妳也知道，完全聽不懂他在說什麼。登和子小姐的外祖母好像過世了……」

「咦，那不是很糟糕嗎？你告訴久住先生了嗎？」

關口搖搖頭：

「事關生死，在消息確定以前，不好隨便亂說。我打算中午叫醒榎木津，要他直接說清楚……」

但說得通嗎？——關口說。

「佳乃小姐有什麼打算？」

「沒有。我的事已經辦完了。問題最大的是不是益田啊？」

「嗯，是啊。益田雖然膽小，但很魯莽嘛。也不曉得他到底有沒有計畫。」

「我實在不覺得他會有什麼計畫。」

「啊，佳乃小姐跟他住在同一個地方，是嗎？」

「是啊。昨天他好像也一大清早就出門，四處找人，今天也好像七點就出門了……不過失蹤的人，像這樣漫無頭緒地四處找，就能找到嗎？」

「不曉得。如果人還在日光的話，多少還有希望……我覺得啦。」

「但那也只是聽信那名退休刑警的說法吧？」

「可是……寒川先生應該真的來過吧。」

前天，富美說她在尾巳村土地被收購的地區看到了寒川。

不過，有這麼容易就巧遇要找的人嗎？如果是真的，那實在太巧了。聽益田說，寒川似乎也在那裡發現了什麼，所以就算在那裡看到他，也不算奇怪……儘管這麼想，但綠川總覺得所有的一切都像安排好的。

「而且也不曉得富美小姐目擊到的真的就是寒川先生。」

「她不可能認錯吧。」關口說。「聽說那是她的未婚夫呢。」

「是嗎？」

綠川覺得正因為這樣，更有可能認錯人。

願望有時會蒙蔽人的雙眼。人會看到想看的東西。飢渴的人，會在沙漠看到水的幻影。人會只抽出自己想要的資訊，組合成想要的形狀，完成想看到的一幅畫，然後對它深信不疑。

因為那正是自己想要的。

可是。

那是……虛像。

就像海市蜃樓。

就像不管再怎麼追趕，永遠都追不到的沙漠中的水。

「嗯。假設富美小姐真的看到了，但結果也追丟了，不曉得他後來去了哪裡，也完全沒有線索，對吧？卻說他就在附近，一定會找到，又不是捉迷藏。而且益田好像不曉得寒川先生的長相？」

益田說過，連張照片都沒有。

「所以富美小姐才會跟他一起行動吧？這跟富美小姐一個人去找人有什麼不一樣嗎？如果益田有什麼偵探的技術，另當別論，但沒有的話，我覺得沒有雇偵探的意義耶。」

「技術啊……」

關口一臉咬到苦澀東西的表情。

「說到益田唯一值得誇耀的技術……就是卑躬屈膝、能屈能伸吧。他敷衍應付的嘴臉真不是蓋的……不過其他就只是個腳踏實地進行調查的偵探而已。」

「他不是榎木津先生的徒弟嗎？」

綠川所知道的榎木津禮二郎，絕不是會敷衍應付的人，也不是會腳踏實地去做什麼的人。

關口傾斜身體，稍微笑了：

「是啊。從某個意義來說，那是榎木津完全缺少的能力。」

「這樣啊……」

「雖然也可以說是榎木津完全不需要的能力啦。總之，只是走遍日光每一條街的話，跟觀光也沒兩樣呢。」

「我昨天還去參觀了東照宮，看了華嚴瀑布，吃了豆腐皮，再回去睡覺，完全是觀光了。連自己都覺得太悠閒了。不過……」

還是會掛意呢——綠川說。

「雖然這麼說，但不管是登和子小姐的事，還是寒川先生的失蹤，我都是局外人。」

有種好幾個不同的圈子糾纏在一塊的奇妙感覺。狀況簡直就像事件的嵌合體。

綠川也是，要做的事全都辦好了，但叔公到底在那裡想做什麼、想些什麼，都完全不清楚，叔公的感受，更是絲毫不了解。

這時久住現身了。

關口起身，以陰沉的嗓音說：「久住先生，其實……」

久住苦惱地蹙眉：

「啊，我剛剛在櫃台聽說了。登和子小姐的外祖母過世了呢。聽說昨天是葬禮。」

「這樣啊……。那……」

「哦，我也想過是不是要去上個香，可是……」

好像又沒那個立場——久住說。

「我覺得那不是我該介入的問題。我只是個住客，跟她沒什麼交情，也不是應該插手管私事的關係，所以覺得去了反而會添麻煩。而且要是我去的話……」

「啊，先坐吧。」綠川說。「久住先生真的很體貼呢。雖然也覺得有點善體人意過頭了……」

「是嗎？」

「雖然善體人意過頭也不是什麼壞事啦。」

綠川說完，舉手招來服務生，點了咖啡。

「關口喝咖啡，對吧？久住先生呢？紅茶？」

「綠川小姐怎麼知道？」

「這不是細心，而是瞎猜的。我本來要點三杯咖啡，忽然想到而已。」

沒錯。

深思和苦惱應該是不同的兩件事。

思考是對照道理，深入挖掘，有時也會把人導向解答。但苦惱不是能夠靠道理來化解的。找出答案的鑰匙始終在自己心中。綠川認為，苦惱的本質在於能否面對那把鑰匙。

簡而言之，問題不在於什麼才是對的，而是要重視什麼。有許多想要重視、真正重視的事物，而這些往往是無法並存的。也因此人才會苦惱、為難。

「我認為久住先生的責任已了。」綠川說。

「責任已了嗎……？」

「請別誤會了，我不是說久住先生已經沒用了。久住先生不是聆聽那位登和子小姐傾吐了嗎？」

「嗯……」

「以你的話來說，你們交情不深，她卻願意把那麼沉重的事情告訴你，對吧？」

「唔……是啊。」

「這樣已經足夠了吧？我想登和子是想要有人聆聽。那種事不可能告訴任何人嘛。而你讓她傾吐了。」

「妳是說，她並不期待會有什麼下文嗎？」

「她應該不是心存期待。因為根本沒什麼選擇啊。只能選擇其中之一。然後，不管別人說什麼，做決定的都是她。她並沒有要求你做決定，或是告訴她該怎麼做吧？所以我想她只是想要別人聆聽而已。」

「只是想要聆聽……」

「久住先生讓她傾吐了，從這個意義來說，你已經回應她的期待了。」

「哦……」

「我猜想，她是想要整理一下狀況吧。一個人在腦袋裡不停地想著一件事，就像心算，對吧？沒辦法進行驗算，也不曉得究竟對不對。如果無法整理狀況，情緒也無處著落了。我想登和子向久住先生傾吐之後，至少能整理發生了什麼事。你已經幫到她了。」

久住露出欲泣的神情。

「雖然不知道最後她做出了什麼樣的選擇、那是不是正確的選擇，但那又是另一個問題了。不過那是她的問題，不是久住先生應該要負責的事。因為……」

你什麼也沒說，對吧？——綠川說。

「你對她提出了要積極向前、要忘掉往事這類令人發毛的建議嗎？對她做出了要向右走、往上看這類沒用的指示嗎？你勸她信教了嗎？鼓勵她了嗎？貶低她了嗎？」

「我……什麼都說不出口。」

「那就好了啊。」綠川說。「因為那些全都是多管閒事。只是聽她訴說的話，我認為在那個當下，久住先生已經完全滿足她的期待了。無論最後她做出了什麼樣的選擇，她只會感謝你，不可能會恨你。唔，其他的就是久住先生自己……應該說，是只屬於你自己的問題了呢。」

所以你想怎麼做都行吧？——綠川說。連自己都覺得說得未免太輕巧了。

「想去上香的話就去，不想去的話就別去。啊……可是她是否真的犯下殺人案這個謎，是完全不同的另一個問題。」

「是……這樣嗎？」

「對啊。因為那是感受的問題啊。無論事實如何，她深信就是這樣。她的感受是自己是個殺人犯。那麼不管是安慰還是鼓勵都沒有意義吧？責備她也沒用啊。」

因為久住先生不是警察官，也不是法官——綠川說。

「沒辦法逮捕她，也無法制裁她。應該說，不能這麼做。」

審判應該交給司法。無論是什麼形式，一般民眾都沒有定罪的權力，而且思考尚未確定的罪行，也沒有意義。尤其若是刑事案件，也不是能夠以道德或倫理來論斷的吧。

「她深信自己犯了罪。同時，有個不確定她是否犯了罪的謎團。這是不同的兩個東西。」

「這樣啊。」

「所以，如果久住先生想要解決她的苦惱，應該要思考如何面對那個謎團才對，而不是煩惱要如何面對她。因為你們是陌生人嘛。」

關口看著久住，但很快地轉向綠川：

「佳乃小姐。」

「啊，我這些話太自以為是嗎？」

「不，或許就像妳說的。我似乎很容易搞錯這些事，所以才把久住先生拉到奇怪的地方去了。」

「是我把關口先生牽扯進來的。」久住說。

「噯，益田也說了嘛，跟關口在一起，就會被作祟。」綠川說。

久住看向關口：

「關口先生……」

「嗯，我遭到作祟。」

「原來你有自覺？」綠川調侃。

「也不是沒有。」

「你經歷了很多呢。」

綠川說，關口有些淒涼地笑了。

「你是那種看到大洞，就忍不住要探頭看，自己掉進去的人呢。總而言之，感覺久住先生被夾在登和子還有他自己的感受裡。關口你也是，要是把別人的苦惱那些全部攬下來當成自己的事，會撐不住的。」

「我確實把兩者搞混了。」久住說。「我覺得我只是把她的感受和自己的感受放在天秤兩端掂量而已。可是，站在她的角度，我的自尊、能力那些，都無關緊要呢。就像綠川小姐說的，我應該要做的……應該說我能做的，不是如何面對她，而是如何解謎呢。」

久住這麼說，話聲未落——

「嗚哈哈哈哈哈哈哈哈哈！」

一陣破壞性的噪音響起。不，綠川以前聽過這聲音。

轉頭一看，有什麼東西扠開兩腿站在那裡。

大廳所有的住客都朝那裡行注目禮。

那是……

「我來了！」

那東西大步靠近。

「謎、謎，神祕的鳥！」

「榎……榎兄。」

關口再次半站起身。榎木津手一伸，指向久住：

「那個謎團，東京來的臉有一半是磚塊做的蠢蛋已經解了一半！」

「解了一半？磚塊？」

久住方寸大亂。關口萎靡不振。

「你不知道磚塊嗎？泥土燒成的四四方方的玩意兒。不過就算模仿京極，畢竟只是塞滿了豆渣的豆腐腦，所以只能解出一半！」

完全聽不懂。

「他搖晃招待四處亂逛的猴子和鳥喝茶的奇特老頭，解開了一半的謎！以前我那蠢老爸說，能搖的東西，就算是豬也要搖，這話倒是說得很對呢，哇哈哈哈哈！」

麗人放聲笑著，倏地在綠川正前方站定，把坐在綠川對面的關口用力往旁邊一推，雙手「咚」一聲拄在桌上。

「噢！這不是小綠嗎！」

「啊……」

這麼說來，以前榎木津是這麼叫綠川的。

「妳怎麼會跑來這種地方？而且妳一點都沒變！」

「好久……不見了。」

綠川才剛說完，就被摸頭了。一般來說，這種舉動十分冒犯，但不知為何，由這個人來做，就讓人覺得無所謂，奇妙極了。不是不生氣，而是懶得生氣了。

「妳是時間停止了嗎！」

綠川覺得榎木津自己才是。

正面那張陶瓷娃娃般的臉，也和十幾年前幾乎一樣，秀麗得讓人細看都要無端臉紅。

「相較之下，看看這猴子衰老成什麼德行！蒼老到不行！臉皮鬆弛油膩，明明是猴子，卻活像隻油蝙蝠（註）！」

「是你們太奇怪了。都過了十年，任何人都會變老吧。京極堂也是……」

「他是老起來放。」榎木津說。「釣魚池的一出生就是個老頭子，古董店的一出生就是奇妙動物。他們那種的才叫做怪。懂了嗎，猴子！」

「現在是叫猴子啊。」

綠川說，關口說「從以前就是啊」。

「是嗎？我記得以前都是叫你關或是阿關吧。」

「啊，是嗎？這麼說來也是呢。」關口自問自答了一陣，自己接受了。

註：油蝙蝠為日本名，即東亞家蝠。

「哼，這種猴子再怎麼搖，都不可能吐出象牙來。這次就只是擺在這裡的猴子飾品而已。擺飾用的猴子實在太沒用了，有沒有都沒差。」

「榎兄自己也一樣吧？明明就只會打網球跟睡覺而已。而且你說這次……這次有發生什麼事嗎？」

關口一本正經地問。

沒錯，出了什麼事嗎？

還是什麼事都沒有？

榎木津身子一個迴旋，坐到綠川旁邊。

「這個嘛，嗯，我覺得就像猜拳。剪刀只有剪刀的話，就只是沒意義的V手勢，但遇到布就會贏，遇到石頭就會輸。全部聚在一起的話，就是平手。」

聽不懂。

外貌和過去幾乎一樣，唯獨令人費解的程度更上一層樓……感覺上。

「昨天多虧了狸子，蛇有一半明白了。狸子會贏蛇嗎？嗯，這樣啊。小綠也遇到那個蠢笨貨啦。那麼，他也帶了什麼來吧。狗嗎？可能是貓。」

「他每次都這樣。」

關口抱歉地對久住和綠川說。

「我也算是習慣了，所以無所謂。倒是榎木津先生，你說謎解了一半，是什麼意思？」綠川問。

「說明太麻煩了。」

榎木津當下回道。

「而且只有一半，說了也沒意思。再等一會兒，世間罕見的長寬高同等人應該就會來到這裡了，去問他吧。我跟笨哥哥說過，叫他把會客室空下來了，你們就儘管問個飽吧。」

「那是在說木場大爺嗎？益田說他好像在日光？」

「是啊。我本來憂慮那麼粗笨的東西能搭火車電車嗎？沒想到還真的可以。我是不曉得他來做什麼，但他不是石頭就是布。」

「聽不懂啦。」關口說。「榎兄，你為什麼就沒辦法正常說話？」

「我覺得很正常啊。嗯，這是剪刀石頭布，所以要是在一起猜拳，絕對會平手，動彈不得。」

「聽不懂，不過那要怎麼辦？」

「布只能出布啊。不能選擇石頭或剪刀。那只能辦淘汰賽了吧。最後只會留下一個，其他的全部消失。如果同時出招，絕對會變成平手。」

「唔……」綠川沉思起來。「猜拳……意思是謎團三足鼎立嗎？」

「不一定是三足啊，小綠。有可能是四足或五足啊。」

「輸贏的組合不會變得複雜嗎？」

「沒錯。只有一個謎，還容易解，但弄錯組合，就會更解不開。就是這麼回事。懂了嗎，猴子？」

榎木津說完，站了起來。

毛毛躁躁的。

「怎麼了？你要去哪嗎？榎兄。」

「是啊，我手上什麼謎都沒有嘛。今天我要跟英國人去騎馬。馬一點謎都沒有！」

榎木津說完後，一雙褐色的眼睛轉向綠川：

「這樣啊，妳才是鳥呢，小綠。那個人不是鳥，而是蛇啊。那……」

妳的謎可以早一點點解決喔——榎木津丟下這話，繞到關口那裡，戳了戳他的頭說：「太混淆了，你別當猴子了。」

「幹麼啦！會叫人猴子的就只有榎兄你吧。」

「所以才叫你乖乖待在角落邊。不過小綠跟那個人不認識那個方形人，你好好介紹一下啊。雖然不想讓他們見到那種野蠻的東西，但都這個節骨眼了，也沒辦法。再見，我去騎馬了！」

麗人說完，瀟灑離去。榎木津剛離開，咖啡和紅茶就送來了。

「好激烈的人。」久住傻眼地說。

「是啊。益田還是那個人的部下呢，我真是佩服他……」

「怎麼說，我覺得他變得更嚴重了。學生時期，他說的話還比較可以理解吧？」

「那是因為佳乃小姐是女校的學生。他對我們都是那樣的。我從第一次見面就被叫猴子。」

「這倒是，他說的野蠻人是指誰？」

「是東京的刑警。」關口說。「榎木津的兒時朋友，也是我從軍時的同袍。」

「那，也是舊華族嗎？」

榎木津應該是子爵家的次男。

「完全不是，是小石川一家石材行的兒子。完全看不出跟榎木津有什麼關聯，所以我也不懂他們怎麼會從小認識。嗳，他也是個一言難盡的人，但比榎木津容易理解多了。不過榎木津說幫我們準備了房間……真的嗎？」

「我去問問。」久住說，往櫃台走去。關口看著他的背影，問：「其他人呢？」

「其他人？」

「喏，就呃……香澄同學，還有……真奈美同學，是嗎？」

「噢。」

是綠川的同學。

「畢業後就沒有見面了。我們會聯絡彼此的近況，所以也不算失聯，但都住得很遠。不過她們應該都很好吧？」

「這樣啊。」

關口淺淺一笑，低下頭去。

久住回來，說會客室從下午開始，被老闆的弟弟包下，供住客關口使用，並交代**上次的**刑警過來的話，就帶去那裡。

「真的嗎？」

綠川只能苦笑。

「他都沒跟你說吧？」綠川問關口，關口說「我現在才知道」。

「我也被算在裡面嗎？」綠川再問，關口說：

「那當然吧。佳乃小姐不想參加嗎？」

「是沒有關係啦。他我行我素的作風也完全沒變呢。不過，關口你也有預定那些吧？」

「我才沒什麼預定呢。他都知道啦。而且他連我似乎陷入某些莫名其妙泥沼的事都看穿了吧。所以嗯，他的那些舉動，也是在關心我吧。」

「久住先生沒問題嗎？」

「嗯。反正我……還沒有掌握《鵼》。」

「鵼？是在說鳥嗎？」

「是怪物的鵼。」久住說。「怪物的幽靈。」

綠川在別處聽過。

是鄉嶋說的嗎？

「而且，如果謎團已經解開了一半的話，我也想知道。」久住說。

「這樣啊。既然都安排好了，那我們去會客室吧。我也有些事還沒有告訴兩位。益田告訴我的事，也最好跟你們說一聲……」

全部聚在一起，會變成平手。

絕對會無法前進。

——是在說這個嗎？

不要說出來比較好嗎？

「榎木津先生雖然那樣，但從來不會出錯呢。」綠川說。

「不是對或錯的問題，而是根本無法理解啊。佳乃小姐，他說的話最好別太放在心上。」是這樣嗎……？

往櫃台一望，有個彪形大漢的背影。個子並不高，但看上去堅硬又結實。

「啊，真的是大爺。」

關口說，慌慌張張地站起來。

名叫木場修太郎的刑警是個看上去胸膛厚實堅硬的男子。就像榎木津說的，臉四四方方的很可怕，包括言行舉止在內，乍看之下十分凶暴，但綠川覺得他應該只是披戴著這樣的鎧甲而已。雖然外側又厚又硬，但內裡布滿了濃密的神經。綠川對他有這樣的印象。

「那個蠢蛋呢？」

木場一進會客室就問。

「好像去騎馬了。」關口說。

「不在嗎？那事情就簡單了。那種蠢貨在場也只會礙事。最好從馬上掉下來翹辮子，才是造福世人。那……」

關口先介紹久住。

「啊，原來韭菜支柱是……久住先生啊。這下終於懂了。爽快了。那邊那位是……」

「敝姓綠川。」

綠川簡單說明來歷。她以為會像平常那樣，被說長得像小孩，沒想到——

木場只說了句「妳也真是遇上了麻煩事吶」。

「是很麻煩沒錯。」綠川說。

「光是跟公所打交道就夠麻煩了，還被那個偵探小鬼跟這個關口糾纏，簡直是天降橫禍。那邊的韭菜——不對，久住先生嗎？你也是，找錯討論的對象了。」

登和子沒有殺人啦——木場說。

「果然是這樣嗎？」久住說。

木場說他和登和子本人談過，還向登和子親戚的佛具行和住對面的塗漆師傅打聽了狀況。他說的師傅，似乎是前天綠川遇到的婦人的丈夫。

「丑松先生就是那個人嗎？」她問。

「你們見過他吧？」木場說。

「是的。不過，感覺他記得不是很清楚？」

「一開始是很模糊。有很多不確定的地方，感覺是再三反芻，漸漸清楚了。噯，這些事跟日常生活又沒有關係，一般不會記得的。」

「是……回想起來了嗎？」

「平常不會想到，但也不是忘記吧。這種事是會想起來的。」

久住和關口對望一眼。

「要是十五年以前的事記得一清二楚，一問就倒背如流，那才有鬼呢。」

根據木場整理的內容……

首先登和子的生父田端動在昭和十三年三月六日做了死亡登記。木場好像在上午去公所查過了，沒有錯。和體檢表上的日期也吻合。

登和子慘遭蛇吻，是那三天前的事。

這也和木場問到的一樣。木場說，他打聽到登和子當時昏睡了將近一個星期。

光是這些，就能洗刷她的殺人嫌疑了。

蛇在冬季期間，都在土裡冬眠，但三月就會開始活動。三月初旬這個時期頗為微妙，但即使正在冬眠，若是受到刺激，就會逃跑或咬人。

塗漆師傅說他看到登和子遭咬之後的場面。

登和子……

手裡好像**抓著**蛇。

登和子不是被蛇攻擊，而是**不小心抓住了**剛剛冬眠醒來、動作遲緩的蛇吧。

雖然被咬……她仍然沒有把蛇放開。

也許幼小的登和子無法理解出了什麼事，陷入了恐慌。

所以才會被咬了好幾處。病歷上也記載身上有多處咬痕，這部分也沒有矛盾。

好像休養了一個月才康復。

久住再三點頭。

這也等於證實了同事女僕說的，登和子應該知道蛇的觸感。

然後。

登和子好像聲稱，她拉扯了纏繞在沉睡的田端勳脖子上的帶子一端，還說另一端在母親手上。木場說從狀況來看，這實在不可能。縱然真是如此，同住的外祖母怎麼可能毫無所覺？

假設如同登和子所說，那就是一家人聯手謀殺不事生產的女婿丈夫，但從登和子一家後來的生活樣貌來看，木場說不可能是這樣。

綠川覺得木場的推理很有說服力。最重要的是，木場見到了登和子本人。見到她，和她談過，根據談話的感覺，堆砌打聽到的情報，做出了這樣的結論。

綠川認為這部分可以信任。

當然，世上應該也有人會逼迫幼童協助殺人，事後也滿不在乎地生活。但至少木場從登和子身上感受不到這樣的氣味吧。

——不過。

另一方面，田端勳是在儲藏室上吊自殺這件事，眾人似乎也都深信不疑。木場說佛具行和塗漆師傅對此都沒有懷疑的樣子。

然而。

「他的死因並不是上吊死亡啊。」

綠川這麼說，木場回應「我就這麼猜」。

「什麼意思？」

「登和子就躺在家裡的工作場——木地板房間。她一直在那裡，她爸死掉那天也是。登和子是不是……在那裡看到了？」

「看到什麼？」久住問。

「登和子說她記得她爸就躺在她前面。還記得脖子上纏繞著博多腰帶。然後她拉了帶子一端。很顯然的，那時候田端勳已經死了，否則不太可能出現這樣的狀況吧？」

「會不會是喝得爛醉？」

「所以說，不管是爛醉還是睡著，脖子被勒住都會痛苦掙扎的。聽著，登和子那時候處於接近意識不清的狀態。但她記得那麼具體，表示一定看到了什麼。從意識混濁中醒來，看到眼前有條帶子，伸手拉扯，這應該是事實吧？」

「她抓著蛇就這樣昏迷，醒來的時候，又抓住手邊的帶子嗎……？那樣的話，也難怪她會把蛇和帶子混淆在一起……」

木場打斷關口的話：

「我不是在說那些。我不知道後來那姑娘的精神狀態怎麼樣，我又不是專家，不可能懂。那些不重要。我在說的是……」

那當時的事。

「一個意識模糊的小孩子，就算醒來了，也不可能是朝氣蓬勃地醒來吧？應該會是半睡半醒那樣吧。迷迷糊糊，抓住眼前的東西……到這裡都沒問題。問題是，那條帶子的前端連著父親的脖子。不管怎麼想，父親都是昏迷了，要不然就是死了。」

「嗯，唔。」關口含糊不清地回應。「不是……正在殺人的當下呢。」

「就是吧？假設人已經死了，我覺得不可能是母親跟阿媽共謀殺人。理由……可以想到很多，但最重要的是，我剛才也說過……」

「是後來一家人相處的情形呢。」綠川說，木場同意。

「而且登和子的母親很快就再婚了，也生了弟弟和妹妹，老太婆也一直活到前天。一家子普普通通地過了十五年。日子似乎過得很拮据，但還是很普通地過生活。殺了一個人卻……不，或許是辦得到，但就算是這樣好了，那更不可能都沒有對登和子說什麼。如果知道登和子目擊到殺人，會就這樣丟著她不管嗎？如果要她幫了忙，更一定會在事後設法封口吧。」

「但她失去記憶了啊。」關口說。

「所以說，怎麼會知道她不記得？覺得那是五、六歲睡昏頭的小孩子，不會怎麼樣嗎？但她可不是連話都不會說的小嬰兒，誰曉得她看到了什麼、記住了什麼？可是，要是叫她不可以說出去，豈不是此地無銀三百兩？這種狀況，不是教人提心吊膽嗎？怎麼可能安心過日子嘛。」

「那，所以是怎樣？」

「所以說，那不是殺人。就算被看到了，根本沒有殺人的話，應該也不怎麼會放在心上吧。」

「那，那是在做什麼？」

「應該是在布置。」

「布置什麼？」

「死因啊。」木場說。「田端勳不是被勒死，也不是上吊死亡，對吧？綠川小姐。」

「如果相信叔公的紀錄的話。」

「那就是在布置成自殺。田端勳那時候身體好像已經很糟糕了。不光是消瘦憔悴，甚至連人格都變了的樣子。聽說他對家人動粗，但我猜想那有可能是因為精神錯亂的關係。登和子被蛇咬的時候也是，把她帶去妳叔公那裡的好像也是田端本人。田端實在不可能虐待女兒。」

「這……樣嗎？」

「對門的老爺子說，登和子被蛇咬的時候，田端就在她旁邊。老爺子好像以為，田端是自責自己跟著卻發生這種事，才會上吊自殺。確實，那個時候登和子在鬼門關徘徊。不過……」

人還沒死啊。

「要是女兒死了，追隨她去……這可以理解。可是女兒好像快死了，所以做爸的先走一步，有這種事嗎？」

「會不會是相信已經沒救了？」

「關口你啊，這再怎麼說都放棄得太快了吧。」

「叔公應該不會說沒救了這種話。事實上人也救回來了。病歷上明記著是山棟蛇，表示很快就查到蛇的種類了呢。說被蛇咬著送進診所，應該是真的。我想是以最快的速度做了適當的急救，所以才能轉危為安。」

「就是吧？第三天眼睛就睜開了。聽著，關口，就算人沒死，要是留下了一輩子的殘疾，或許也會想要負起責任，但根本沒這種事。看到女兒一天比一天好起來，誰會去上吊啊？」

所以那不是自殺也不是他殺——木場說。

「我沒有證據。沒有證據，不過……」

「先不論死因，但田端勳先生極有可能遭受到放射線傷害。當然，前提一樣是叔公的紀錄是真實的。」

「重點就在這裡。有人有必須隱瞞這個死因。我認為就是因為這個人的委託，登和子的母親和外祖母，才會把田端的死布置成自殺。所以她們在死掉的丈夫脖子上纏繞帶子，就在這時候……」

「櫻田小姐醒來了？」久住問。

「應該就是這樣吧。這樣的話……如何？」

「如何……？」

「你們啊，登和子不是說那時候母親的臉變得就像蛇一樣嗎？」

「正在殺害自己的配偶，表情當然很可怕吧。」

「所以說，關口，如果人是母親殺的，登和子看到的時候，早就殺完了。」

「就算是這樣……」

「你想像一下。」木場說。「小孩意識不清在昏睡，旁邊的丈夫突然死掉了，然後老婆用帶子纏繞那屍體的脖子。」

「嗯。」

「神情不可能普通嗎？」緣川說。「雖然不知道是被人逼迫、收買，還是有什麼樣的理由，但即使那是枕邊人，有些人光是碰到屍體，就會厭惡到不行呢。」

「就在這時，小孩子睜開眼睛，迷迷糊糊地拉扯帶子……我實在不曉得這種時候到底能擺出什麼樣的表情啊。」木場說。

「唔，不管那是什麼樣的表情，都只是年紀還小的登和子小姐看了很害怕而已吧。那是登和子小姐的感受。再說，表情又不能當成殺人的證據。這完全不能當做判斷的材料，所以在這上面糾結也沒意義。」緣川說。

「說得很白，但就像妳說的。」木場說。

「這我是懂了，可是大爺，那……你是說外祖母和母親兩個人一起把屍體吊到儲藏室嗎？做得到嗎？」

「沒必要真的吊上去。把屍體搬到儲藏室，叫警察，說發現人吊在那裡，所以把他放下來就行了。雖然她們也有可能真的努力把人吊上去了，但那不重要。重點反倒是……是誰要她們這麼做的？」

「無法想像呢。」關口說。「確實，殺人和把已死的人偽裝成自殺，罪行程度不同，但就算偽裝，也很快就會曝光了吧？警方沒那麼遜吧？要是這樣就能矇混過去，豈不是愛怎麼殺人都行了？」

「不是這樣的，關口。」緣川說。「首先，那是病死，所以沒有外傷。而且死亡證明書叔公應該寫好了。這樣就可以去辦死亡登記，也可以拿到埋葬許可了。」

「可是佳乃小姐……」

「我不曉得當時是不是火葬，但也可以拿到火葬許可。不必向警方通報不明死亡，直接就可以下葬。所以我猜想，必須騙過去的對象，只有鄰居吧？再說，如果是會委託家屬做這種違法行為的人，應該也會幫忙善後吧？」

「好像沒有辦葬禮。」木場接口說。「連墓都沒有的樣子。所以應該就像這位女醫生說的吧……啊，不能叫女醫生嗎？」

「我不在意，而且大家平常都這麼叫，但也許有些人心裡覺得排斥。木場先生似乎也很善體人意呢。」

「我就是懶得體察人意，所以才問清楚啦。我去年被一個麻煩的傢伙糾纏上嘛。而且我跟妳是第一次見面，不曉得該怎麼稱呼。」

看來性情與榎木津南轅北轍。

「總而言之，田端動的自殺是偽裝的。然後登和子、她母親還有阿婆，都沒有殺害田端。」

久住大大地吁了一口氣：

「這樣啊。那……登和子小姐她……」

「我還沒跟她說細節，但她已經冷靜下來了。守靈和葬禮都好好地辦完了。」

「這樣啊。」

太感謝您了——久住向木場行禮。

「雖然我來道謝也很怪……」

「久住先生，剛才榎木津先生說，這樣才解開一半而已。」綠川說。

「可是……」

「你的擔憂或許已經消除了。不過……」

「沒錯。雖然我不曉得那個笨蛋說了什麼，但是這……才一半而已吶。問題是，是誰為了什麼目的要她們這麼做。聽著，田端是塗漆師傅，而且十六年前已經死了，然而卻到現在都還有麻煩的東西纏著他不放。」

「是說鄉嶋先生嗎？」

「妳知道？」木場說，睜大了細小的眼睛。

「我好像也是他監視的對象……還是證人？」

「啊，因為診所的關係嗎？關於那間診所，妳知道多少？」
「什麼都不知道。」綠川說。「謎團好像反而更深了呢。」
「會嗎？唔，登和子的事，有幾個令人介意的角色。首先是女人。」
「女人？」
「登和子還有親戚的佛壇行，好像都以為那是田端在外頭包養的女人，不過似乎不是。登和子被蛇咬的時候，那個女人也在現場。聽說把登和子和田端帶去妳叔公那裡的，也是那個女人。」
「咦？」
「診所以前有女人嗎？」木場問。
「就說我什麼都不知道了。是護士嗎？」
「穿著華麗的和服、打著陽傘的美艷護士……這應該很罕見吧。」
「美女的話，應該是有吧？」
「或許啦。總之，那個女人知道那間診所。聽說在那之前，那一帶的居民根本不知道那種地方有診所。」刑警說。「就連住得最近的丑松都不曉得，可是女人卻知道，明明她又不是村裡的人。丑松說是在蛇咬風波之後，附近的人才知道那裡有醫生，漸漸有人去看病。」
——原來是這樣嗎？
也就是說，櫻田登和子是第一號病患嗎？那麼在那之前，叔公就只是在那裡為人進行定期體檢而已吧。
換言之，那裡……
根本不是什麼診所嗎？
「而且，」木場接著說。「那個女人似乎介紹了不好的工作給田端。」
「什麼叫不好的工作？」
「不曉得。可是丑松看到田端跟女人密會，田端叫他別說出去，登和子也被交代要保密。登和子被吩咐保密之後，馬上就被蛇咬了。而且那個女人……」

木場豎起粗壯的食指，不知為何指向綠川。

「是從被收購的地方來的。」

「咦？也就是……她住在被收購的地區？」

「我不曉得是不是住在那裡。這是我猜的，女人會不會是據信在八王子燒死的夫妻的老婆？」

「這，太沒頭沒腦了吧。關口先生、久住先生，你們聽得懂這是在說什麼嗎？比榎木津先生說的話還要莫名其妙。」

「別拿我跟那種混帳東西相提並論，我會沒臉面對祖先。」木場氣呼呼地說。「也難怪你們不懂，因為我還沒說嘛。我啊，根本不是來調查櫻田登和子的。我是被狸子拐騙，跑來日光尋找消失的三具屍體的。」

接著木場刑警……

道出了離奇神祕的二十年前的怪事。

「啊，那是……」綠川開口。

「什麼？」

「其中有一具屍體是從高處墜落死亡呢。」

「對啊，這怎麼了嗎？」

「其中一具遺體，應該是益田先生在找的寒川先生的父親吧？」

「什麼！」木場整個人往前傾。「怎、怎麼回事？呃，妳……」

「叫我綠川就好。唔……」

——可以說出來嗎？

榎木津的忠告令人介意。

「寒川先生的父親，在二十年前墜崖身亡。」

「哦，這件事……我也在警察署看到紀錄了。」

「警方接到通報，前往現場一看，卻沒發現屍體，好像是隔天早上吧，遺體被搬到那間診所。遺體……」

消失了一段時間。

「什麼？也就是人從崖上墜落，遺體被搬到東京，然後……又回來了？」

「聽說益田先生請教的退休刑警相信，那是特高警察所為。」

「特高嗎？我們係長也說，偷走公園遺體的八成是特高。不，就算是這樣，那個偵探小鬼……在找什麼？」

「他說是來找下落不明的藥局老闆寒川先生的。」

「來日光找嗎？」

「對……」

——說出來……真的好嗎？

「寒川先生是來解開父親的死亡之謎……」

這個謎團是不是另一個謎團？

「有個佛師……」

「不會是佛師笹村市雄吧？」

「好像就是那個人。」

「笹村怎麼了？說清楚！」

——可是。會混在一起。不。

「告訴你們，阻止了想要自殺的登和子的，就是那個笹村。然後笹村的妹妹，這間飯店的女僕笹村倫子，就是她讓登和子想起虛假的殺人記憶的。同時笹村也是屍體消失那天，在八王子葬身火窟的笹村夫妻的兒子。」

「這到底是怎麼回事？」

「然後……難、難道，桐山……」

「寬作先生嗎？」綠川回應。

「妳知道他！」

這樣就平手了嗎？綠川想。

猿（六）

山無比宏大。

築山從窗戶眺望著日光的群山——日光權現的雄姿。確實，人造物裡也會有神佛，但他覺得山就是神靈本身。

沒必要思考。

面對山，接納山。

——不對。

山就只是**存在**，人也只是**存在**就夠了吧。應該這樣就好了。

人以生命為三昧〔註一〕，以五感為智慧，修持戒定慧三學〔註二〕。因為成佛之路，唯有此途。所以才要精進、修行。

路途遙遠。

然而即使不修行，山便是止觀〔註三〕本身。

山只是山，山就是佛，也是神。

築山深思。他思考著。

在這個階段，築山已經遠離了佛道。他的思考並非觀，只是根植於強烈情感的執著。執著讓人忘卻三昧。因為它讓人忽略了省識生命。

根本之處，應該是恐懼和不安。築山公宣成了寒川秀巳內心疑團的俘虜。

荒誕無稽，荒謬可笑。不可能。

難以置信。不願相信。所以更是……

「怎麼了？」聲音傳來。「你怎麼了嗎？築山。」

回頭一看，是中禪寺。

「你有些不太對勁呢。是身體不舒服嗎？要不然今天我和仁禮來就行了，你回去休息比較好。」

「不，我很好。只是……」

說不出口。因為太荒誕無稽、太可笑了。

「只是有點累了吧。我身體很好。」

「你就是太認真了。」中禪寺說。「哦，其實昨天我花了一天，做了各種調查。今天打算去護法天堂後面──那些東西原本埋藏的地點查看。」

「現場勘驗嗎？」

「只聽說是後面，所以我一直以為是山裡還是哪裡……但又不是奧之院，護法天堂後方是路，對吧？隔壁不就是大護摩堂嗎？埋在那種地方……嗯，很怪。」

「也……是呢。」

「還沒檢查的儉飩箱也只剩下一箱了。現在想想，應該一開始就去調查出土地點的……但因為我是被委託鑑定文書，所以完全沒有想到這些。」

「哪裡……我才是……」

中禪寺在看這裡。被他看透了。

「你真的不太對勁呢。築山，仁禮說你太認真了，真的就是這樣。思考不是壞事，但想太多不好。」

註一：三昧也譯為三摩提、三摩地等，為佛教術語，意為定心專注於一樣事物，去除雜念。

註二：戒定慧三學為佛道所必須的三種實踐修行，為「持戒、禪定、智慧」。

註三：止觀為佛教術語，為止息外界妄念之意。

「怎麼會……？」

「聽著，答案這東西，思考之前就已經在那裡了。」

「這樣嗎……？」

「先不論對不對，但答案早就準備好了。思考也就是驗證這個答案正確與否。驗證之後，如果答案不對，修正就行了。不，應該要修正，這理所當然。」

「但……」

「築山。人很容易忘記，問題與答案是相等的。一加一這個算式，和二這個解答，是以等號連結在一起。兩者是一樣的東西。」

解答與問題，是以等號相連結的——中禪寺說。

「如果這兩者有一絲一毫的差異，不是問題錯，就是答案錯。算式單純的話，不管差異再怎麼小，都能立刻看出來，但算式一複雜，微小的差異就難以分辨了。因此驗證起來就格外耗費時間精力。」

「你想說什麼？」

「沒什麼，只是想太多的狀態，多半都**不是**耗費時間精力在驗證的狀態。」

「呃，你說的我不懂。那種狀態，不是才叫做想太多嗎？」

「不，耗費時間精力對答案的狀態，不叫做想太多。那只是持續在思考，並非想**太多**。」

「那……」

「由於遲遲驗證不完，所以想要在驗證途中改變問題或解答——所謂想太多，就是這樣的狀態。」

「意思是先有答案嗎？為了堅持錯誤的答案，而把問題扭曲成符合的樣子……」

「不是那樣的。先有答案，配合答案改變問題，這在邏輯上並沒有錯。解答與問題必須以等號連結，因此如果驗證結果有矛盾，就必須修正其中一方。也有可能做出來的結論，是解答是對的，但問題是錯的。」

「那麼……」

「所以說，不是改變驗證結果，而是驗證到一半，就想改變問題，或因為驗證困難，就想改變答案……

想太多就是這樣的狀態。這是迷惘，而不是思考。連正不正確都會迷失了。」

「嗯……」

「但只要從頭來過，就沒有任何問題。不過就是因為驗證困難，才會想要改變前提條件那些呢。然而往往又會想要保留先前的過程。應該用加法，卻用了乘法，所以得不到正確答案，但驗算太麻煩了，所以還沒算出答案，就先換掉問題，但又保留了乘法的部分。像這樣搞到最後，不管是問題還是答案都面目全非了。」

「這……我可以理解，但為什麼要跟我……」

「你是宗教家，同時也努力追求信仰，因此想要相信，這樣的感情我非常了解，但是想太多，會連相信的事物都迷失。」

「是……這樣嗎？」

「即使看不到答案，只要知道問題，答案便已經存在了。即使看不到問題，只要知道答案，問題就在那裡了。沒必要被迷惑。」

——不。

築山感覺，自己已經被迷惑了。

「有誰跟你說了什麼嗎？」中禪寺問。

「這……不，那跟信仰無關，跟這次的工作也無關。」

「如果想要把無關的現象重疊在一起理解，只會徒增混亂喔，築山。這幾年，我真是受夠這樣的狀況了。噯，我是老婆心切，才跟你提醒一聲。」

「嗯。」

核試驗。有人在製造放射性物質，進行人體實驗。在日光這裡……

太荒謬了。荒誕無稽。不，遠遠超越了這些。那種事……

不可能嗎？真的嗎？

中禪寺瞇起那雙會把人射穿的眼睛，說了句「噯，好吧」。

「不過，我想你最好休息一下。」

舊書商說道，進入工作室。築山就這麼在會客區的沙發坐下來。

——寒川。

寒川把**某樣東西**交給了築山。

四只信封——其中三封是私人信件，其中一封非常厚。好像是寫給三名員工的。剩下的信封印有神戶的律師事務所的名稱，似乎裝了文件，收件人和最厚一封一樣。

寒川整理好一切，託他以築山的名義，用掛號將這些信寄到寒川藥局。

當然，築山沒有拆開來看。但。

——寒川他。

已經**不打算回去**了。

不管是藥局。

東京。

日常。

還是此岸。

寒川秀巳大概已經不打算回到任何一處了。

築山這麼想。

寒川打算做什麼、往後要怎麼走下去，築山不知道。因為他什麼都沒問。還是應該說他問不出口？不是因為對毫不現實的事失去了興趣，也不是因為寒川看起來深信不疑。他是害怕起那雙已經逐漸染上瘋狂的眼睛嗎？

——不對。

現在餘下的這份情感。

接近嚮往嗎？

就像中禪寺說的，或許他累積了太多的疲勞。不可能是嚮往。築山怎麼會對那種……
這時安田過來了。咦？老師好像很累？她說著，端了茶給他。築山喝著茶，仁禮來了。
「咦，築山先生先到了啊。我站在住宿的地方等了好一會兒，都沒看到你出現。是我時鐘慢了嗎？」
「啊……抱歉，我有些放空，不小心經過，不知不覺就走到了。」
「怎麼會這樣？」仁禮笑道。「又不是害相思病的中學生。不，你那張臉比那還要糟糕呢，出了什麼事嗎？」
「我看起來……像出了什麼事嗎？」
「你一副遭遇法難（註）迫害的樣子。」
「或許吧。」築山說。
「中禪寺先生呢？」
「已經上工了。他看起來那麼不健康，卻精力旺盛呢。我真是不像話。」
「普通人都會偶爾不舒服的。不過築山先生怎麼看狀況都很不好，今天請回去休息吧。」
看起來這樣嗎？
「中禪寺先生也叫我回去休息。」
「那最好這麼做。還是負責人一定要在現場？」
「不，這是不打緊。中禪寺先生說等一下要去調查護法天堂後方。或許可以找到什麼線索。我很好奇，不想回去。」
「築山先生就是太認真了。」仁禮說。「唔，工作那邊，我們可以處理，你就在這裡休息一下吧。反正這裡不會有人來吧。」

註：法難指佛教遭到政權或其他勢力迫害的情形。

仁禮說完，也進去工作室了。

築山看著他的背影，想了起來。

寒川去哪裡了？

為什麼自己沒有追上去？為什麼沒有阻止？以常識來看，寒川說的都是妄言，他的推理都是妄想。不管有再多證據……

——證據嗎？

燃燒的石碑。

寫著神祕算式的紙張。

幾場神祕死亡。

迴旋加速器。

築山不知道那是什麼樣的裝置，也不知道是什麼用途。他不清楚那有多少價值、有多危險。那些都不重要。

——反正都是妄想。

不管那是什麼，都不可能有那種東西。寒川只是深陷妄想不可自拔。沒錯，說起來，什麼燃燒的石碑……

——真的有嗎？

若是有。

那會是。

「築山。」

中禪寺的聲音打消了妄念。

「我要去護法天堂後面了。寺方人員也會在場，所以你不用來沒關係。工作室那邊仁禮會顧著。他正要取出最後一箱儉飩箱裡面的東西，不過明天再開始檢驗就行了，你是不是回去休息比較好？」

「不，我想留到你回來報告。」

「這樣啊。好吧，我不勉強……但你才是別勉強自己啊。」

中禪寺說完出門了。

簗山喝完已經涼掉的剩茶，呆了片刻。口裡有茶葉的殘渣。他沒辦法吐出來，也沒辦法吞進去。

他也想過去工作室看看，卻站不起來。

他正這麼坐著，安田過來了。

「簗山老師。哎呀，你還好嗎？」

「嗯……」

簗山嚥下茶葉。

「真的嗎？噢，後頭來了個客人，要怎麼辦？」

「客人？誰？」

「哦，他問這裡有沒有叫簗山的人，說有事想要請教。」

「找我的？」

是誰？難道是寒川？不對……

「沒關係，我過去。妳說後頭，是後面的通行門嗎？」

簗山站了起來。

動搖的是精神，並非肉體衰弱，因此人應該沒事，然而站起來的剎那，他一陣天旋地轉。

簗山先去盥洗室洗了把臉，前往通行門。

走廊深處的門外有道人影。

影子的形狀很奇妙。

打開門一看，門外站著一名和服男子。打扮……看起來像巡禮者。

「請問……」

「您是……簗山先生嗎？」

男子的面容就像能的小面〔註〕。頭部以白木綿布紮成寶冠卷，因此影子的形狀才會顯得那麼奇妙吧。
「我就是築山，您是……？」
男子解開頭上的白木綿布，行了個禮。
「幸會，敝姓笹村，和寒川秀巳先生有些交情……」
「您是寒川先生的……」
「我正在找他。」笹村說。「他好像來到日光了，但我不曉得他下榻何處，也不知道他去了哪裡，正在擔心。」
「您……是不是二十年前過世的新聞記者的兒子？」
剎那間，笹村的表情變得可怕，但旋即恢復平靜，問：「是寒川先生告訴您的嗎？」
「他也沒有說得很詳細。」
「也就是說，築山先生認識寒川先生……是吧？而且最近才剛見過面。」
「是啊……」
「他在日光應該沒有朋友或認識的人。」笹村說。「所以我無法聯絡他，也沒有任何線索，正在為難。結果前天……星期六嗎？有人說看到像是寒川先生的人。還說他渾身髒兮兮、形容憔悴。所以我四處打聽，結果有人說看到像他的人走進咖啡廳。」
是相約碰面的店嗎？
「所以我詢問店家，店家說他很快就和一位剃髮的先生離開了。我再進一步四處打聽，賣便當的說可能是輪王寺的師父。」
「啊……」
築山在那家便當店買過幾次便當。築山剃了髮，但經常沒穿法衣，所以被問過身分。他覺得麻煩，自稱是輪王寺的和尚。
「不過說是輪王寺，裡面也有許多寺院和僧侶，所以我茫無頭緒……便向寺務所的人詢問了一下，他們說，應該是在這裡做調查的簗山先生。」

「嗯，因為我的樣子很半吊子嘛。」

外觀反映了內在。

是僧人，卻不是僧侶。

「因此我明知冒昧，卻還是來打擾素昧平生的您。或許您會感到疑問……」

但我別無他意——笹村說。

「我這副模樣，也不好從正門拜訪，因此從後門打擾了。」

笹村再次行禮。

「那……」笹村沒有直起身子，仰望簗山說。「您和寒川先生是……」

「啊，我們沒什麼關係，算是萍水相逢。笹村先生才是……」

——這個人。

應該看到了。看到那座燃燒的石碑。

簗山打住了話，注視著那張宛如能面的面容。

「哦，大概半年前吧，我因為奇妙的因緣際會，認識了寒川先生。後來也見過幾次面，還曾在日光這裡一起上山。」

「上山。」

在那裡。

「您看到了嗎？」

自己在問些什麼？那種東西是妄想。即使是真的，也和簗山無關。

註：小面在能中是童稚純真的年輕女子角色。

「您……聽說了嗎？」

「呃……」

「寒川先生告訴您了呢。」

「就是……」

「那座駭人的神岩。」

「他說……岩石在燃燒。」

「對。被火焰所籠罩。」

「岩石、石碑在燃燒嗎？」

「那是日光權現顯靈。」

「不，可是……」

「您要說那是迷信嗎？那麼，您信仰的是什麼？千手觀音、阿彌陀如來、馬頭觀音——祂們各別是大已貴、田心姬、味耜高彥根，亦即新宮、瀧尾、本宮——也就是日光三所權現，不是嗎？您認為這些神佛沒有靈驗嗎？那麼……」

您相信什麼？

「我……」

我相信什麼？

「石頭燃燒，這是不可能的事。但我也親眼看見了。石碑在燃燒。那裡是魔所，是不得踏入的禁地。神意不可違背，否則神靈……」

會降災作祟。

「作、作祟？」

「會作祟。」

「只是踏進那裡，就會被作祟嗎？」

「沒錯。神不理解人的邏輯，也不懂人的感情。沒有什麼人能理解的理由。打破禁忌，就必須受罰。不就是這樣的嗎？」

「可是，作祟……」

「您認為世上沒有作祟這種事嗎？」

——這。

有沒有呢？不明白。可是。

「您認為在這個科學昌明的時代，沒有神祕、也沒有靈驗嗎？您所信仰的佛教不是信仰嗎？是哲學嗎？還是倫理學？科學？」

「不，我就像您說的，是佛家子弟。我有信仰。所以……」

——我有信仰嗎？

「不，可是……」

「即使有信仰，也無法相信山會作祟嗎？那麼您為何拜佛？為何……」

會有現人神〔註一〕？——那名異人說。

「將那位崇高之人奉為崇高之人的根據何在？天皇陛下不是萬世一系〔註二〕的神明後裔嗎？所以這個國家才會將天皇陛下奉為至高無上，不是嗎？如果說世上沒有神明……」

「我沒有這麼說。我沒有這麼說，但……」

答不出來。

註一：現人神在神道教裡，即是以人類之姿顯現的神明，也就是天皇。

註二：萬世一系即永久延續的血統，一般指日本皇室自神話建國以來從未斷絕的血脈。

「您要說《關於新日本建設的詔書》〔註〕嗎？確實，陛下做出了人類宣言，承認現御神只是一種觀念。可是築山先生，這塊土地還祭祀著德川家康公。他也成了神。人不是也能成神嗎？那麼，神是什麼？為什麼要把家康公祭祀為神？」

「為什麼……？」

為了什麼？

「神是人創造出來的嗎？」

「呃……這……」

「我認為不是。人能夠創造的不是神，而是神的形貌。人能夠為神起名、為神塑造形姿。人可以創造出祭祀儀式、敬拜的規矩，也可以興建寺院和社宮。但也就這樣而已了。神……無法被創造。」

「人只能……做到這樣？」

「我的職業是佛師。我的工作，是刻畫出佛尊的形貌。但我並非在創造佛尊。那是已經**存在**的事物。」

「存在？」

「無論是山上、村落、大海、河川、屋中、田地，都有神。天地之間……一切萬象都是神。這個國家，不是自太古以來就有著無數神明的土地嗎？那麼，神果然是超越人類智慧之物。是應該崇敬、畏懼、跪拜之物。不對嗎？」

他說的應該沒錯。

既然如此——不，正因為如此。

「而那座燃燒的石碑，完全超越了人類的智慧。那完全是神意的顯現，禁止人繼續踏入、探查。然而寒川先生……」

「現在依然在調查……？」

「我很擔心他。」笹村說。「那是神明已經以神祕的靈驗禁止的行為，那麼就不能再繼續挖掘、探索，什麼都不能再碰了。寒川先生應該要回去東京，回到原本的生活。他不該再去到那裡。然而……」

「您是來阻止他的嗎？」

笹村那張面具般的臉對著築山：

「是我不期然地推了迷惘的他一把。結果我把他引到了日光這裡。我有責任。」

他怎麼了？——笹村追問。

「寒川先生現在在哪裡？」

「我不知道。」

「他有沒有……不，他說了什麼？」

「他說了燃燒的石碑的事。不過，他似乎信仰著和你不同的神。」

「什麼？」笹村說，臉上第一次出現了像表情的變化。「這是……什麼意思？」

「他的神給了他不同的神諭。」

「不同的……」

那張面具般的臉有些驚訝失色。

「我不知道他想要做什麼。只是，他已經……」

不會回來**這邊**了。

「難道他又去了那個地方？」

「不知道。他看起來是想去。」

但寒川說他不知道怎麼去。不能從崖下爬上去吧。也就是說，可以去到崖下。

但築山沒有告訴笹村。

註：日本昭和天皇於一九四六年一月一日發表《關於新日本建設的詔書》，俗稱「人類宣言」，在其中宣稱天皇為「現人神」僅是架空觀念，否定自己的神性。

「大事不妙。那是什麼時候的事？」

「前天晚上。」

寒川離開的時候，都超過晚上十一點了。

築山沒有挽留。他沒辦法挽留。

「他……走掉了。去了哪裡，我也不知道。」

笹村沉默片刻，接著說「我知道了」。

「抱歉打擾您忙碌了。而且還對您說了無關緊要的事。謝謝您奉陪。」

笹村恭敬地行禮。

接著他又在直起身之前仰望築山。

「築山先生。」

「什麼？」

「真的有作祟這回事。我不清楚您對作祟有何想法，但……」

請您千萬小心——笹村說。

——作祟嗎？

也許自己遭到作祟了。

風稍稍染上了春意，但天氣仍稱不上和暖。然而築山卻大汗淋漓。

儘管如此，倦怠和疲勞還是淡去了不少。

回到會客室，有人在裡面。坐在沙發上。

只看得到後腦，但沒有印象。

似乎是一對男女。

安田看到築山，快步靠近，小聲——應該說是以氣音說：

「欸，築山老師，你是做了什麼壞事嗎？」

「壞事？這是什麼……」

「又有客人找你了。」

「咦？」

築山出聲，沙發上的男子起身轉向築山。果然是不認識的臉。

「啊……築山先生，是嗎？」

「我就是。」

「啊，那個……」

應是一道的女子也站了起來。神情有些不安。打扮很樸素，但應該才二十多歲。男方看起來更年輕一些，但這是因為他比較輕浮的關係嗎？

男子走上前來，哈腰鞠躬、卑躬屈膝地行禮，遞出名片說「這是我的名片」。

「偵探？偵探是……」

「是，我叫益田龍一，在東京的玫瑰十字偵探社擔任主任偵探。今天因為有些事情想要請教，不顧禮數，直接跑來您的職場。打擾您工作了，真是萬分抱歉。」

「噯，請坐吧。」

「那麼，方便占用一點時間嗎？啊，我要請教的問題很簡單。」

「所以說，請坐吧。」

築山在對面沙發坐下來。對方這麼滔滔不絕，他想回話都沒辦法。

「我就是築山公宣……有什麼事呢？」

「哦，是這樣子的，我們正在找人。這位是委託人……」

「敝姓御廚。」女子頷首道。

「御廚……」

「是的，這位小姐的未婚夫呢……」

等等。這個姓氏。

「御廚，是御用的御、廚房的廚嗎？」

「是的，這位是御廚……」

「冨美小姐……是嗎？」

這。

「您怎麼會知道？」偵探——益田瞪大了雙眼。

「不……那麼，兩位——不，御廚小姐，您是寒川藥局的……」

「呀！」益田叫了一聲。「您認識寒川先生嗎！冨美小姐，中獎了！中大獎了！怎麼樣？」

「什麼怎麼樣……」御廚苦笑著。

「您是……」

寒川的未婚妻嗎？

「寒川先生從去年年底就下落不明。所以……」

「這位小姐是寒川先生的未婚妻嗎？」

「呃，是啊。」

「那……」

——那封。

厚厚的私人信件。

還有印有律師事務所名稱的信封。

信封上的收件人姓名，是御廚冨美小姐。

「寒川先生把要給您的信件和文件託給了我。」

「什麼？」

「兩位是在咖啡廳和……便當店打聽到我的事嗎？」

應該和笹村一樣吧。築山的樣貌引人注意。

益田和御廚對望。

「前天我和寒川先生在一起。他……」

寒川他已經。

「這不是益田嗎……？」

背後傳來聲音。是中禪寺回來了。

「我聽說你到日光來了，不過你怎麼會在這種地方？」

「啊……中禪寺先生！對了，中禪寺先生是來這裡工作嘛。啊，真是太巧了……嗎？不過這裡是輪王寺，中禪寺先生在這裡是理所當然嘛。」

「兩位認識嗎？」築山問，中禪寺揚起一邊眉毛，說「雖然不想肯定，但也不能否定」。

「你那邊……有什麼發現嗎？」

「嗯……大致上明白了。看看仁禮那邊的進展如何，再調查個一天……兩天，就能確定了。」

「那個，中禪寺先生，其實我這邊也有重大進展，工作的事可以請你稍微延後一點嗎？**好像終於要連上了**。」益田說。

「那些**沒有關係**啊。」中禪寺說。

鵺（六）

鳥飛走了。

很大的鳥。綠川以目光追隨著那隻猛禽。展開的翅膀既優雅又勇壯。是鷹還是鷲？不知道種類。

錯過回去的時機，已經三天了。

她完全沒料到會在陌生的土地迎接女兒節〔註〕。雖然她也不是會慶祝女兒節的年紀了。

當然，也沒有做什麼。

關口和久住見到那名姓木場的刑警，益田和御廚見到姓築山的學僧。然後關口和久住得到在找的櫻田登和子的情報，益田和御廚也同樣得到了在找的寒川秀巳的情報。

然後綠川見到了築山以外的每一個人。

這件事，監視著綠川的鄉嶋恐怕也都知道了。

這樣……

就到齊了嗎？

那麼，絕對會變成**平手**嗎？

榎木津的話令人費解。但他不會搞錯。他從來不曾說錯。這次一定也是對的。

平手，是什麼樣的狀態呢？

榎木津也說，那就像是猜拳。所以也才會冒出平手這個詞，但猜拳的話，平手也就是不分勝負。

——不是嗎？

根本沒有人在對打，也沒有比賽，更沒有規則，所以無從決定勝負。沒有勝負，就沒有平手可言。

這種情況。

若是以勝負來比喻，會怎麼樣？
解開謎團——獲勝。
解不開謎團——落敗。
——會是這樣嗎？
那麼，平手就是……
不懂。
謎團只有解開或解不開這兩種狀態，應該沒有中間。
沒有似解非解這種半吊子的解決方式。那樣等於未解開。
不管得到多麼接近正確答案的數值，如果每次驗算都有誤差——即使是微小的誤差，就只能說是錯了。
榎木津還說，會動彈不得。那麼。
——對了。
猜拳是要一直比到分出勝負的。遇到平手，**就要一直比到不再是平手為止**。
——是這個意思嗎？
綠川尋思起來。
榎木津說「這次」。這次是指什麼？
發生了什麼事嗎？或是什麼事都沒有發生？
綠川自己只是來領取叔公的骨灰而已，沒有任何謎團。
但叔公居住的診所的權利那些十分模糊，因此手續等等變得有些麻煩而已。
結果她被放棄責任的公所順水推舟地委託處理醫藥品等危險物品及記載個人資訊的文件。她不知道這在

註：日本的三月三日為女兒節，也稱為桃花節、雛祭。

法律上是否恰當。

這項工作也結束了。

所以她在這裡已經沒事了。

不過，中間確實夾了一場火災——縱火這意料之外的犯罪。

凶手尚未落網，但根據築山這個人的說法，寒川秀巳似乎承認是他放的火。御廚也在現場附近目擊到疑似寒川的人，因此寒川就是縱火犯的機率很高。

接下來就是警方的工作了。

綠川算是受害的一方，但其實因為縱火而省去了燒文件的麻煩，因此不管寒川有沒有被抓，對她都沒有影響。即使寒川就是縱火犯，她對動機也不感興趣。

所以，事情都結束了。

說到綠川面對的謎團，就是叔公綠川豬史郎在這塊土地長達二十年的生活。

還有叔公的……感受。

感受不可能明白。

死人的心情，是無從推量的。即使是活人、即使能面對面交談、能問出再詳細的細節，也無從窺知對方的內心。遑論死人的感受，任憑如何推敲都不可能懂。終歸只能是想像。

但。

或許可以知道叔公在日光這裡做了什麼。他為何、為了什麼目的來到這裡、做了什麼，然後迎接了人生終點……？

不存在的虎子是什麼？

叔公放棄了什麼？

渴望著什麼？

這些是謎團。

或許……能夠知道它的謎底。

完全沒必要知道。但若是能夠，她想要知道。

因此綠川才沒有回去，到現在還留在日光。

那麼關口呢？

這次關口只是個旁觀者。他只是關心偶然結識的久住加壽夫而已。

關口自己應該有某些想法，但那也只是把他過去體驗到的某些事，和久住現在的境遇重疊在一起而激發的感傷吧。關口只是在重複體驗過去的記憶和感情，與現在發生的事沒有任何關聯。

關口沒有任何謎團。

那麼，那個久住呢？

久住只是聽到櫻田登和子告白的可怕情節，被攪亂了心緒罷了。他自身並沒有非探索不可的謎團。

久住的苦惱，來自於將登和子的告白當成事實，預期這會是相當棘手的事。這是久住內心的問題，不是他人能夠干涉的。

硬要說的話，是可以說登和子的告白真實與否，是個謎團。但登和子的告白，由於木場的調查以及診所留下的病歷，幾乎被徹底推翻了。感覺登和子自身對這一點也有某程度的自覺。

久住的苦惱形同已經消失了嗎？

不過。

還留下登和子為何會被虛假的記憶支配的問題。而且那段虛假的記憶，是弒父這極為駭人的內容。

加上登和子的父親——田端勳的死亡有諸多不自然之處。從病歷上得知的田端的死因是病死。然而相關人士記憶中的田端之死是自殺。

那麼，有可能是登和子的母親及外祖母，將田端的死偽裝成自殺。

神祕女子的存在也無法忽視嗎？

御廚又怎麼樣呢？

御廚只是在尋找失蹤的未婚夫寒川。她想要知道的——她不明白的——謎團，就只有寒川的下落，或是安危。

此外的事，對御廚來說應該都是旁枝末節。關於寒川，包括他失蹤的動機在內，有許多不明之處，但這些只要找到人之後，向本人問清楚就行了。只要找到寒川本人，一切都解決了。

那麼益田呢？

益田受御廚委託，為了工作而尋找寒川，如此罷了。對益田來說，謎團就只有寒川的下落，此外的事，他應該比御廚更無所謂。只要找到寒川，益田的工作就大功告成了。

然而益田在四處打聽線索、追溯寒川足跡的過程中，似乎承接了屬於寒川的謎團。

寒川秀巳的謎團，也就是關於他父親死亡的種種矛盾，以及他的父親過去在日光做了什麼、找到了什麼。

綠川覺得寒川和自己一樣，應該都是想聽到死者的聲音。想知道死者的感受。

寒川人還沒有找到。

但寒川失蹤期間的行動，由見到他的退休刑警木暮，以及同樣見到他的築山印證了。

寒川本人的謎團，在寒川內心已經解開了。姑且不論正不正確，總之寒川相信那就是正確答案。

而益田和御廚應該是被寒川的意志拖著走。為了找到寒川，他們必須貼近他所找到的真相。因為既然寒川相信那就是答案，並據此行動，即使那是虛假的還是錯誤的，都沒有影響。

另一方面，木場在追查的應該是迥然不同的謎團。木場是為了追查據說二十年前從芝公園消失的三具遺體之謎而來。

但這個謎團的部分解答，由益田和御廚提供了。消失的遺體之一，似乎極有可能是寒川的父親。

假設這就是事實，木場手中的謎團就可以大幅縮小吧。

也就是剩下的兩具遺體的身分……以及為何要做出如此離奇的行動的理由。

——理由。

不同的謎團，在這裡相交了。

那個地點發生過什麼事嗎……？

那是與登和子的父親之死有關的謎，也是與寒川的父親之死有關的謎，同時亦是綠川追尋的與叔公的大半輩子有關的謎。

然後。

也是鄉嶋想要揭露的事嗎？

——是這樣的嗎？

這樣就對了嗎？

與一切現象有關的人。

桐山寬作。

以及笹村市雄和倫子這對兄妹。

綠川見到了桐山。聽說築山見到了笹村。

築山公宣……

築山是一名僧侶。好像在輪王寺工作，但又說並非輪王寺的僧侶。聽說他受託調查境內出土的古文書。

中禪寺也參與了那場調查工作。

綠川沒有見過築山這個人，因此完全不知道築山在想什麼、追尋什麼。她無從得知。

照一般來想，對築山而言的謎團，就是他在調查的文書吧。

除了偶然遇到寒川之外，他與這件事毫無關係。

應該。

但是從益田的描述聽來，築山顯然**失常了**。築山是否從寒川那裡承接了某種瘋狂？

不清楚。但從立場來看，築山依然與此事無關。她認為築山與寒川的關係，是關口與久住的相似形。

那麼，就如同關口如此，築山也是無關的局外人吧。

只是，既然笹村市雄去找了築山。

築山再也不能說是局外人了嗎？

那麼，築山也是這次被放上棋盤的棋子之一嗎？雖然不曉得是三足還是五足鼎立。

綠川還看不出其中的關聯。

也覺得只是毫無瓜葛的、純粹的巧合。

——中禪寺呢？

綠川沒有見到中禪寺。

明明就在這麼近的地方。

鳥又飛了過去。

像這樣整理一看，她開始覺得所謂的謎團，全部都集中在那間診所再過去的區域過去究竟**在做些什麼**。

她也覺得，只要明白這一點，一切都會撥雲見日。

這樣就行了嗎？

這不會正是榎木津說的**平手**嗎？

但不論是益田、御廚、關口、久住、木場，大概築山也是，對於把它視為謎團，大概都不抱疑問。鄉嶋、還有這麼想的綠川自己，也選擇了把它視為謎團。

人工放射能物質的製造，以及測量其對人體影響的實驗……

這是再合理不過的推論，同時也是極度脫離現實的胡言亂語。

綠川的日常，沒有這種東西介入的餘地。

若覺得它合理，是否表示果然錯失了什麼？不過目前沒有能夠否定的材料，印證的情報卻從四面八方探頭招手。因此即使可笑、即使荒誕無稽……

——還是會相信嗎？

當人發現難以置信的事物時，或許會**因為不願相信而信服**。

聽說人只會看到自己想看的。人就是把想看到的事物連接在一起，打造出自己想看到的、只屬於自己的世界，藉此苟活於世。

不想看到的東西不是不去看，而是看不見。

因此不小心看見難以置信之物、不願相信的事物時，人就會混亂。

因為那並非不想看的東西，而是之前都看不到的事物。看不到的東西突然冒出來，在某個意義上是很可怕的。因此人為了去否定它……

開始埋頭尋找與它相關的事物。

那種東西，要多少就有多少。

結果就變成眼裡只有它。看到那麼多、將那麼多的事物相連在一起，就會看見截然不同的另一個世界吧。如此一來，先前眼裡的事物，現在全都不見了。

然後人就會誤會。

誤會**這**才是真相。

根本沒有這種事。

任何一邊都不是什麼真相。

只是人原本就打造出偏頗的世界，恣意活在其中罷了。問題是，有些時候會因為某些契機，不只一個人相信了相同的偏頗認知。

這樣的例子裡，有時背後有某些人的意志在操弄，因此特別棘手。無憑無據的胡說八道，和不值一提的荒謬說法有時會廣受支持，橫行於世，也是相同的道理吧。

日光的荒僻之地，有祕密打造的帝國陸軍放射性物質製造廠，那裡長年進行人體實驗——這類極端陰謀論的離譜胡言亂語，原本應該要被付之一哂的。

可是。

結果。

包括綠川在內，這次牽扯進來的人們，大部分都無法否定這番胡扯。

理由……大概不是因為證據陸續浮現。確實，只要探索、挖掘，就能找到煞有介事的佐證或言論。但這是因為他們，以及綠川，都只看到找到的東西而已。是因為想要看見吧。所以此外的東西……

——都看不到了。如此罷了。

這樣的偏頗，或許是起因於想聽到死者的聲音這種極度無意義的動機。

登和子的父親。寒川的父親。以及叔公。

再也見不到的人們。

棲息於過去的亡靈。

盤踞在記憶中的懷念之人。

綠川在尋找他們生活的場所。回溯過去，翻找記憶，試圖填補缺少的什麼。然而不可能填補。過去的時光再也不會復返。根本就沒有的記憶，無從填補。

白費工夫。

可是。

還是想見面吧。

這樣的情緒，將某些東西覆蓋、隱藏起來了。

到底是看不見什麼，綠川也不知道。

是想要見到幽靈嗎？

——怪物的幽靈。

鄉嶋這麼說。

久住也這麼說。

久住說那是指鴖。鴖，是那個嵌合體般的怪物嗎？或者是以那哀淒的聲音啼叫的鳥？

綠川在飯店門前仰望著天空。

已經不見鳥兒飛翔了。

綠川站在日光榎木津飯店前。

儘管是平日，土地裡卻充斥著符合旅遊勝地的氛圍。對外國觀光客來說，星期幾不是問題吧。事實上十分熱鬧。

前天來訪時沒有發現，但大廳旁邊擺設著有許多層的女兒節娃娃祭壇。高大的美國男女滿臉歡笑，拍了好幾張照片。好和平的景象。如果這就是日常……

——不對。

她認為將日常與非日常分開來看待沒有意義。這種東西只存在於概念當中。現實永遠就只是現實。定義為非日常，分割開來，只不過是玩弄文字的逃避。

若有什麼非日常的狀況，那麼它總是像疊影一樣，與日常共存。

如果是十年前，這樣的景象應該是非日常。當時雙方彼此辱罵是鬼畜英美、小日本，殺個你死我活，根本無法想像美國人笑容滿面地欣賞女兒節娃娃的場面吧。

不是變了。十年前，這些人應該也具備欣賞異國人偶的素養。或許現在也是，只要手上有槍，就會彼此射殺。要看見什麼，是觀者的選擇。對於凝視著過去的人而言，這幕和平的情景才是非日常吧。

昨天。

綠川一直待在旅舍裡，可以說幾乎什麼都沒做。她只是在反芻兒時和叔公的記憶、和榎木津及中禪寺共處的時光……儘管這些都十分短暫。

昨天的綠川，只看到過去。

到了傍晚，關口意外來訪，兩人一起用了晚飯。

關口把各人的動向告訴了綠川。

益田似乎跑遍日光各處尋找寒川。因為至少直到幾天前，寒川確實都還在日光。益田幹勁十足，說一定可以輕易找到他的蹤跡，但似乎鎩羽而歸。

但不知為何，御廚似乎沒有同行。御廚好像待在旅舍。是和綠川一樣，在緬懷過往嗎？

久住好像也沒有離開飯店。久住已經知道了應該要知道的事，這是當然的吧。但他似乎完全寫不出劇本。

木場去了日光警察署和公所，好像查了資料一整天。關口說，木場這個人目標愈是具體，愈能發揮他的能力。對木場來說，解謎不可能是目的。解謎只是為了釐清對象的附帶行為。

關口自己則是被榎木津邀請——應該說是被強迫——騎馬。

但騎馬似乎不是免費的，結果關口只是鬱悶地觀看馬上的榎木津而已。關口說榎木津每次騎過他前面，就不厭其煩地嘲笑：「窮人騎不起～」

「我習慣了。」關口笑道。

榎木津就像他說的，這次打算完全貫徹局外人的角色吧。

中禪寺呢……？

綠川問，關口回應「他應該看出什麼了」。綠川又問「他看出什麼了？」，關口說「當然是關於他在調查的古文書」。確實，這理所當然。

沒錯。中禪寺也跟這件事**無關**。

然後。

今天綠川被關口找來了。

關口說相關人士要齊聚一堂，交流情報，但所謂的相關人士是怎麼個相關法，實在很模糊。經過一番整理之後，剩下的謎團就只有一個：那陰謀論般的天方夜譚是真是假？因此關口說的相關人士，指的是與那塊被收購的土地的謎團有關的人。

綠川也不算無關。

綠川猶豫了一下，但決定參加。

向櫃台詢問，櫃台說今天會客室也被包下了。榎木津似乎完全把哥哥的飯店當成自己的了。

會客室裡，一臉陰鬱的關口，和同樣表情不甚開朗的久住面對面坐著。看上去很凝重，似乎是聊到久住的工作。

「一個字都寫不出來。」久住說。「不是下筆遲滯、文思枯竭這些問題，而是完全捉摸不著。」

「畢竟那是鵼啊。」綠川說。「鵼不就是不明底細、莫名其妙的東西嗎？是用在這樣的比喻上。」

「唔，是啊。但不光是這樣，還是那莫名其妙的東西的幽靈呢。叫做『亡心』。」

「哦。」

是怪物的幽靈啊。

「怪物的鵼夜復一夜現身，危害天皇的健康，對吧？首先這理由就令人不解。原文說，『吾本惡心外道妖，欲破佛法及王法』，所以應該是反體制，或者說擁有邪惡的意志吧……」久住說。

「不是這樣嗎？」綠川問。

「但幽靈不是因為有遺憾、有未竟的心願，才會出現的嗎？」

「唔，一般是這樣吧。雖然世上應該沒有幽靈。」

「那麼，鵼就是因為想要傷害天皇、妨礙佛法的當初目的未能實現，所以現身作怪——雖然本來就是怪物，總之變成了幽靈，停留在現世，是不是這樣？」

「唔，照道理來說是這樣呢。是不是被消滅之後，洗心革面了？」綠川說。

「那樣的話，不是應該超度成佛嗎？」關口說。「雖然我不知道那樣的怪物能不能成佛，但至少不可能留下遺憾吧。」

「也有說法是，鵼被消滅之後，被放入空舟，流放大海呢。傳說它就這樣在大海漂流，漂到了蘆屋……」

「我記得京極堂說過，有傳說還是古紀錄說鵼漂流到蘆屋。蘆屋好像有鵼的墓。」

「墓？那種怪物有墓嗎？」

「也不算墓，是塚吧。記得京極堂是說，進入明治時期以後建了碑。」

「碑啊……」

也就是說，人們連這樣的東西都會祭拜供養嗎？

「如果那是人，不就是恐怖分子了嗎？雖然人的話，就算是罪犯也有人權，而且俗話說死即成佛，所以供養或迴向是可以理解，但那是怪物吧？會幫忙建碑，留傳後世嗎？」
「這麼深入的事我不清楚……但京極堂是這麼說的，所以應該是事實吧。」
「應該吧。在能裡，鵼的亡靈在蘆屋的海濱懇求行旅的僧人為它迴向。聽完緣由之後，僧人誦經，於是鵼消失在海中……還是虛空？我覺得那不是反省了或是洗心革面呢。那麼，那到底是怎麼了呢？」
「這……」
也就是聽到了死人的聲音嗎？
「一定要用人的邏輯去思考嗎？」
「人的邏輯？」
「佛教是為了救人吧？還有什麼？天皇？這些身分或階級，也是只屬於人類的吧？對於人外之物，這些都沒有意義吧？」
「那……」
「是啊……」緣川沉思。「怪物無法用人的邏輯去度量。不管是要天皇的命，還是背棄佛法，那……都不是惡意。
「鵼會不會單純就是這樣的東西而已？神靈作祟也是一樣的吧？是無法溝通的。可是……」
變成幽靈的話。
——對了。
「幽靈這東西，活人看得見，對吧？」
緣川問，兩人對望。一定是覺得她在問什麼天經地義的問題吧。
「可是世上沒有幽靈吧？」
「不曉得耶。應該沒有吧……」
「一般都說幽靈是因為有怨恨或遺憾才會出現，但不是這樣的呢，因為根本就沒有幽靈。幽靈是活人為了與死人溝通而造出來的裝置吧？」

「意思是……？」

「就是，對於死人，無論如何都是不可能交談的，關口。不管是掃墓上香還是祭拜佛壇，都只是覺得好像交談了，其實一切都是生者的想像。只是生者想要如此相信罷了。」

「真是太極端了。」關口說。「就算這麼想，也很難說得這麼決絕。」

「因為……要是我叔公的幽靈可以現身，我們就不必煩惱，也不必在這裡查東查西了。叔公在那裡生活了二十年，應該知道一切。不管是謎團的答案還是祕密，全都知道。」

「可是，佳乃小姐的叔公……」

「是啊，他應該沒有留下任何怨恨。不過我覺得他應該充滿了留戀。」

他真的放棄了嗎？

「但……他還是沒有現身呢。」

綠川已經把叔公的骨灰罈擺在枕邊起居一個星期了，但是她沒有上香，也沒有膜拜。感覺叔公應該要生氣沒有獲得祭拜，出來罵她才對。

「幽靈一般是不會現身的。所以才會加上條件，像是極度怨恨，或死於非命，來提高門檻吧？就算是這樣，即使是遭到殘忍殺害的人，也不會變鬼出來啊。要是死者能變成幽靈現身，馬上就能知道凶手是誰了，要不然也可以直接去作祟凶手。」

雖然關口可能已經遭到了作祟——綠川說，關口發出難以形容的怪聲。

「人一旦死去，就再也無法溝通了。死人的聲音聽不見。但是變成幽靈的話，就可以交談，對吧？也就是說，幽靈是為了和無法溝通的對象溝通的裝置……不是嗎？」

「嗯……」

「怪物的話，根本就無法溝通。所以才**特地讓它變成幽靈**，是不是這樣？」

久住嘴巴微張。

「雖然我沒看過能啦。我缺乏文藝生活。不過，能裡有很多幽靈嗎？」

「是啊。」關口回答。「很多能都有幽靈角色。我也不是很清楚，但現在被稱為能集大成者的世阿彌，他創作的劇目裡，有許多都有幽靈登場吧。好像從大正時代開始，就被歸類於夢幻能這個類別。」

「夢幻啊……。除了幽靈以外呢？」

「幽靈以外……能和狂言還會有植物和無機物那些登場。其他……就是狂人那些。」

「那樣的話，能是不是利用戲劇這樣的裝置，來與一般無法溝通的對象進行對話的裝置？」

這只是綠川的猜測，沒有任何根據。

「鵼的幽靈是在訴苦嗎？」綠川問。

「主要只是自述來歷。」久住回應。「不是怨天怨地，或想要實現心願那些……但要說是牢騷，也確實是牢騷，所以也能當成是在訴苦，怎麼說，就是令人憐憫。」

——令人憐憫嗎？

「畢竟是被消滅的一方嘛。那麼，重點是不是在於讓那個叫鵼的莫名其妙之物述說自己的來歷？我覺得佛教、造反那些都不是重點。消滅怪物那一方的說法會留傳下來，但被消滅的一方卻無處申訴吧？根本沒有人知道。所以……」

讓死者訴說。

若是做得到，不知道該有多好。

「意思是……留下敗者的歷史嗎？」

「不，有些不一樣吧。以結果來說，或許會是如此，但說到底，死者是不會說話的。只是以死人述說的樣貌呈現而已。換句話說，是利用戲劇這樣的裝置，來為只是想像的模糊過去背書……會是這樣嗎？」

我不太會解釋——綠川說。

「就像是留下證據……這樣說好像捏造呢。但不是這樣……」

是感情的問題嗎？——綠川說。

「不是善惡、對錯、真假那些，鵼就只是令人憐憫，對吧？讓這個『它一定令人憐憫』的想像，由本人的口中說出來。不是揭露真相、或是出來嚇人……」
「我好像懂了。」久住說。
綠川不清楚他懂了什麼。
「那麼，接下來該思考的問題是，鵼的可悲之處是什麼，對吧？是遭到消滅？是沒能殺死天皇？為何它要做出那種邪惡的事？應該……」
不是這些吧——久住說著，抱住了頭。
這時門打開來了。
益田站在門口。
御廚好像也在他身後。
「啊，三位辛苦了。查到些什麼了嗎？」
「益田，拜託，我們又沒在調查什麼。是你說想交換意見，我們才過來的。」
「何必說得這麼冷淡嘛，關口先生。」益田說著，在久住旁邊坐下來。御廚晚了一拍，在綠川旁邊落坐。
看上去有些無精打采。
「關口先生真是的，你這人比別人更纖細，卻又很沒神經呢。說話前稍微想想御廚小姐的感受，好嗎？我從昨天就跑斷了腿，在整個日光上窮碧落下黃泉地找人呢。還明知打擾，又再去找了簗山先生一次。我擔心會有遺漏，鉅細靡遺地問了個清楚。但還是沒找到寒川先生。」
「那是益田你的偵探能力不夠吧。」
「連、連綠川小姐都說這種話……」
「因為，益田你看起和富美小姐好像有些隔閡。富美小姐，妳還好嗎？」
「嗯，我沒事。」
感覺御廚的心境，和第一次見面時確實不同了。
「我跟益田先生說，已經不用找了。」

「又講那種話。」益田不服地說。「為什麼大家都對我的能力……」

「這情況，問題不是你的能力吧，益田。你根本無視委託人的意願。」

「我、我才沒有無視，關口先生。我又不是榎木津先生。而且，怎麼會在這種時候放棄呢？就只差這麼一步了……」

「只差一步嗎？」

「沒錯，就只差一小步了。根據我身為偵探的直覺，或者說我的經驗，人就在伸手可及之處……」

「那也不必聽我們的意見了吧？直接去找人就好啦，你在磨蹭什麼？」

「就是……老虎尾巴啊。」益田說。

「到底什麼是老虎尾巴啦？」

「危險物啊。」

瞬間，益田的眼底湛滿了陰鬱。

這名看似輕浮的青年，也許其實豢養著與關口相同的黑暗。

「也就是說，益田某程度相信寒川先生對築山先生說的內容？」綠川問。

「也……也不是說信……」

益田說道，看了御廚一眼。御廚低下頭去。

「那麼荒唐的事，我才不信呢。但那些內容，也是從一開始就某程度已經預測到的。因為不管往哪裡挖、往哪裡翻，都有貌似陰謀的東西冒出來。我反而是一直努力在否定它。」

「可是卻找不到足以否定的事實……對嗎？」

益田的表情就像吃到秋刀魚內臟。

「都走到這步田地了嘛。然後寒川先生本人也提出了類似的說法。這要是真的，豈不是非常危險嗎？」

「會嗎？」

「綠川小姐的診所不是也燒掉了嗎？」

「那不是我的診所。」

「綠川小姐也太無所謂了吧。」益田說。「我說……」

「已經可以了。」御廚開口。「我讀過信了。」

「對了，說到那些信，我問信上有沒有提到任何線索……」

「沒有那種東西。」御廚說。

「不能……讓我看，是吧？」

「怎麼能給你看？」綠川說。「那是寫給未婚妻的私信耶。」

「我們……」

沒有正式訂婚——御廚說。

「因為我沒有回答他。」

「就算妳沒有回答，對方都求婚了，是一樣的。如果說妳沒有答應、不算未婚妻，那些信一樣是他給妳的情書啊。情書怎麼可以給外人看呢？」

「當然是為了找到寒川先生……就只差一步了啊。」益田說完沉默了。

「信上說……他不會回來了。」

「咦？是離家出走的人都會說的『請不要找我』嗎？」

「上面沒有這麼寫。但寒川先生詳細寫下了財產要如何處分、轉讓，還有繼續經營藥局的方法和手續那些。」

「寒川先生要把藥局交給妳嗎？」

「對。如果我們已經結婚，事情好像就更簡單了，但因為我拖拖拉拉……所以好像變得相當複雜……但信上說，他都交代律師了，叫我跟律師討論。」

「這……」

「寒川先生很急。」

「為什麼？」

「他好像生病了。」

「生病……？冨美小姐……」

「我看了也不太明白，但信裡也附上了診斷書。我也想過請綠川小姐幫我看看，但事到如今，就算知道詳情也……」

「請等一下，御廚小姐。」益田慌了。「那是呃……」

「對，信上說他來日無多了。現在回想，所以他才會向我求婚吧。」

「因為……他想讓冨美小姐繼承？」

「好像是。可是他說，明明知道自己活不久了，卻隱瞞這件事跟對方結婚，就像詐騙一樣，所以才沒辦法太強勢。都怪我優柔寡斷。」

「所以他也才會急著要解開父親死亡的謎團嗎？不，一定是吧。」

益田用力搔頭。

「可是，這時候才冒出這種事，太犯規了啦。」

益田的表情幾乎快哭出來了。

「我這人是個卑鄙的膽小鬼，但也很純情的。都把人拉到這裡來了，卻突然說這種話，教人都要哭了啊。」

「所以我才沒有說出來。對不起。」御廚低頭說。

「冨美小姐沒必要道歉啊。可是……」

確實，綠川也覺得站在益田的角度，心情一定難以平衡。

益田撩起劉海，小聲地說「那要撤回委託嗎」。

「已經不找了嗎？就只差一步了說。應該說，真的這樣就好了嗎？如果寒川先生的信說的是真的，妳再也見不到他了。明明他就在這附近啊。」

「這……」

御廚的眉毛垂成了八字，沉默下去了。

「若問我想不想見他，我想。可是寒川先生似乎並不這麼想。」

「這怎麼可能！」益田說。「他都向妳求婚了。就算沒有結婚，也說要把財產留給妳，不是嗎？這是件大事啊。而且他還生病了吧？一定很不安啊。他……不可能不想見妳的。」

「或許吧。確實就像益田先生說的，他下了非常重大的決心。所以我才覺得必須尊重他的心情。」

「確實是這樣，可是……」

「在東京的時候，因為完全不清楚狀況，我就只是陷在不安裡，但因為和益田先生一起來到日光，我明白了許多事。而且……」

我收到了寒川先生的信——御廚說。

「如果先收到信，我應該就不會去找偵探事務所了。或許會直接接受。」

「這樣啊……」益田垮下肩膀。「那，這次是白忙一場了嗎？」

「不是白費的！」御廚激動地說。「我真的很慶幸來了這一趟。搭上寒川先生可能搭過的電車，走過寒川先生走過的街道，見到寒川先生見過的人……如果沒有委託偵探，我不可能體驗到這些。我很感謝益田先生。當然，偵探的費用還有必要開銷，我會支付……」

「不是這個問題啊。」

你覺得呢？關口先生——益田求救地問。

「我了解你的心情，但還是應該尊重御廚小姐的意願吧。不過有件事是確定的，如果你早一點找到寒川先生的話……」

「請不要說那種假設性的話。」

「是這樣沒錯，可是益田，也難怪關口想要說你幾句啊。我說益田，你是不是故意避開核心？」綠川說。

「核、核心？」

「我不曉得那是老虎尾巴還是蛇頭，但如果相信那位築山的說法，我覺得寒川先生應該去了**那個地方**。」

「那個地方……？」

「已經沒有其他的謎團了吧？」綠川說。「若要說不明白，所有的一切都不明不白。但你害怕的那個地點，也是對寒川先生而言的核心吧？」

叔公的診所的更深處。

寒川的父親死去的地點。

燃燒的石碑崖下。

「這……是這樣沒錯……可是，要是去那裡，呃，那個風險……」

「診所被燒掉了，但我人好端端的啊。你那是不是杞人憂天啊？」

「可是，笹村先生的父母……」

「我覺得他們沒死。」木場的聲音突然插了進來。

雅緻的房門打開了一半，一名魁梧的男子探頭進來。關口出聲：「大爺。」

「那邊那小子相信笹村兄妹的父母和那個叫寒川的人的父母都被謀殺了吧。所以才嚇破膽了，是嗎？」

木場把門整個打開，瞇著眼睛掃視了房內一圈之後走進去，莫名小心翼翼地關上了門。

「今天禮二郎也不在吧？」

「他難得一早就出門了。」關口說。

木場在中間空著的椅子坐下來。

「我查過笹村市雄和倫子兄妹在八王子的生活了。戶籍沒有變更，也沒有遷出紀錄。中間隔了場戰爭，有些紀錄應該佚失了，公所可能也有行政缺失，所以或許沒辦法完全相信，但沒有的東西就是沒有。市雄和倫子，都完全沒有在八王子生活的痕跡。」

「什麼意思？」

「也沒什麼。燒掉的房子是租的，所以地主馬上又蓋了別的房子。本來在報社上班的員工失去工作，四散各地。有一個出征戰死了，剩下的兩個不知所蹤。應該因為失火而無家可歸的小孩……完全不存在。」

「什麼叫不存在？」

「沒有這樣的人。」木場說。「戶籍上有這兩個孩子，但沒有他們上學的紀錄，也沒有被徵兵。就算寄了徵兵令，人也不在住址，被當成下落不明。市雄應該沒有出征。」

「有這樣的事嗎？」

「唔……應該有吧。聽著，這個國家經歷過戰爭，沒報死亡登記的死者多得數不清。戰爭結束後都過了快十年，戰爭孤兒、流浪兒那些應該也還沒有完全掌握。應該也有人本來就沒有戶籍。」

很久以前就有這樣的人了——木場說。

「還有，也有一些人，他們的戶籍和生活紀錄……被刻意抹消了。」

「抹消？」

「有些人把姓名和經歷抹得一乾二淨，好方便工作。簡單地說，就是祕密特工。」

「現在不是在說小孩嗎？」關口插口。「怎麼扯到那裡去了？大爺？」

「沒有離題。聽著，關口，父母過世的時候，市雄差不多十二歲。十二歲的話，或許一個人也有辦法過下去。但他妹妹才剛出生而已。沒人照料，就只能等死。」

「不是……哥哥養大的嗎？」

「或許並非不可能，但那是還在襁褓的嬰兒吶。」

木場交抱起手臂。

「我沒照顧過嬰兒，但我妹妹的小孩出生時，我常去看嬰兒，那根本就是易碎物吧？我是這麼覺得。」

「是易碎物沒錯。」御廚說。「我的孩子在空襲的時候過世了。」

「這樣啊，那……」

「不是遇到轟炸，或是被捲入火災，我只是背著她逃命而已。可是發現的時候，已經變得冰冷了。」

御廚的表情沒有特別的變化，但她哀痛逾恆。她是習慣了把這類負面情感收進心底深處嗎？

綠川覺得，明明哀傷的時候，大可以放聲痛哭的。

「就算沒有戰爭，萬般呵護，小心養育，有時候還是會失去嬰兒。所以我認為即使並非不可能，也不是件簡單的事。」御廚說。

「就是啊。如果相信戶籍的記載，笹村倫子火災兩個月前才剛出生。如果市雄沒有依靠任何人，一個人把妹妹養大，那應該是天大的難事。可是，市雄和倫子……都活得好好的。」

木場望向櫃台那裡。

「倫子在這家旅舍上班，市雄在我之前下榻的廉價旅舍對面的客房住了很久。他們都真實存在，活得好好的。那麼，他們就是在某處被養大的。」

那裡是哪裡？——木場說。

「更重要的是，你們想想看，市雄和倫子據說是被交給日光這裡一個叫桐山寬作的老先生照顧，所以才逃過火劫。火災當時，報社員工是這麼作證的。我的上司好像也親自問過，員工的說詞也一樣，因此這一點沒有人質疑。可是，一般會把出生才兩個月的嬰兒交給別人照顧嗎？」

「這個嘛……」關口說。「要看情況吧？如果有足夠的理由，或許會這麼做吧。」

「怎樣的理由？這可不是出門買豆腐，把嬰兒暫時託給隔壁大嬸還是對門阿婆啊。為什麼要大費周章坐火車把小孩交給栃木縣的老頭子？」

木場把那張凶悍的臉轉向綠川：

「妳見過桐山，對吧？」

「見過。是碰巧。老先生年紀很大了，但感覺很健朗……不過我也沒問他年紀……啊。」

這時，綠川想起了老人在診所說的事。

「桐山先生有女兒。他說搬出去已經二十年左右了，會不會是那時候女兒在那裡照顧小孩？」

「應該……是吧。」

木場這麼說。感覺話中有話。

「唔，這件事影響不大呢。雖然比起即將邁入老年的男人單獨一個人，有女兒應該更容易照顧……但也不構成積極託養兩個月大嬰兒的理由呢。」

「對了！」益田出聲。「我聽鳥口說，笹村先生的父親擔任主筆的報社，會刊登批判國家體制的文章。」

「好像是呢。」

「那他會不會是被特高警察盯上了？戰前的特高，比黑幫還要惡質。小林多喜二死在監獄，就是那場火災前一年的事吧？那會不會是笹村先生的父親察覺生命危險，才把孩子送到遠方？」

「我一開始也這麼想。」

「意思是現在已經不這麼想了呢。」綠川說。

「對。」木場當下回道。「笹村兄妹的父親——伴輔，他從父親那裡繼承的《一白新報》，就像益田小子說的，是被特高盯上的小報。可是，搬走芝公園的遺體的，九成九是特高。把那個叫寒川的人的父親的屍體搬到診所的，也是特高吧？」

「木暮刑警是這麼說的。」

「假設遺體是特高搬動的，然後不知道為什麼，三具屍體的其中一具是從日光搬來的，又搬回了日光。那剩下的兩具怎麼了？」

「我怎麼會知道？」益田說。

「因為那跟你無關吧。可是真的沒有關係嗎？是同一天，其他的特高幹的嗎？」

「這……」

「屍體多了兩具。我認為……多出來的兩具屍體，後來成了八王子火災現場的焦屍。」

「也就是說，並排在芝公園的三具遺體，是寒川英輔博士和笹村伴輔夫妻嗎？」

「不是。」木場說。「我認為，三具屍體是用來進行某些偽裝的。」

「什、什麼偽裝？」

「三具遺體中的兩具，是不是被拿去當成笹村夫妻的替身了？」

「意思是，笹村夫妻還活著嗎？」
「不這麼想，就說不過去啊。如果把遺體從芝公園搬回日光的是特高，搬到八王子的也是特高吧。」
「呃，所以不是因為不小心把人拷問致死，所以偽裝成燒死……嗎？」
「不是啦。如果笹村夫妻是特高殺的，根本不需要那些偽裝。殺掉不管也沒問題，只要給他們安上國賊、非國民的罪名就行了。如果需要偽裝，就是為了要他們活命吧。」
木場從內袋掏出香菸，說了聲「我要抽一根」。久住把桌上的菸灰缸推到他前面。
「笹村伴輔和他的老婆，會不會是內務省的特工？小報主筆這個身分，很方便探查各種事情吧。記者會四處採訪。只要標榜反體制，不管是無政府主義者還是共產主義者，都會卸下心防。」
「他們是間諜？」
「沒錯。笹村伴輔不是特高的目標，而是自己人。」
「可是，鳥口說笹村先生在調查理化學研究所……」
「這樣啊，確實有可能。」
「有可能？」關口問。
「就算是體制這一方，也不是鐵板一塊。有陸軍、海軍，內務省也大得不成樣子。武器那些也都在搶先開發，預算分配自然也不平均。理研也是，因為是民間單位，所以是獨立機構，但這只是表面上。沒有什麼獨立機構。在那個時代，不可能維持公正中立。」
「這麼說來，」益田說。「木暮先生說，帝國陸軍的原子彈製造計畫的仁號研究的仁，就是理研的仁科博士的仁。」
「那不就表示陸軍是理研的靠山嗎？」
「咦？也就是說……笹村夫妻的雇主是和理研還有陸軍對立的勢力？」
「等一下。」
綠川想起來了。

「我的叔公以前在理化學研究所任職。他離開理研，為了參加那莫名其妙的可疑計畫，來到日光。我不清楚他離開理研的理由，但桐山老人說……」

——在原本的職場。

——跟什麼人不合。

——學問方面的看法相對立。

「喂，這不是更兜在一塊兒了嗎？笹村調查理研，而妳的叔公背棄了理研。對了，那個叫寒川的人的父親，跟理研……」

「好像沒關係喔。」益田回答。「他好像是個孤高的植物病理學家。不過好像在放射線方面學有專精。」

「這樣啊。那……非敵也非友，是意料之外的多餘的誤闖人士嗎？」

「大爺，這什麼意思？」關口問。

「寒川……英輔，是嗎？他應該是在調查期間，發現了不該發現的東西吧。他不是在寄給兒子的明信片裡這麼說？」

御廚點點頭。

「那個調查行動嗎？不是國家的調查，是縣政府層級，或是更底下主導的吧。那夥人應該萬萬沒料到會冒出這樣的調查行動，所以也疏於防備了吧。而且更糟糕的是，寒川博士帶著那個什麼……」

「放射線偵測器。」

「對，帶著那種東西。這不是學益田小子的話，但博士誤踩老虎尾巴了吧。所以……被幹掉了。是不是這樣？我認為殺了他的八成是笹村伴輔。」

「什麼？可是笹村……」

「笹村伴輔那時候在日光。這樣想比較合理。老婆跟孩子……也跟他一起。」

「啊。」

確實，這樣比較自然吧。

「這部分的狀況不清楚，所以只是我的猜測，但應該發生了某些事，導致笹村必須在戶籍上死亡，如何？要是讓他做些骯髒勾當，會累及他身邊的人。做為交換，那夥人保證他和親人的安全……會不會是這樣？所以準備了替身。其實應該是想要偽裝成全家死亡，但沒辦法弄到符合的孩童屍體。所以……」

「市雄和倫子在戶籍上才會仍是活著？」

「當成託給日光的朋友照顧。」

「那，桐山寬作又怎麼說？」

「沒什麼好說的。」木場說。「沒有這個人。」

「明明就有啊，綠川小姐都見到他本人了。」

「只是那個老先生這麼自稱罷了吧？」

「可是……」

「那個人……會不會是笹村伴輔？」

「欸？」益田就像被潑了水的狗，環顧每個人。「年、年紀不會兜不上嗎？」

「年紀怎麼樣都有辦法混過去。女明星不是也都謊報年齡嗎？老頭子要再老上十幾二十歲有什麼難的？」

聽著，桐山寬作是寒川博士參加的什麼調查團的山岳嚮導，對吧？」

「是啊。」

「那應該是在監視吧。盯著不讓調查團亂闖不該闖的地方、看到不該看的東西。可是寒川還是看到了。

所以……只好收拾他。」

「木場先生是說，笹村伴輔被派去調查團執行監視任務，所以全家一起到日光來嗎？」

「就算不是什麼大不了的理由，也總比把嬰兒托給栃木的老頭子更可信吧？」

「是這樣沒錯……不，是這樣嗎？」

「還有，笹村的老婆戶籍上的名字叫澄代。但這個女的……身分不明。」

「什麼叫身分不明？」

「結婚日、出生年月日和父母的名字這些好像都查得到，但查不到更多了。老婆的父母沒有戶籍。出生地……」

木場翻開記事本。

「是栃木縣上都賀郡。就是這一帶。」

「所以是……回娘家？」

「或許吧。然後據我推測，斡旋不好的工作給田端勳的，可能就是這個笹村澄代。那樣的話，她會從被收購的土地那邊過來也說得通了。妳是……綠川小姐，對吧？自稱寬作的老頭對妳說的女兒，會不會其實是他老婆？」

「唔……」益田交抱手臂，接著交互看了看關口和久住。「你們覺得呢？」

「嗯，是沒有矛盾，也沒有不自然的部分呢。」綠川說。

「是啦。那御廚小姐……」益田又問。

御廚手指抵著額頭，臉對著斜下方，但很快地抬頭說：

「刑警先生，那寒川先生去掃墓的時候遇到的笹村市雄先生，就是寒川先生在找的嚮導桐山先生的兒子嗎？」

「如果我的推測沒錯的話。」

「那，寒川先生……是受騙了嗎？」御廚說。

「是啊，他受騙了呢。在我認為，笹村市雄接近寒川秀巳，從一開始目的就是要騙他。」

「這太過分了。」御廚說。「可是，為什麼要騙他？」

「不知道。而且不只是市雄而已。妹妹倫子也接近了櫻田登和子。登和子會被弒父的妄想纏身，就是……倫子造成的。」

「這是真的嗎？」一直默默聆聽的久住轉向木場。「那是怎樣的……呃……」

「這邊不太清楚吶。」木場說。「我不曉得她是下了怎樣的暗示，還是怎樣誘導的，或是催眠術之類，但倫子肯定參與其中。登和子開始請假以後，倫子也一直沒有再來旅舍上班。聽說她今天也無故缺勤。」

「可是……」

「不，久住先生，人這種生物，意外地可以輕易操縱的。」關口說道。

「操縱她要做什麼？目的是什麼？讓她痛苦有什麼好處？」

「那個女人差一點就沒命了。」

「可是，」綠川插口。「不是哥哥救了她嗎？」

「這背後也有文章。」木場說。「說起來，佛壇行的後門，從大馬路看不到。就算繞到後巷也看不到，他怎麼會知道登和子想上吊？而且接下來登和子三次想要尋死，這邊他卻撒手不管。要不是鄉嶋阻止，現在那姑娘……已經跟她阿媽一起裝在骨灰罈裡了。」

原來是鄉嶋阻止的嗎？

「聽好了，御廚小姐，不管怎麼樣，可以確定的是，寒川先生被笹村給耍了。雖然目的那些完全不清楚，但笹村市雄這隻狸子絕對有某些企圖、絕對在謀害別人。」

不知為何，御廚露出不甘心的神情。

即使被甚至考慮結縭的對象單方面宣告離別、即使得知他已來日無多，她都把情感壓下去，忍住了。然而她卻無法忍受對方遭到欺騙。

「我說，木場先生。」

綠川突然叫木場的名字，他似乎有些吃驚。

「過去的事我明白了。你是說，以前有個我叔公似乎加入的祕密計畫，笹村先生的父親為了防止祕密洩漏，所以犯下殺人，或進行非法的諜報活動，對吧？可是，那笹村的兒子想要做什麼？不管是寒川先生還是登和子小姐，就算放著他們不管，他們也不會跑來蹚渾水。卻沒事對他們煽風點火，這我覺得很奇怪。還是有什麼非這麼做不可的理由？」

「應該有什麼吧。」木場說。「但我不知道是什麼。不過如果要推測的話，就是二十年前的祕密計畫還

沒有結束，或是再次**啟動**了吧。」

結果是這個結論嗎？

「那樣的話……」

綠川思忖。確實，這樣只是不停地在原地兜圈子。不斷地平手重來。

「只能去一趟了吧。」

「去哪？」

「每個人手中的謎團的所在地，舊尾巳村的收購地區深處。當地人說那裡是鬼屋，是嗎？診所燒掉了，但那裡還沒有人去過吧？我一直奇怪，為什麼不趕快去一探究竟呢？益田應該只是膽小，但木場先生看起來很強，而且代表國家權力，應該沒什麼好怕的吧？而且喏，連寒川先生都找到了，不是嗎？找到那個迴旋加速器。」

如果真的有，我想見識一下──綠川說。

「見識？妳……」

「我是不太清楚，但仁科博士製造的迴旋加速器，聽說全部被ＧＨＱ破壞，或是拋棄處分了。如果真的有的話，那就是全日本碩果僅存的迴旋加速器了。」

「喂，這可不是遊山玩水。」

「我在這裡，已經完全是為了遊山玩水。」綠川說。「我的事已經辦完了。若說有什麼遺憾，那就是……」

還沒有聽到死人的聲音。

「不知道叔公以前在這塊土地做了什麼，就這點遺憾而已。雖然完全沒有必要知道。」

可是想要知道。想要和幽靈說話。

「不知道為什麼，就是想了解一下。所以若是能得到答案，我想過去看看。」

「可是綠川小姐……」益田出聲。

「我會去，」綠川說。「但益田你不用勉強。因為你已經沒必要尋找寒川先生了。久住先生也是，既然登和子小姐平靜下來了，已經沒什麼好擔心的了，而關口從一開始就跟這件事無關。木場先生好像很好奇……那麼不是應該去一探究竟嗎？」

「妳啊……」

木場把那雙小眼睛瞇得更小，鼻梁上擠出皺紋。

「這可不是在玩……雖然很想這麼說，但我這也不是正式辦案。我在名目上是休假，一樣是遊山玩水，身分跟妳半斤八兩。而且這次……也沒發生刑事案件。」

沒錯。

二十年前的事故、可疑事件……

十六年前妄想中的殺人……

除了這些之外，什麼事都沒有發生。木場暗示了幾宗殺人案，但那些也都是過去的事，而且都過了追訴期了。

「等一下，木場先生，」

益田站了起來。

「還有綠川小姐。這次確實不是連續殺人案，也不是獵奇命案。是不勞偵探長出馬的尋人案，還有虛假的記憶。可是……」

「可是什麼？」

「論到莫名其妙，這整件事不是光怪陸離到了極點嗎？這如果真的是陰謀、原子彈的話，不是我們應付得了的。那個……對了，中禪寺先生在做什麼，關口先生！」

「在工作吧。」

「啊……」

益田哀嘆一聲，再次坐回沙發。

「那個人真是的……。對他來說，書啊古文件那些更重要嘛。雖然每次都這樣。」

「就說益田不用去了。我和木場先生去就好了。」綠川說。

「我也要去。」御廚說。

「富美小姐……」

坐在旁邊的富美轉向綠川：

「寒川先生去了那裡，對吧？」

「是啊。如果真的就像築山先生說的那樣。可是寒川先生應該已經不在那裡了。就算寒川先生又去了一次，築山先生見到寒川先生也是上星期六的事，已經過了好幾天了。」

「我並不是想要見到寒川先生。這我已經……」

已經……放棄了嗎？

「我也只是想要知道而已。」

「就算去了，也不一定能知道什麼。我也覺得……萬一在那裡發現了陰謀還是祕密計畫的證據，只會讓謎團更深。」

不。八成會變成這樣。在誕生的過程中變成嵌合體的個體，再也不可能分離。那麼，永遠……

永遠都只能不停地**平手重來**嗎？

以津真天

◎以津真天〔註一〕

廣有〔註二〕射怪鳥
其啼聲云「直至何時、直至何時」
其事詳見太平記

——今昔畫圖續百鬼／卷之下・明
鳥山石燕（安永八年）

註一：以津真天（いつまで，itsumade）此名發音本身，即是「直至何時」之意。據傳此鳥會停留在死於疫病的死者旁啼叫，彷彿在質問要將屍體放置至何時。

註二：真弓廣有（一三〇五～一三六九），鎌倉時代至南北朝時代的武將。《太平記》中的名字是隱岐次郎左衛門。《太平記》中，建武元年大疫時，紫宸殿屋上出現怪鳥，朝廷公卿仿傚源賴政擊退鵺鳥的故事，請來名弓箭手廣有消滅怪鳥。

鵼

距離向晚尚早，但微陰的陽光已失去遍照世界的力量。
逢魔時刻近了。
比起雄偉，日光的山地更接近莊嚴，與其說是深，更是濃。
黃昏模糊了萬象的境界。所有的一切都開始化入昏暝。但唯有群山，依舊清晰地維持著它的輪廓。
據聞日光的山，各別是神佛的顯現化身。但眺望著山姿，漸漸讓人覺得應該是相反的。
無論是神或佛，都是概念。如果這樣說是不敬，那麼應該說，神佛並非存在於現世。
佛像和御神體、神社寺院，都只是象徵不可見的神佛或祂的威德靈驗，供人崇拜，而非神佛本身。
然而，山巍峨地存在於那裡。
山既非人所創造，也非人類智慧所及。既非象徵，也非具現。
讓神佛這不屬於此世的靈妙之物顯現於現世者——那就是山。
鳥在啼叫。
——是鵺。
歔歔、咻咻地啼叫。
悲切、淒涼。
可是，山會把人類這些渺小的情感吞沒進去。不是反彈，也不是撫慰。
山，就只是存在於那裡。
經過輪廓暈染的街道。貌似屋舍的物體數目漸漸減少。再經過已經無法和天空及大地區分開來的村落。
荒地上立著石路標。

是舊尾巳村的村郊。
右邊是德山丑松的家。
左側是櫻田登和子的家。
再過去……是不知被何人收購的土地。
領頭的是木場。益田跟在後方，就像拿木場當盾牌一般。綠川陪著御廚般走著。她是陪伴之意，但兩人身高相差不少，也許看起來就像一對母女。往後一看，是神情依舊陰鬱的關口。久住在登和子家門前停步，看著建築物。
山很近。這座村子就在山腳邊。
不，這裡已經算是山區了嗎？
是叔公生活過的地方。
看到診所了。
碎玻璃已經被清理乾淨，門口釘上了幾塊木板。
是警察做的吧。
綠川看了一下診所外觀，繼續前進。
廢屋。沒有人住，房屋就會死去。什麼也不做，玻璃窗也會破裂，門板鬆脫，屋瓦掉落。
診所沒有荒廢得太嚴重，是因為叔公在那裡住到去年的關係吧。
再繼續前進。
「這棟房子有人住。」關口說。
「什麼意思？」久住問。
「破損的狀態和先前的廢屋不一樣。一路上看到的房屋已經沒辦法住人了。牆壁崩坍，屋頂也開了洞，已經完全是廢墟了。可是這一帶的房子，你看……」
關口伸手推門。

「門還能開。」

關口探頭看玄關。

「不過感覺已經棄置了相當久。」

「德山先生說，這裡是昭和八年被收購的呢。都超過二十年了。」

「看起來不像棄置了二十年。」

那是……

「我不曉得是作業員還是研究員，會不會是那些人住在這裡？那位桐山老先生說，一直到戰敗以前，這裡還有五、六個人。但也超過十年以上了……」

綠川這麼說，關口似乎接受了。

「或許吧……。雖然可能差不了多少，但十年和二十年，差了兩倍呢。」

「這證明了這裡……」

曾經在做些什麼呢——久住說。

「看來……靠近村子的房屋沒有使用呢。」

「這一帶已經完全看不到村子了。也就是說，從村子也看不到這裡。那間診所也是……從這裡已經看不見了呢。感覺是用診所當境界嗎？」

戰爭期間，妳叔公就像個守衛一樣，在這裡保護著什麼……

桐山這麼說。

原來真的是守衛嗎？

往前一望，益田正貓著腰面對這裡。再過去是木場龐大的背影。

兩人停下來了。隔著木場，看到的是。

山。

「沒有那種房子啊。」

益田發出窩囊的聲音。

「綠川小姐，請過來看這個。」

益田指著路肩說。

「什麼？」

「路標啊，石頭的。還有這什麼？地藏？」

「那不是地藏。」關口說。

「不是地藏是什麼？」

關口超過綠川，靠近那尊像石佛的東西，蹲下身子。

「是道祖神……不，是塞之神呢。感覺不像本來就在這裡的東西。」

「本來在那邊吧？」

久住說，指向益田的腳邊。雜草間露出一半埋在土裡、像石造台座殘骸的東西。

「是啊，也就是這裡是村子的境界——舊尾巳村的村郊嗎？」

「那，根本沒有什麼大房子啊？」

益田看看自己的腳下，抬起右腳。

「這邊吧。」木場看著右邊說。

「那邊是山啊，木場先生。」

「不，有路，而且地勢還滿平坦的。」

木場分開草木，往前走去。

「是平不平坦的問題嗎？」

益田發著牢騷，仍跟了上去。

綠川、御廚、關口和久住也跟在後頭。

「關口先生，德山先生說，是在這前面村子的盡頭處，對吧？而且是一棟大房子。」

「丑松先生不會撒謊吧。而且記得丑松先生說過，那棟大房子跟這座村子並不相連。是在離村子有點遠的地方。也就是……」

「也就是……什麼？」

「總而言之，那棟房子都是在**村子外面**。」

關口指著背後的塞之神。

「那裡是村子的終點。依照丑松先生的說法，這座尾巳村的人，對土地沒有執著，對吧？很多都是近年才搬過來的。」

「是啊，說很少世居在此地的人。」

「這裡是不是本來沒有人住？」關口說。「德山家也是，說那房子是丑松先生的父親買的。也就是說，再怎麼早，也是大正時代的事了。可是他說那棟大房子可能從明治以前就有了。」

「那……」

「換句話說，在明治時代以前，這一帶無人居住，就只有那棟大房子吧。」

「又不是深山裡離群索居的人家。而且就算是江戶時代，可以那樣隨便蓋房子嗎？這裡……」

「以前應該是山吧，久住先生。」

「山？」

「找到了！」益田的聲音傳來。

御廚稍微加快腳步，綠川也跟上去。

樹木之間，看到了要找的目標。

很大。不是……民宅。那是茅草屋頂嗎？綠川缺少建築物相關知識，但仍看得出那不是農民的房屋或商家。

房子被似乎曾是籬笆的植物所圍繞。

但它們已經成了一堵茂密雜亂的植物高牆。木場站在缺口處。

綠川小跑步到木場旁邊。

建築物入口前。

鄉嶋就站在那裡，正在吞雲吐霧。

木場怒瞪鄉嶋：

「鄉嶋，你是在這裡當攔路虎嗎？」

「不是。」

「那你是在奉公守法嗎？」綠川問。

鄉嶋皺起眉頭：

「還以為是誰來了，連妳也來啦，綠川小姐。很可惜，也不是。我正要打道回府。這裡沒我的事了。已經沒了。」

鄉嶋說完，拋下菸蒂踩熄。

「這樣嗎？我們正準備非法侵入民宅，但有公僕陪同……你會睜隻眼閉隻眼吧？」

「隨你們的便。而且這裡並非住家，是無主之地。」

「屋主不是收購這裡的企業之類的嗎？」

「等我報告完畢，一切的權利都會失效。那樣一來，這裡就會被國家接收。一直以來，這裡都是禁區，只是不知道理由。」

「不知道？起碼也有紀錄吧？」木場說。

「沒有。所以我才在調查。但現在已經水落石出了。這棟房子只能拆了吧。然後這裡……將正式成為國家公園的一部分。所以要參觀的話，把握現在的機會吧。」

「聽不懂吶，喂。」

「自個兒進去看吧。雖然你們看了應該也不懂，但裡面的人會詳細指點你們吧。」

——裡面的人？

「裡面有人嗎？」木場問。
「就叫你們自個兒確定了。」
鄉嶋踩爛菸蒂，走到木場前面。
「攔路虎是你啊，木場。」
木場乖乖讓路。
鄉嶋逕直前進，瞥了御廚一眼。
「寒川秀巳已經不在這裡了。他……」
「我知道。」御廚回答。
「這樣啊。嗯……保重吧。」
鄉嶋說完，轉向關口，撂話似地說：
「你乖乖的別惹事。」
然後消失在樹林間了。
木場已經進入玄關了。
「應該不用脫鞋吧。」
他沒有對象地說。是自我開脫吧。
「好像武家大宅喔。」益田喃喃道。「比較接近書院造〔註〕。」關口說。
綠川覺得像是寺院。
歔歔。咻咻。
鵺在啼叫。接近日暮了。

註：書院造是完成於室町時代至桃山時代的武家住宅樣式。

走廊漫長。

兩側的紙門似無止盡。

木場打開最近的紙門。

很大。一片陰暗。裡頭隔間的紙門全撤光了。不是鋪榻榻米，而是木地板。感覺就像大寺院的本堂，但應該比綠川所知道的任何一座寺院本堂都要寬廣。

然後……

地上掉著東西。不，不是掉著。這是……

「電線？」

「好像吶。我看過跟這裡一樣的地面。不過不是木地板，是在陸軍的研究所。」木場說。

無數黑色的電線縱橫穿越地板。一條格外粗壯的纜線畫出大大的弧線，就像把寬闊的房間一分為二。

「關口，小心別絆倒啦。」木場說。

綠川將目光從腳邊拉起。

空氣清澈，卻看不清深處。

「誰？」

有人。

房間中央站著一個人。

是……僧人嗎？看上去是。

僧人背對這裡低著頭，似乎在看什麼東西。腳邊朦朧地亮著，所以室內暗得均勻，人影卻呈現逆光。但那人似乎穿著法衣沒錯。

「築山先生？」

益田出聲。

「是築山先生吧？」

益田想要跑過去，差點被電線絆倒，但他穩住身體，小心地走近僧人。僧人一動不動，俯視著地板。

所有的人都往中央聚集過去。

地板似乎切割出一塊四方形，就像一個巨大的地爐。大小約五公尺見方。在偌大的房間裡蜿蜒爬行的電線，似乎全被拉進這塊正方形的奈落深底。

僧人——築山公宣站在洞緣，似乎正看著下方。

「築山先生。」

任憑益田怎麼呼喚，築山就是不抬頭。

結果益田只能循著築山的視線看去。木場也走上前去。關口、御廚和久住似乎在遲疑。

緣川來到築山旁邊，往下望去。那裡……

「機器？」

鐵。巨大的圓。零件。齒輪。纏繞的電線。

中心有個物體，就像巨大的鉦。

「這就是迴旋加速器……」

「……的殘骸。」

奈落深底傳出清亮的聲音。

某種裝置，或某種物體上，一團暗影坐在那裡。

臉部形成陰影，但此外的部分也是黑的。比築山的法衣更漆黑。比地板下的暗影更黑暗。

因為男子背後有光。

不……不光是這樣而已。

黑色和服外套。黑布襪和黑木屐。只有木屐帶是紅的。周身黑暗的男子，以戴著黑色手背套的手執起擱在背後的手燭，舉到自己前方。

「哇！」

綠川忍不住驚叫了一聲。

「中禪寺先生！」

益田跪伏下去般，從洞穴邊緣把頭探去。

中禪寺秋彥就坐在像是裝置的箱子上。凶神惡煞，宛如從地獄深淵爬出來的魔物。

「你是……中禪寺呢。」

「綠川，即使是我，也料不到會在這種地方見到妳。好久不見。」

「喂，京極，你在搞什麼鬼！」

「驅逐邪魅啊，大爺。」

「邪、邪魅？你差不多一點。你以為這裡是什麼地方……」

「大爺知道這裡是什麼地方嗎？」中禪寺說，站了起來。

「當然是……」

「我是在驅逐憑附在這位築山身上的**壞東西**。他好像從寒川先生那裡承接了那些東西。」

中禪寺說完，以手燭依序照亮洞穴邊緣的眾人的臉。

「原來如此，這可真是麻煩。一個一個來，不算什麼，但齊聚一堂……」

就有些棘手了——中禪寺說。

「而且關口跟這件事無關吧？你跟來這種地方做什麼？就我聽說，久住先生的事應該也解決了。」

「京極堂，你知道什麼？你跟這次的事有什麼關係嗎？」

「關口啊，你說這次的事，是指哪件事？我是來日光工作的，只是在做我的工作而已。而且根本什麼事都沒發生。」

「怎麼可能？那個……」

「御廚小姐，對嗎？」中禪寺說。

關口閉嘴了。

「聽說您是寒川秀巳先生的未婚妻。我聽築山說的。寒川先生他……」

「我知道。」御廚回答。「我不是來找寒川先生的。我是呃，跟著寒川先生的足跡……」

「這樣啊。非常遺憾，我未能驅逐寒川先生身上的魔物。」

「魔物……？」

「是的。別說驅逐了，我甚至無法見到他本人。我太晚才發現了。我是在發現築山的異狀後，才知道他這個人的。」

「喂，你還是老樣子，拐彎抹角，故弄玄虛。我不曉得這個和尚被什麼給附身了，我是在問你怎麼會在這種地方。給我解釋！」木場喝道。

「因為有必要讓他看看這東西。這醜陋的裝置，是寒川先生破壞的。寒川先生相信這是真的，因為信了，才會將它破壞，然後他……」

進去山裡了——中禪寺說。

「進去……山裡？」御廚說。

「是的。他進入日光山中——也被比喻為補陀落山的聖域裡了。」

「他去了山裡嗎？」御廚說，癱軟在地。「他……來過這裡呢。」

「是的。他……應該不會回來了。」

「中禪寺，」綠川出聲。「你也知道我為什麼會在這裡嗎？」

「榎木津告訴我了……但一如往例，聽不懂他在說什麼。但我問了鄉嶋，知道了前因後果。雖然我很驚訝，居然會有這樣的巧合。」

「就是……說呢。」

「隨便啦，給我解釋清楚！這是你的角色吧！」

「真沒辦法。那……」

只能一口氣同時驅邪了吶——中禪寺說道，踩上裝置，把手燭擱到洞口邊緣，扶住洞緣，從奈落深底爬了出來。他理了理凌亂的和服，拂去灰塵。

「這裡頭有稍微像樣一點的房間，去那裡吧。」

中禪寺說，朝大房間再過去的地方走去。

一行人經過走廊。光源只有領頭的中禪寺手中的手燭，因此令人非常不安。完全不曉得這棟房子是什麼樣的格局。築山默默無語，彷彿痴迷於什麼一般，恍恍惚惚地走著。

中禪寺打開木板門。裡頭一樣是木地板房間，約莫二十張榻榻米大小。很暗。中禪寺在房間角落彎身。

很快地，黑衣男子的影子擴散到整個房間。

是他點了燈。

「這……應該是寒川先生買來的提燈呢。是為了查看健康管理所——診所的文件而買的吧。」

中禪寺吹熄手燭，把提燈擺到中央。木場在中禪寺對面盤腿坐下，益田坐到他右邊。關口和久住坐到牆邊，御廚坐在角落。築山坐在不上不下的位置。綠川想了一下，在木場左側安頓下來。

中禪寺沒有坐，打開對外的紙門。

外頭還殘餘著一些天光。

看得到岩壁。應該是山吧。岩石上樹木蓊鬱。聽得見潺潺流水聲，也許附近有河流。

「平安時期……」

中禪寺看著那向晚的山景，娓娓道來。

「京城湧出烏雲。烏雲來到清涼殿上空，每天夜晚發出怪聲，驚擾天皇。」

「又扯無關的事？」木場說。

「是啊，**沒有關係**。」

全都無關——中禪寺說。

「皇宮裡的二條天皇終於受驚成疾。於是神射手源賴政被召來，受命驅逐烏雲。」

「用弓箭？」

「是使用弓箭的咒術。據說是仿傚八幡太郎義家〔註一〕鳴弓破怪的故事。說到鳴弓，應該是打弦或鳴弦……但賴政似乎使用了不同的咒法。」

「中禪寺先生，那……」久住出聲。「那不是鵺的……鵺的軼事嗎？」

「是的，沒錯。是讓久住先生一直搜索枯腸的能，《鵺》的題材由來的傳說。」

「那件事……」

「是的，沒有關係。」中禪寺說。「賴政是神射手，還擁有名弓雷上動，雷上動是四代以前的豪傑，因消滅鬼而名震天下的源賴光〔註二〕傳承下來的弓。因此……不只是撥弦鳴聲，而是朝烏雲射箭了吧。這時，應該是射出了驅魔箭——蟇目矢。」

「然後呢？」

「結束了。」中禪寺說。「烏雲散去，異象平息了。天皇的病也痊癒了。這個傳說，想來也就只是這樣而已呢，久住先生。」

「怎麼可能？」關口出聲。「我完全不懂這個傳說跟這次的事如何相關，但應該不是這樣就結束了。賴政不是射下怪物了嗎？我記得是一隻頭是猴、身體是狸、手腳是虎、尾巴是蛇的怪鳥。」

「這些組合，不同的文獻，是有異同的。也有尾巴是狐狸的，或背是老虎的。不過幾乎都有猴和虎的組合，然後還有蛇。」

「就是吧？這才是重點吧？少了這個怪物，消滅鵺的故事就不成立了啊。賴政射下來的怪鳥，被隨行的他的家臣豬早太，用賴政賜給他的名刀骨食刺殺……」

「關口，我不想聽笨口拙舌的你說書。你一直說怪鳥怪鳥，但世上哪有那種鳥？」

註一：指源義家（一〇三九～一一〇六），平安後期的武將。

註二：源賴光（九四八～一〇二一），平安中期的武將。為神射手，以消滅大江山的酒吞童子的傳說而聞名。

「那是……因為這是傳說故事啊。故事裡不是都有怪物嗎？」

「那是故事。」中禪寺說。「想想實際發生的事吧。只是射箭，能改變天氣嗎？不可能。雖然或許有可能剛好遇到天氣好轉。而且不管雲裡有什麼，從底下都看不見，當然也不可能射中。」

「不，有可能感覺到氣息……」

「我不是說實際發生的事嗎？」中禪寺說。口氣很凶。「天皇可不是說有可疑的東西在飛，命令賴政射下來。賴政接到的命令，是仿傚鳴弦破怪的故事，以弓驅魔。雷上動是名弓，賴政是神射手，但所謂名弓，應該是能把箭射得更遠的弓，至於神射手，命中率不用說，重要的一樣是能射得遠吧。賴政是射箭的本領受到賞識吧。因為他是神射手，所以即使是天上的雲，應該也射得到。說起來，蟇目矢連鳥都射不下來的。」中禪寺說。

「是……這樣嗎？」

「蟇目矢是一種鏑矢。鏑是以木材或鹿角加工，纏繞絲線，上漆固定而成，裝在箭的前端。箭鏃會從鏑尖穿出來，因此要是射中，應該是射得下鳥，但它的用途與其說是殺傷，更是用來打信號。」

「打信號？」

「鏑是中空的，射出去就會發出聲響。是用來通知開戰的箭。蟇目矢則是在這種鏑上開四個洞，會發出笛鳴般的聲音。它的聲音被認為可以清淨場域並驅邪，因此主要用於驅魔。雖然也有裝上鏃的情況，但也一樣是裝飾用途，不會用來狩獵或戰鬥。」

「賴政用了那種箭嗎？」

「因為賴政是被命令驅魔，而不是狩獵啊，關口。目的不是要射下什麼，既然是驅魔，當然是用蟇目矢。而且朝天空射出的箭，必然會墜落。烏雲籠罩在皇宮的正上方，要是箭帶著鏃，豈不危險？要是刺進清涼殿的屋頂上，那可就是大不敬了。可能會惹禍上身的。賴政不可能會冒這麼大的風險。即使真的有那麼古怪的怪物，也不可能射下來的。」

「那到底是怎樣？」

「所以我不就說了嗎？這樣就結束了。是烏雲剛好散去了吧。」

什麼事都沒發生——中禪寺說。

「人無法自由操縱天氣。皇宮上方剛好湧出烏雲，又自行消散了。和天皇的疾病幾乎沒有因果關係吧。不是心理作用，就是氣壓的影響……」

「那怪鳥呢？」

「那不是鳥吧。」

「咦？」

「什麼猴啊虎啊蛇的……那種東西根本不是鳥。就算退讓百步，真的有那種生物，久住先生，你會把牠當成鳥嗎？」

「不會。」久住回道。「我一直覺得，那種東西不是鳥。至少若是有翅膀，那還有點道理，卻連翅膀都沒有，只是一頭奇形怪狀的動物呢。因為從天而降，所以是鳥……要是這樣的話，那雷獸那些，也可以說是鳥了。」

「對，那根本不是鳥。文政（註一）時代的儒學家志賀理齋，把賴政的驅魔視為朝四方的奉射（註二）。理齋把西南的未申、東南的辰巳、東北的丑寅、西北的戌亥各別安上猿、蛇、虎，並推測是為了補足缺少的豬，所以讓豬早太登場，但這種說法太牽強了。」

「羊、龍、牛和狗被忽略了呢。」益田說。

「是啊。對應為方位神，實在過於牽強附會，如果真是如此，沒必要硬是讓豬早太登場，把胴體換成山豬就行了。而且以皇宮為中心，向四方行奉射神事，我覺得有些困難。此外，也有說法認為賴政用的箭是水

註一：文政為江戶後期的年號，一八一八～一八三〇年。

註二：奉射為神社祭儀時，在神前射箭的神事。

破與兵破這兩支鏑矢，但這樣就無法射向四方了。」

「那到底是什麼啊，京極堂？」

「所以說，什麼都沒有啊。因為什麼都沒有，所以什麼都可以。為何會選擇猿、虎、蛇，理由不清楚。但……只有鳥可以明白。」

「是因為……聲音嗎？」久住問。

「沒錯，就是聲音。只有聲音聽到了。這段軼聞首次出現的《平家物語》中，也提到聲音近似鵺啼。不過，根本沒有鵺這種鳥。」

「沒有嗎？」綠川忍不住出聲。「但我聽到了啊。」

「那是虎鶇，綠川。鵺這種鳥，在古時的《古事記》和《萬葉集》都能看到牠的名字，但那究竟是怎樣的鳥，沒有人知道。就跟古今傳授的三鳥那些是一樣的。」

「古今傳授，我記得是《古今和歌集》〔註一〕的解釋，對吧？由公卿獨占，只要付錢，就可以告訴你正確的答案……」

「那只是解釋，不一定是正確答案。所謂三鳥，是喚子鳥、稻負鳥、百千鳥或都鳥，但那些究竟是什麼鳥，眾說紛紜，莫衷一是。雖然不在三鳥之列，但產女鳥也是一樣的。喚子鳥和產女鳥被混淆在一起，吉田兼好〔註二〕在《徒然草》說雖然喚子鳥不知道究竟是什麼鳥，但它就是鵺鳥。沒有人知道那到底是什麼。」

久住慢慢地站起身來：

「不知道嗎……？鵺……不是虎鶇嗎？」

「應該不是。鵺就是虎鶇的說法，嚴格來說應該是錯的。寺島良安編纂的《倭漢三才圖會》〔註三〕中說，鵺大小如鴿，赤黃色，似黑彪、鴟。這符合真實的虎鶇的特徵。但這是在說明虎鶇，而不是鵺啊，久住先生。鵺這種鳥，只有名稱，」

還有聲音——中禪寺說。

歔歔。咻咻。

「聽著，看到形姿，沒有人能立刻認出：啊，這是鵺。即使早就知道鵺這個名稱，鵺也只有名稱而已，沒有形姿。但若是聽到聲音，就知道那是鵺。鵺的啼聲……十分哀淒。」

歔歔。咻咻。

「而這聲音現在被當成是虎鶇的聲音。實際上虎鶇的聲音就很哀淒。那麼，虎鶇就是鵺嗎？答案是否定的。虎鶇和鵺，只是共用一樣的聲音罷了。」

「共用……？」

「是的。搞錯叫聲的情形，除了鳥類以外，似乎還有許多例子。不只是鳥而已……對，有些地方，認為蚯蚓會啼叫。但被當成蚯蚓的叫聲的，其實是螻蛄發出的聲音。但也不是說，蚯蚓其實就是螻蛄吧。」

言之成理。

「這類欠缺對象的稱呼，有時會召來怪物。不，也許應該說，會被怪物召喚。只要拿掉鳥字，喚子和產女都是妖怪嘛。鵺也是一樣的。NUE這個詞，漢字不是寫成空和鳥，就是寫成夜和鳥，但都是借字。」

「是這樣嗎？」

「不管是鵼這個字，或鵺這個字，指示的對象都是幻獸幻鳥之類。棲息在現實世界的鳥類當中，沒有符合的動物。鵼和鵺都是虛構的鳥類。在我國，NUE這個和語，以指示這種虛構鳥類的漢字來對應。因為在夜晚啼叫，所以寫作鵺，這只是後世的附會。因為不清楚是什麼，所以安上一個不明所以的字。因此《古事記》裡記載的，就只是神祕不明的鳥。這種鳥只有聲音。不，對照這段賴政的軼聞來看，我認為它連聲音都

註一：《古今和歌集》為完成於平安時代九一四年左右的歌集，由醍醐天皇下令編纂，為日本最早的敕撰和歌集。
註二：吉田兼好（一二八三～一三五二）為鎌倉後期至南北朝時代的歌人及隨筆家。隨筆集《徒然草》為其名著。
註三：《和漢三才圖會》為寺島良安於江戶時代中期編纂的附插圖百科事典。共一〇五卷，八十一冊。

沒有。」

「這是什麼意思？」

「射出蟇目矢的時候，發出的聲響和虎鶇的啼聲非常相似。」

歔歔。咻咻。

「咦？」

「『其聲似鵼』——只是**相似**而已。根本沒有鳥在啼叫。射出驅魔箭，烏雲散去了。整件事就**只是這樣而已**。」

「什麼事……都沒有發生？」

「那當然了。這世上沒有怪物。或許發生過異常的天氣現象，天皇實際上也聖躬欠安吧。所以執行了驅魔儀式。結果說巧不巧，異常氣象平息了，天皇也逐漸康復了。除此之外的部分……都只是把從這段軼事聯想到的**感受**具象化而成的虛構故事。」

「是故事嗎？」

「是故事。怪物是以不存在的形態存在之物。被認為遭到賴政消滅的魔物，因為遭到消滅，而透過被消滅這件事，回溯、生成出先前的生命。怪物是這個世界的反面。應該擴散的熵反過來逐漸收聚。是違反天然運作之理的事物。因此被放上空舟流放，漂流到蘆屋海濱的，是不存在之物的屍骸。既然有屍骸，就能造墓立塚，也能興建與其相關的神社。也出現了清洗不在屍骸身上的鏃的池子。」

故事……

「就這樣化成現實。並且……增殖。也有說法是魔物的屍骸四分五裂，墜入濱名湖，也成為地名的由來。這個藉由死亡，得以回溯獲得生命之物，也會作祟。儘管沒有過去活著的主體，但只要破壞祭祀它的塚，就會遭到作祟。還據說鵼轉生為馬，由賴政飼養，被平氏奪取之後，反過來消滅賴政，一洗夙怨（註）。明明根本不存在之物，不可能轉世，也不可能作祟。」

鵼的悲哀就在這裡——中禪寺說。

「猿、虎、狸、蛇那些都不是重點。姿形根本無關緊要。那些都是鵼死後才釀製出來的人工物。世上不可能有那種東西。就連唯一聽到的聲音，也只是相似而已。而據說會發出近似蟇目矢呼嘯聲的鵼，不同於猿或虎，不具實體。因此……沒有實體的事物才會被稱為鵼。只是這樣罷了。戲劇和故事裡刻畫的鵼這種妖怪……」

並不存在。

「因為這些理由，沒有名字也沒有實體的魔物，以鵼等名稱被講述、祭祀。明明其實……」

根本不存在。

久住手掩著嘴巴，靜靜地坐著。

是想到什麼了嗎？

「說到這鵼的原形……有個異傳，描述了鵼被消滅之前的形姿。愛媛縣的久萬鄉流傳著該地就是賴政生母的故鄉的傳說。當平氏的權勢如日中天之際，賴政的母親回到故鄉久萬鄉，向棲息在赤藏池的龍神祈禱，讓身為源氏一族的兒子賴政能飛黃騰達。對兒子強烈的思念，以及對平氏的憎恨不斷滋長，讓賴政的母親化成了異形，就這樣飛到了京城，這就是鵼——傳說裡如此描述。」

「怎麼會這樣？」關口說。「這等於是賴政消滅了自己的母親耶。」

「這才是重點啊，關口。身為母親的鵼，並不是要謀害天皇，而是刻意讓兒子賴政消滅自己，好讓他平步青雲。」

註：《平家物語》中提到，源賴政之子源仲綱祕藏的名馬遭平宗盛強奪，並在馬身烙下「仲綱」二字，賴政視其為奇恥大辱，遂舉兵反抗平家，最後戰死。

「這……很像自導自演耶。」綠川說。

「嚴格地說，是導戲讓別人來演。是極為精心策畫的行動。在這個傳說裡，鵼並未被射落，而是回到了赤藏池，但由於負了箭傷，最後死去了。仔細想想，真是很糟糕的情節呢。而這塊土地……」

就發生了和這個傳說一樣的事——中禪寺說。

「什麼？」木場出聲。

「我調查過了。也告訴鄉嶋了。」

「調、調查什麼？」

「這個地方過去進行的祕密計畫，就如同寒川先生推論的那樣。但那只是**包裝**。」

「包裝……什麼意思？那不是祕密嗎？祕密還有什麼包裝、內容嗎？」

「沒錯，那是祕密。發起人是內務省的特務機關，而在背後推動的……是陸軍的那個人。」

「是……伊豆那場風波時的那個人嗎？」

綠川一看，木場的面相變得凶惡猙獰。

「沒錯，堂島靜鎮大佐——打造我在戰時隸屬的研究所的人。發起人是內務省的山邊唯繼。和某次一樣的班底。」

「可惡！」木場大罵一聲，舉拳毆打木地板。

爆出一道沉悶的聲響。

「那是什麼？是製造人工放射性物質，調查對人體的影響……」

「不是那樣的，益田。沒錯，就是這裡錯了，簗山。」

「哪裡錯了？」簗山第一次出聲。

「他們對於軍部，應該是聲稱在製造原子彈。」

「可是那……」

「我明白，這是不可能的事，所以這是謊言。山邊先生欺騙了陸軍，以及堂島。」

「欺騙？為什麼？」

「築山先生，這個計畫的始作俑者山邊這個人呢，有自己的信仰。」

「信仰……？」

「沒錯。他雖然並非天台宗，但似乎是一名佛教徒。他是個徹底的和平主義者——不，是堅定的反戰主義者。」

「這樣一個人怎麼會……」

「當然，是為了昭示放射性物質對人體的不良影響，**阻止核子開發**。」

「不就在開發嗎！」木場怒喝。「買下這半座村子。」

「**沒有開發**。」

「那，剛才那玩意兒是什麼？那個……」

「迴旋加速器。」綠川接口說。

「那是**幌子**。只有外皮，雖然不是紙糊的，卻是鐵皮貼成的，沒有任何價值。聚集在此地的人，都是強烈反對核子開發的研究家，以及支持他們的工匠師傅。當然……」

綠川豬史郎博士也是其中之一——中禪寺說，第一次望向綠川。

「叔公……」

「理化學研究所的仁科芳雄博士，是日本原子科學的先驅，亦是大成者。他應該是純粹地在推動核子物理學的發展。但綠川博士對它的危險性及弊害抱持著強烈的擔憂。」

「啊……」

——跟什麼人不合。

——學問方面的看法相對立。

「我認為不是人品的問題，而是學問方面的立場水火不容。不僅如此，綠川博士……」

一樣是反戰主義者，對吧？

——這。

綠川覺得應該是。叔公說過，他就是不願意看到人死，才矢志獻身醫學。當時綠川聽了想，明明不管怎麼努力，人終究難逃一死。她這麼說，叔公回道，即使終要一死，活著的時候能夠不痛苦是最好的。

醫生的存在，

是為了盡可能讓人們遠離老病死苦啊。

——啊，我想起來了。

聽到死人的聲音了。

「仁科博士是什麼想法，我不清楚。但即使在當時，應該也能輕易預測到放射線對人體的不良影響，以及核子物理學會被利用在軍事上。綠川，參加這個計畫的人，就是感覺到核試驗弊大於利的一群人啊。」

「可是……京極堂，那種東西……呃……」

「為了明確地呈現出它的威脅，必須徹底騙過對方。那麼，就必須裝出**確實在製造**的樣子來啊，關口。原子彈這種東西，不是那麼容易就能造出來的。在不產鈾礦的這個國家，製造人工放射性物質是首要之務，也不可或缺。而且必須搶先仁科博士製造出來才行。那不是小規模的研究室隨隨便便就能造出來的。聽著，美國的曼哈頓計畫在昭和十七年起步，蘇聯的原子彈計畫在隔年啟動。所以這個……旭日炸彈開發計畫，超前非常多。」

「旭日炸彈？」

「這個計畫的名稱。這個計畫完全是暗中進行，徹底被隱藏起來。在帝國陸軍當中，似乎也被列為最高機密。在內務省裡，除了山邊機關的幾名人員以外，無人知曉。這也是當然的。當時才昭和七年，距離開戰還太早。」

「軍部……真心相信能製造出大規模破壞武器嗎？」

「因為好像是卯足了全力去欺騙。」中禪寺說。「會挑選這個地點，是因為就在足尾銅山旁邊。表面說詞是，若是以任何形式危害到鄰近居民的健康，可以推給礦毒的影響。儘管根本不可能發生那種事。把村人遷走，也是基於相同的理由。是以這棟建築物為起點，畫出預測會受到放射線影響的範圍。所幸，超過一半以上……」

中禪寺指示紙門外。

外頭已是一片幽暗。

「都是山地，沒有人家。只要把尾巳村約一半的居民遷走，就可以放心了——當然，這也是為了取信那個人的手段。儀器也是，應該要有的設備一應俱全。因為如果不花掉真正能製造出原子彈的預算，謊言就騙不了人。當然會需要巨額預算。」

「軍方提供了這筆錢嗎？」

「不可能的。」中禪寺說。「那是絕密計畫。依我看，上頭知道多少，都很難說。即使上頭知道，能擠出來的金額也有限。內務省也是一樣。所以不足的金額，似乎是那個人向某些企業要來的。」

「怎麼要？」

「總有辦法吧。若是完成，絕對能帶來莫大的利益，若是想靠軍需產業大賺一筆的企業，也會不吝先行投資。人才方面……也讓對方相信已經暗中找到了一批一時之選。雖然確實是暗中，但實際上找來的全是支持山邊的思想的人……」

不過實際上也都是佼佼之才——中禪寺說。

「有不少像綠川博士那樣的研究者。但似乎只有綠川博士和其他成員有些不同。」

「怎麼樣不同？」綠川問。

「我猜測，只有綠川博士一個人……相信此地真的在製造人工放射性物質。」

「為什麼？」

「大概是因為……他原本打算要確實記錄資料。當然，不是為了什麼人體實驗。因為光是參與研究，人員就會曝露在低劑量放射線當中。他原本應該打算好好地記錄那些數據吧。但實際上並沒有製造。那個迴旋加速器只是虛有其表的假貨。而這裡的人，打從一開始就完全不打算製造真正的迴旋加速器……」

抱著不入虎穴焉得虎子的決心，然而洞穴裡。

——沒有老虎嗎？

就是這麼回事嗎？

所謂老虎，指的原來就是迴旋加速器。

「以結果來說，綠川博士可能被要求捏造資料。因為為了讓軍方放棄開發原子彈，必須交出可怕的結果。雖然必須假裝成功製造出人工放射性物質，卻也必須誇大它對人體造成的嚴重傷害。綠川博士一定很難受吧。即使是為了大義，這也等於是拋棄了身為學者的尊嚴。」

「我認為他對此感到抗拒。」

叔公就是這樣的人。可是。

「但他最後應該選擇了大義。」

「沒錯。」中禪寺回答。「所以他也學習了不同專業領域的物理學。既然要造假，就不能馬虎。否則那裡不會有大量的設計圖和抄寫的算式呢。根本不需要那些東西。」

這樣啊。是這麼回事嗎？

「可是……唔，心理上一定很矛盾呢。」綠川說。

「可是啊，京極堂，我不認為這樣的猴戲有可能順利成功。這不是詐欺嗎？而且騙的還是這個國家的官員、軍部還有企業。就算搞定了內務省，我實在不認為其他人全都是睜眼瞎子。」

「我也這麼認為。」益田說。「只竄改了數據資料而已吧？我覺得那樣的話，不必這麼勞師動眾大費周章演這麼一齣。東西造出來以後，裝出有在研究的樣子不就好了嗎？」

「不光是提供資料而已，還會定期請來相關人員，展現成果。」

「什麼成果？」

「只要讓他們看到放射性物質已經成功製造出來就行了。」

「可是又沒做出來。中禪寺先生不是說剛才的機器只是空殼嗎？」

「沒錯。」

所以猴子才會發光──中禪寺說。

「什麼？」

「就是這麼回事啊，築山。你看看那個。」

黑衣男子指示敞開的紙門外。

夜幕……已經完全籠罩大地了。

不。

「那什麼鬼？」

木場起身，伸手扶住窗框。益田四肢跪地，從木場旁邊探頭。關口伸長了身體。

綠川凝目細看。

被窗戶這道框所切割，夜晚宛如一幅畫。

連星辰都不見的黑暗天空。比天空更加漆黑的岩壁。

那片黑壁上，有一條青白色的光帶。

「那、那是什麼？是我眼花了嗎？」益田說道。

端坐在角落的御廚也探出身體。

「請看斷崖上方。這個時間的話，應該已經可以看到了。」

「上方？岩石上面有樹……」

呀！益田驚呼一聲。

「樹中間，那是什麼？那是在發光吧？是、是怪物嗎？咦？」

益田抱住了一旁的木場。

那東西就在天空與山的境界之間。

是發出青白色光芒的物體。

由於被樹木和草葉等遮掩，

妖光被切割得細碎，閃閃爍爍。

若以庸俗的詞彙來形容，這一幕極為幻想。

也就是脫離現實吧。

岩壁上的光帶，從山巔的那道妖光延伸而出。確實，這是不可能存在的光景。

綠川仰望走到她的肩頭處，怔立在原地的築山。僧人正微微哆嗦著。

「如何？築山？在你眼中，那看起來像什麼？阿彌陀如來嗎？不動明王嗎？還是日光權現？那是某些神靈顯靈嗎？」

「那……」

那不是那種東西吧？——築山開口。

「那是……」

「這樣啊。看起來不像**那種東西**啊。也就是說，你選擇了和小峰源助不同的另一條路。那麼……好了，現在你要怎麼做，築山？你要像石山嘉助射殺猴子那樣，把它破壞嗎？還是重蹈寒川秀巳的覆轍？」

築山摀住了嘴巴。

「京極堂，那、那到底是什麼！」關口低喊道。

「那就是……燃燒的石碑。」

「咦？」御廚走上前來。

「沒錯，御廚小姐。寒川先生的父親，就是從那裡跌落的。剛好就沿著那條光帶……」

「是……這樣嗎……？」

「京、京極堂，那、那難道是……」

「當然，那不是契忍可夫光，闢口。不是**那種東西**。不是的，築山。這幕景象確實詭異萬分，但你在不可能的異景中應該要看到的，不是**那種東西**吧？……醒醒吧！」

中禪寺以嘹亮的聲音斥喝道。

「身為現代人，重要的是以科學思考來理解世界的態度吧？但所謂的科學思考，可不是把**貌似科學的東西**照單全收、深信不疑啊，築山。質疑、思考、徹底驗證，若是無法證明，就維持不明白的態度，這才叫科學思考。那種東西不可能是契忍可夫光。然後……」

黑衣男子以戴著手背套的手指向燃燒的石碑。

「所謂合理，顧名思義，就是符合道理，而不是一味將信仰和文化習俗斥為迷妄，予以排除的蠻行。信仰也自有其道理——」中禪寺說。

「無論把那道光視為凶兆或瑞兆，都並非不合理。那是解釋的問題，各有各的理。不是說哪一邊是對的、哪一邊是錯的。但若要站在科學的立場，就必須遵循科學的道理。若不這麼做，對科學的信奉，就反過來成了一種迷妄。築山，你……誤入歧途了。」

「中禪寺先生……」

「築山，科學並非否定宗教，宗教也不否定科學。兩者是相輔相成的。同時，也不能用宗教的邏輯去理解科學，或是用科學的邏輯去談論宗教。兩者雖然並立，卻不能混淆。」

你不是宗教家嗎？——中禪寺沉靜地威嚇築山。

「如果迷失應該貫徹的路，會再也走不出來。聽好了，許多科學家都擁有信仰，秉持學究態度的宗教家也多如繁星。兩者是並行不悖的。你不是面對社會、面對自己，一路走在信仰大道上嗎？要捨棄什麼都行，但要是拋棄了信仰……」

會墮入魔境──來自奈落深淵的魔物說。

「魔境……？」

「沒錯，魔境。寒川先生只是以科學的道理談論了他的信仰。就如同你感受到的那樣，他似乎拚命努力要保持科學、合理的態度，然而最根本之處，卻完全不科學。」

「這……」

「那是……身而為人的感情嗎？感情確實無比重要，卻是科學思考所不必要的。若是無法將兩者切割開來……」

科學的觀點會被蒙蔽。

「不論再如何喜愛，錯誤的就是錯誤。沒有因為喜歡所以是正確的科學。同樣地，不管錯得再怎麼離譜，若是在清楚那是錯的情況下依然喜愛，這也沒什麼不行。但若是不分辨清楚，就會混淆。會被蒙蔽了雙眼。你是不是被寒川先生的話影響，用信仰者的邏輯去看科學了？信仰科學，這才是絕不能犯的錯誤。」

「啊……」

築山掩口的手往額頭移動。

「有什麼好迷惘的？你擁有自己的信仰。即使沒有寺院、沒有信徒，你不是也一直面對眾生嗎？在戰亂當中宣揚不殺生戒的你，怎麼能因為那種東西……」

燃燒的石碑。

「就受到動搖？」

築山總算坐下來了。

「京極堂，那……到底是什麼？」

「那個嗎？那個玩意兒啊，關口，就只是座岩石罷了啊。在發光的是……夜光漆。」

「什麼？」

「那不是騙小孩的玩意兒嗎！」木場敲打地板。「這樣搞，有什麼意義？」

「當然有意義啊，大爺。」

「唔，它是會發光啦，可是……不，等等，京極，就算是這樣……讓石頭發光、讓山冒出一條光，又能怎麼樣？那種東西，徹頭徹尾就是騙小孩的花招嘛！」

「不是那樣的。」中禪寺說。「那光是其次——不，沒必要發光。聽好了，這個虛假的計畫，首先必須製造出人工放射性物質，否則接下來都無法成立。」

「確實吧。」木場說。

「可是他們並不打算真的製造吧？」綠川說。

「沒錯。但是不端出成功製造的成果，一切都會在那裡畫上句點。據推測，在接收這個地點剛好滿一年的時候——昭和九年的初夏，計畫開始定期展示成果，好**偽裝**成開發順利進行——不，迴旋加速器已經完成的樣子。」

「怎麼展示？」關口問。

「首先……應該讓機器運作了吧。」

「喂，你不是說那個殘骸——寒川先生破壞的鐵塊只是**幌子**嗎？」

「是啊，那個機器什麼都製造不出來，只是個無用的東西。可是就我剛才看到的，它甚至有像飛機螺旋槳的零件，或像原動機的裝置，所以應該是可以旋轉的。原本是會動的。」

「那……是真的在製造嗎？」木場說。

「不可能。」中禪寺說。「只是做得像一回事，就是會轉而已。要是轉一轉就能輕易製造出放射性物質，仁科博士也不必那麼辛苦了。而且要是那麼容易就能做出來，全世界早就大肆製造了。簡而言之，有個樣子就夠了。要知道，在那個時間點，可沒有人見過迴旋加速器這種東西。所以……」

「召集陸軍、內務省以及出資的企業人員，轉給他們看嗎？」木場說。

「那東西……轉了會有聲音嗎？」久住問。

「嗯，當然會有運轉聲吧。發電機自然也是馬力全開，應該會製造出相當巨大的聲音。」

「那聲音會傳到有人居住的地區──登和子小姐和丑松先生家那一帶嗎？」久住又問。

「應該吧。」中禪寺回答。「我也沒聽過迴旋加速器運轉時的聲音，而且那是冒牌貨，完全不知道會發出怎樣的聲音，但畢竟那麼巨大，不難想像運作起來，運轉聲會擴散到相當大的範圍。而且背後……」

中禪寺回頭。

「又是懸崖峭壁。那片岩壁或許會反彈聲音。可能也要看音頻，但聲音應該會往村子那裡傳吧。」

「就是這個啊，關口先生！」久住說。

「就是哪個？」

「就是，丑松先生說他聽到的聲音啊。」

關口微微張口：

「咦？他說鬼屋傳來的怪聲嗎？」

「沒錯，丑松先生不是說，土地被收購以後，鬼屋開始傳出怪聲？」

「原來如此……」

中禪寺轉向應該是剛才的大房間的方向。

「那是在進行假實驗。但是這情況，只是旋轉沒有意義。必須透過旋轉製造出放射性物質，否則實驗就是失敗的。迴旋加速器是用來製造放射性物質的裝置。轉得再怎麼快，都不算成功。只有製造出放射性物質，才算是成功。因此……」

中禪寺的臉轉向紙門外的夜。

光帶宛如切斷了漆黑的岩壁。

上方的石碑閃爍燃燒。

「所以呢？」木場說。「轉動剛才的那個，讓那座山發光來騙人嗎？根本耍猴戲嘛。」

「所以說，沒必要發光。」

「為什麼？」

中禪寺轉向築山：

「築山，前陣子才剛聊到的話題，你還記得吧？夜光漆是怎樣的東西？」

築山的神情變得苦惱。

「夜光漆的原料，是自體發光物質硫化鋅。自體發光物質顧名思義，是不用燃燒，也會自行發光的物質。可是，它並非常態性地發光。」

「對了……」築山抬頭。「……我想起來了。記得要讓它發光，必須照射放射線……是嗎？」

「沒錯。在自體發光物質加入放射性物質製成的顏料，就是所謂的夜光漆。也就是說，夜光漆裡含有不少的**鐳**。」

「鐳？」木場粗啞地揚聲。「鐳，是那個鐳嗎？」

「就是那個鐳。」中禪寺說。「鐳具有放射能，隨時都會放射出放射線。硫化鋅就是與此起反應，發出光芒。因此夜光漆在黑暗的地方也會發光。就像那樣。」

中禪寺指示燃燒的石碑。

「那，是把夜光漆……偽裝成人工放射性物質嗎？」

「只要證明製造出來的物質會發出放射線就足夠了。而鐳是不折不扣的放射性物質，放射線偵測器會確實對它起反應。應該是請軍方或內務省、企業帶來偵測器，進行測量吧。」

「這不是詐術嗎？」木場說。

「是詐術啊。瞞天詐術。可是只有這個可能了。這棟大宅的後院有巨大的發電機，旁邊擺了許多長方型鐵桶和大汽油桶。我原本以為是燃料……結果不是。」

「是夜光漆嗎？」益田發出古怪的聲音。

「燃料罐幾乎都用光了，是空的，但夜光漆還有剩。」

「太可笑了。」木場說，用力在鼻梁擠出皺紋。益田說：

「哪有什麼神祕嘛？那根本不是老虎嘛。不……不不不，等一下，中禪寺先生，確實就像你說，沒必要發光呢。我不曉得放射線偵測器是怎樣的東西，但不發光也會起反應，對吧？」

「會啊。」

「那麼，那光是怎麼回事？寒川先生的父親看到那座石碑……」

「他沒有看到。」中禪寺說。

「怎麼會？啊，因為是白天嗎？確實，他墜崖的時間是上午，但是在那之前，最早發現的時候……雖然不清楚正確的時間，但太陽應該正逐漸西下吧。」

「不管是傍晚還是晚上都看不到。因為那條光帶，還有那塊石頭發光，都是更後來的事啊，益田。」

「更後來……？」

「大概是因為真正的迴旋加速器就快完成了，焦急起來了。」

「那是……」

「迴旋加速器是昭和……十二年完成的呢。」綠川說。

「那，就是寒川博士過世……」

「三年後吧。所以寒川先生的父親寒川英輔博士，根本沒有看到什麼燃燒的石碑。」

「是這樣嗎……？」

御廚還有築山都陷入茫然。

「應該就是這樣。因此對於那座石碑，寒川博士也不感到任何神祕。那就只是一座岩石而已。當然，也不會對它感到科學方面的興趣。」

「可是中禪寺先生，寒川博士不是甚至寫了明信片寄給兒子，說自己發現了棘手的東西嗎？只是塊普通的石頭的話，一點都不棘手吧？」

「明信片上說棘手的東西是石頭嗎？」

「沒有。」御廚說。

「可是……」益田窮追不捨。「看看那東西，就算從這麼遠的地方看到，感覺也大有問題，不是嗎？就算知道是夜光漆造成的，一樣看起來很有鬼啊。更何況寒川博士帶著放射線偵測器。都過了十年、二十年，還亮成那樣，當時一定就像字面描述的，熊熊燃燒吧？偵測器一定也是嘎！還是嗶！地震天價響吧。」

「不會響。從時期來看不可能。如果是那種狀態，調查團其他人應該也發現了。寒川博士是為了觀察植物，去到懸崖邊緣，才會發現棘手的東西，和石碑沒有關係。」

「可是，寒川博士還特地一個人又跑去看那座碑啊，中禪寺先生。」

「寒川博士不是來看石碑的。他目擊到的不是石碑也不是植物，而是……」

這棟房子——中禪寺說。

「什麼？」

「聽著，那道光……大家看得到，對吧？從這裡都看得到了，站在那裡，當然也可以俯瞰這棟大宅。這個房間什麼都沒有，但建築物後院設置了發電機等大量的設備。還有汽油罐。從地面因為被籬笆擋住所以看不到，但是站在崖上，可以一覽無遺。據說沒有人居住的地點，居然有著這樣的設施……」

「唔……會覺得是什麼棘手的東西呢。」

「就是吧？寒川博士是為了讓日光被指定為國家公園的準備而進行調查。如果是寺院神社僧房那些也就罷了，看到的卻是最尖端的機械器材。要是發現那種極度人工的設施……」

「很棘手呢……」益田也說。

「只是這樣罷了。寒川博士似乎隨身帶著放射線偵測器，但測量的是自然界的放射線，並不是發現了這裡的祕密。」

「那，博士是……」

「假設他正在調查那一帶，爬上那處山巔，應該花了不少時間。而這座大宅只能從那裡看到。就像益田說的，寒川博士在接近傍晚的時刻抵達那裡，發現了石碑後方的這裡吧。他肯定疑心大起。都會特地寫在明信片裡了，他肯定對此地滿腹疑心。因此他想趁著天光明亮的時候再來確認一下，一大清早離開住宿處，去到了那裡。然後繞到石碑後方，想要把這裡看個清楚，結果失足跌落。」

「是……事故呢。」御廚說。

「是事故吧。雖然在事故處理的部分，從某個意義來說摻雜了犯罪……但寒川英輔的死亡本身，並沒有犯罪疑慮。」

也一點都不神祕──中禪寺說。

「那，報警的是……」

「是這裡的工作人員吧。因為只能從這裡看到。」

「為什麼？」木場緊咬不放。「要隱瞞的話，不要張聲，自己處理掉不是更好？」

「他們並不打算要隱瞞吧。」

「什麼？」

「那裡就只是普通的懸崖下方，而且在水潭對岸。而且這裡的人應該也沒想到博士是為了看清楚這棟房子的機器設備，才會登上懸崖。因為從地面根本看不到。我想他們甚至沒發現從那裡可以看到庭院的機器設備。那樣的話……就只是一場單純的事故。」

「可是不是會上去進行現場勘驗嗎？不，實際上警察不就上去了嗎？那……」
「就算看到機器設備，跟事故也沒有關係吧。警方也沒理由調查這棟房子。而且在那個時間點，那座懸崖跟這個計畫一點關係都沒有。」
中禪寺說，把紙門關上了一半。
「而且在當時，這裡應該正在進行稽查，沒空管那些吧。」
「正在偽裝成迴旋加速器已經完成嗎？」
「對。萬一偽裝曝光，一切都前功盡棄了。這個計畫的真實目的，是阻止核子開發。為了阻止開發，必須讓對象相信證明其危險性的捏造資料是真的。因此必須**偽裝成**真的在開發的樣子。為了貫徹謊言，第一道關卡就是完成迴旋加速器。」
「這……順利成功了？」木場問。
「應該吧。」中禪寺說，把還開著的另一半紙門也關上。被門口裁切出來的異界消失不見了。
「一方面應該也是因為當時一般人對核能的理解程度相當低，也很少有人具備這方面的知識。但這樣的鬧劇，還是不可能永遠維持下去。不過，這個計畫原本就是偽裝成最終目標是製造原子彈，那麼製造人工放射性物質就只是第一階段而已。應該某程度成功地爭取到時間了……但真正的目的，是在過程中誇大核子開發的危險性。必須證明這一點才行。」
「他們做了什麼？」木場問。
「光是綠川博士捏造的資料還不足夠。想想綠川博士的作風，製作的資料一定相當正確，但不論再怎麼正確地重現放射線傷害……也沒有說服力。」
「所以他們怎麼做？」
「我認為，他們應該利用了客戶對核能的無知，撒了彌天大謊。那就是那座燃燒的石碑。」
中禪寺輕拍了一下紙門的窗格。

「他們在那座山一帶潑灑夜光漆，來顯示光是運轉迴旋加速器，就會洩漏出如此大量的放射線。」

「太荒唐了，那種……」

「戰前對核能的理解就只有**這種程度**啊，大爺。即使出示再精密的數據資料，如果不配合**對方的程度**作戲，人家也看不懂。」

「他們信了？」

「你們應該完全理解放射線的威脅，這樣的你們看到剛才那一幕，有什麼想法？就連生活在遭受原子彈轟炸洗禮的這個國家的你們，不是都懷疑那是真的了嗎？不，應該還忍不住信了。不對嗎？關口、益田。」

「啊……」

「夢幻的未來能源、現代的鍊金術、魔法的萬能技術……核能不斷地被如此歌頌。這樣的宣傳和接受方式，就是把科學當成信仰。沒有那種東西。利益必定伴隨著風險。風險管理才是至關重要的。但信徒看不到什麼風險。」

「對吧，築山？」中禪寺呼喚僧人。「信仰就是相信。傳教者為了讓人相信，標榜現世利益。可是，現世利益是為了將人引導至真正的信仰的……權宜之詞。但科學不同。科學不是用來相信的，而是要懷疑、驗證的。只歌頌它美好的一面——現世利益，這不是權宜，純粹就是謊言。在它前方的是壟斷利益的特權。因此提出批判，就是與之為敵。提出疑問，也會變成敵人。連指出缺陷都不被允許。不接受批判和疑問的科學不是科學。戰前的核能，是一種信仰。」

黑衣男子再次拍打了一下紙門的格框。

「因此那種宛如展演的東西才更具奇效。戰前的科學家，每一個都是用表演來宣傳自己的成果，這也不是我國獨有的現象。而演示愈精彩的人，就愈能博得大眾的信服。就宛如魔術師替神祕學為虎作倀一樣。那座……」

中禪寺伸手指去。

「山棱，當時看起來應該比現在看到的景象燃燒得更為熾烈耀眼。那般奇異的景色，不是一般看得到的。」

「這樣啊。那，發光的猴子是……」

「沒錯，築山。就像那天玩笑中說的，小峰先生看到的是被潑了滿身夜光漆的猴子。那隻猴子被石山先生射殺，在森林中腐朽了。寒川先生的放射線偵測器起反應的，應該是……那隻猴子的屍體所在地吧。」

「都過了十六年，還會有反應嗎？」

「據說鐳的物理半衰期是一千六百年。」

「我不會告訴小峰先生。」築山說。他的模樣和一開始看到時相當不同了。「因為他相信的是神使。」

「這樣就好了吧。沒錯，就如同小峰先生看到發光的猴子，感受到對神佛的敬畏，看到那座山大放異光，這場計畫的客戶，應該也感受到極大的畏懼吧。」

「那，事情順利進行了嗎？」

「原本很順利。直到昭和十二年，仁科博士完成了真正的迴旋加速器。」

「啊……完成了嗎？」益田說。「那邊是正牌貨嘛。可以真的製造出放射性物質。」

「體積好像比剛才看到的殘骸更小。不過到了那時，狀況逆轉了。」

「怎麼說？」

「客戶判斷，會洩漏出那樣大量的放射線，是設計和施工上的問題。研究員的健康受損，也被歸咎於放射性物質管理不良。而且仁科博士甚至開始公開實驗，讓人服下製造出來的放射性鈉，測量放射線劑量。所有的一切……都功虧一簣了。」

這也是當然吧。

開發本身是暗中進行，而且完成本身是謊言，即使真的完成了，也無法公開他們已著先鞭。不僅失去了研究的意義，甚至沒必要保密了。然而卻也無法公開。

因為所有的一切都是假的。

「然後怎麼樣了？」木場說。

「就在這時，田端勳先生被挖角了。」

「什、什麼意思？」

「他被抓去……做了人體實驗吧。唯一的。」

「這……我不懂有什麼意義。」

「攝取鐳會造成健康危害，這是從很早以前就已經知道的事。大正時期美國發售的藥物『鐳補』，只是把鐳溶入水中製成的粗製濫造假藥，當然毫無醫療效果，卻銷售了將近十年，結果終於害死了人。那明顯是鐳造成的放射線傷害。」

「所以怎樣？」

「仁科博士在公開實驗中，要人服下放射性物質呢。許多人對此舉大肆讚揚，舉國歡騰。受試者身上測出放射線的那一刻，歡聲雷動。」

「太異常了呢。」綠川說。

太離譜了——這樣的感想，是現代才會有的感覺嗎？

「這裡的人需要數據資料，來證明那是多麼違背常識、危險的舉動。」

「那，田端是……」

「應該是收了錢，服下稀釋的夜光漆。」

「那就是他在幹的不好的工作嗎？」

「很……不好呢。」

「這樣啊。」木場拍了一下膝蓋。「原來登和子的外祖母根本沒有痴呆嗎？她說什麼猴子發光、不能做那種事……阿婆是察覺了。她知道女婿被抓去做不好的實驗了。」

——原來如此。

「所以田端先生才會曝露在低劑量放射線中呢。因為他被抓去做實驗了。這太不人道了，不是能夠原諒的事。」綠川說。

叔公容忍了嗎？

比起倫理，更以大義為優先嗎？

還是科學的好奇心更勝一籌？

「博士是在治療他，綠川。」

「咦？」

中禪寺看著綠川說：

「綠川博士應該沒有決定權。田端先生也不是受到強制，他是出於自己的意志參加實驗的。如果勸他放棄也不聽，除了治療以外，也無計可施了……我這麼認為。」

「你這種地方真的很溫柔，中禪寺。可是，沒關係的。」

不必聖人到那種地步也無所謂。叔公就只是個凡夫俗子，他應該有自己的算計，會立場搖擺，也有挫折和墮落的時候吧。叔公大概是在那時候……

——放棄了嗎？

不知為何，中禪寺露出寂寞的神情。

「然而田端先生衰弱得比眾人預期的還要快吧。症狀一口氣惡化，然而他卻不肯停止服用毒液。然後……他死了。」

「等一下，京極，你是不是故意跳掉了什麼？你說寒川英輔的死也是事故，真的是這樣嗎？不是有個女的慫恿田端嗎？」

「沒有那種女人。」

「明明就有……」

「那是另一件事，大爺。」中禪寺說。

「另一件事？」

「在狸子的身體安上猴頭蛇尾那些，會變成莫名其妙的怪物啊，大爺。而且還會被安上完全無關的鵼這種名字。聽清楚，沒有鵼這種怪物。鵼的故事，全是在怪物被消滅之後才釀造出來的。一旦混雜在一起，就再也難以分離了。在怪物鵼的故事，找不到做為鳥的鵺。」

根本沒有什麼陰謀——中禪寺對木場說。

「確實，這個地點是為了矇騙軍部和國家而打造的假的研究設施。而且是祕密。不過沒理由因為這樣就說它是陰謀吧？田端勳是病死的。」

「可是……」

「沒錯，田端勳的死似乎經過加工偽裝。他的遺體，是證明放射線會對人體造成莫大危害的鐵錚錚證據。因此……被提供給軍部了吧。」

「這樣啊。是符合當初目的的做法呢。」

「沒錯，綠川。等於是不期然地得到了證據，能夠證明貿然沾染核能，會落得這樣的下場。因此遺體只能搬到別處去。所以他們請淺田女士和櫻田女士隱匿和偽裝死因吧。」

「那就是那個……」

「應該不是大爺說的女子。我認為出面委託的應該是綠川博士……但不確定。博士是登和子小姐的救命恩人。」

「叔公有可能會說……是為了醫學的發展呢。而且也許叔公真心這麼相信。」

反正人也救不回來了。

「不過支付封口費，還有私下運走遺體的，應該都是軍部的人吧。」

「可是啊……」木場似乎無法接受。

「沒有什麼特工的，大爺。雖然沒有證據，但我認為射殺發光猴子的石山嘉助先生，是被田端先生殺害的。」

「怎……怎麼會！」

「因為他從事不好的工作，這個祕密被石山先生發現了。田端先生應該被交代絕對不能透露。雖然不曉得是不是從發光的猴子查到的，但我猜想石山先生打探到這個祕密，向田端先生提出談判，說要是有什麼好賺的生意，也讓我參一腳……或是如果不想要我說出去，就分一杯　給我……」

「確實，我是聽說石山和田端好像在做什麼。丑松說可能是私售物資……但當時還不到那種時期。」

「兩造應該是談不攏，起了糾紛。田端先生會精神失常，可能不光是放射線傷害的緣故。似乎很疼孩子的田端先生甚至動手打了年幼的女兒，狀態相當不尋常。」

「或許吧。」木場沉默了。

「但是，」中禪寺接著說。「田端先生這個鐵錚錚的證據，結果也未能得到多大的成果。正式公開的仁科博士的研究成果獲得了正當的評價，大眾也支持了研究昭示的核能光明的未來。田端先生……是白死了呢。」

「那……這裡關閉了嗎？」木場問。

「沒有。」黑衣男子說。「因為這處絕密研究設施，是旭日炸彈開發計畫的一部分。」

「啊，對啊。仁科博士也只是製造出放射性物質而已呢。」綠川說。

「對。在那個時間點，仁科博士應該並不打算製造什麼原子彈，但是這裡卻沒辦法如此。即使真正的目的是阻止核子開發，但這裡當初就是以製造炸彈的冠冕堂皇理由打造出來的場所。這裡變成了以仁科博士的研究成果為基礎，**偷偷摸摸開發原子彈**的地點了。當然不可能做出來。只會旋轉的鐵塊和夜光漆，不可能造出什麼炸彈。即使要掩飾，仍有極限。同時，時局不斷地惡化。」

「那真是個討厭的時代啊。」木場說。

「是啊。在那之前，應該也有過人員的更迭等變動，但後來也沒有了。阻止核子開發的目的，已經……」

「被放棄了呢。」綠川說。

應該是放棄了。

「是啊，人一個個走了，金主也撤資了。因為已經沒有餘裕去跟不知何時才會完成的炸彈開發瞎攪和了。軍部和內務省應該也是。情勢日趨緊張。至於預算，本來就沒有。因為不管在軍部還是內務省裡面，這個計畫原本就是在極機密當中進行的。即使援助中止……也不會有人發現。就在這當中……」

「開戰了，是嗎？」

「沒錯。隨著開戰，這棟宅子、這個計畫也宣告廢棄了。它在極機密中展開，最後不為人知地被放棄。然後……」

只有綠川豬史郎留了下來。

原來是這麼一回事。確實……叔公是為了得虎子而來到此地，然而虎穴裡卻根本沒有老虎。然後……

——他放棄了什麼。

因為這是一種背叛。

所以他回不去了。

其他的路也都斷了。

不知道是挫折還是失敗了。

就像個守衛一樣，在這裡保護著什麼。

太淒涼了。

讓人心碎。

「然後，為戰爭畫下句點的……是原子彈。」

「啊……」

確實如此。叔公不得不接受他比任何人都先預料到、也最不樂見的結果嗎？那麼，若是他真正放棄的話。

——他大可以回來的。

綠川望向御廚。那個叫寒川的人也是……

——不會回來了嗎？

「真是傻呢。」綠川說。

「是啊，我也這麼想。」中禪寺回應。

「喂。」木場交抱起手臂。「不是這樣就完了吧？發光的猴子、老虎的尾巴，那些就算了。我也是被狸子哄騙，被拐到這裡來的。而且你說的情節裡面，沒有笹村也沒有桐山啊。寒川英輔的屍體為什麼被搬走一次？又怎麼跑回來了？笹村伴輔還有澄代夫妻的燒死不是偽裝的嗎？慫恿田端動的女人又是誰？」

知道的話就說出來！——木場說。

「而且京極，這裡叫什麼的計畫，你知道得未免太清楚了。你該不會也參了一腳吧？」

「二十年前的話，我才十二、三歲呢。而且還在地方，怎麼可能參與其中？我是調查了一下。」

「所以說，連公調都查不到的情報，你怎麼可能一兩天就摸清楚了？混帳東西。」

「當然查得到啊。鄉嶋和我的情報來源不一樣。當然，他也知道許多我不可能知道的事，他的身分也能接觸到機密。但他應該不知道**怪物**吧。」

「什麼怪物？」

「好吧。大爺，我呢，和那位築山一起在整理輪王寺境內的護法天堂後方挖掘出來的箱籠裡的古文書。」

「那件事跟這有什麼關係？」

「築山，我還沒有告訴你，不過那些書籍，並不屬於輪王寺。」

「什、什麼？」築山說，跪在地上往前挪動。「什麼意思，中禪寺先生？」

「我被《西遊記》騙了。很少聽說寺院書庫裡會收藏《西遊記》。即使是收藏外典的寺院，也難得看到《西遊記》。因此我在那個階段，就完全停止懷疑了。」

「我從一開始就沒有懷疑過……不過，這不太可能吧？」

「是啊。已經調查確認的內典當中，若不論新舊，幾乎沒有任何稀罕的東西。唯一沒有前例的，就只有《西遊記》……但那並非天海藏裡的金陵世德版《新刻出像官板大字西遊記》的抄本。」

「不是嗎……？」

「雖然我也未能詳細閱覽天海藏收藏的《西遊記》內容，不過我看到實物了。封面是改裝過的丹表紙（註），但內容確實是明刊本。不過，這次出土的並非明刊本世德堂版的抄本。台灣似乎有和天海藏的藏本幾乎相同的版本，所以我也費盡辛苦聯絡，請他們調查，因此花了不少時間……原版的時代似乎更要晚近許多。而抄本因為是抄本，不清楚抄寫的時期。」

「這我明白了，那……」

「請想想看，它抄寫的是和天海藏不同的版本，而且居然是《西遊記》。那不是隨處可見的書籍吧。而且怎麼會抄寫那樣的外典？就算要抄，明明天海藏裡就有藏本，為什麼要抄寫其他版本？」

「是這樣沒錯……」

「直接說結論，那只儉飩箱的內容物，雖然主要都是經典和佛教書，但抄寫的時期各不相同，舊的可能是江戶時期，但最後完成的文書，是大正十一年。」

「大、大正？」

「然後它被埋進那裡，是昭和八年的事。」

「你、你在說什麼？才短短二十一年前的事嗎？」

「沒錯。把它埋在那裡的，不是輪王寺的人吧。因為那不是本來就在輪王寺裡的東西。」

「不，請等一下。怎麼會有人特地把佛典埋到別處寺院的境內？」

「這裡。」

中禪寺指著腳下。

「請說明白一點。」

「所以說，那個箱籠原本是這棟宅子的東西。」

「喂，什麼意思？」

「大爺，這棟房子，並不是蓋來當做祕密炸彈工廠的。它原本是一棟鬼屋。但這裡變成鬼屋，是明治中期，尾巳村這個聚落形成以後的事。在那之前，這裡……就只是孤伶伶地建在山中的建築物。在東北地方，這樣的建築物……」

被稱為「迷家」。

「京極堂，迷家不是民間故事裡面出現的虛幻的人家嗎？偶然闖進迷家的人，帶回屋裡的物品，就會變成富翁，但再也沒辦法去第二次……」

「你很清楚嘛，關口。」中禪寺有些嘲笑地說。

「我、我是聽你說的啦。也在柳田國男的書還是什麼讀到過。那種東西，不是跟浦島太郎的龍宮還是桃太郎的鬼島一樣嗎？」

「不是的。」

「明明就是。世上才不可能會有那種像民間故事的怪東西。」

「……這個世上，沒有任何不可思議的事啊，關口。」

註：丹表紙為丹色的書籍封面，流行於江戶時期。

中禪寺說道。

「所謂迷家，指的是沒有人跡的山中的大房子。是有人為了某些目的而建造的，但是和聚落無關。與村子、藩、國家也無關，因此只能透過迷路而誤闖。因為不會有事特地去那裡。」

「你是說……這裡就是那樣的地方？」

「沒錯。興建迷家的人、興建的理由都不盡相同，但他們和里人——柳田翁所說的常民——是斷絕的，不管在文化、信仰或習俗等一切方面，都截然不同。因此雙方極少會接觸，即使接觸，也不會被知覺到，如此而已。」

「喂，你是說看不到他們？」木場說。

「說什麼傻話，當然看得見。人是存在的啊。是就算存在也**看不見**，因為彼此之間沒有瓜葛嘛。」

是不能觸碰的異民嗎？

「這樣的東西存在於山裡。這裡……過去也是山的一部分，但漸漸被聚落侵蝕，不再是山裡了。然而這裡一直到最近都還有人使用。其他這樣的建築物，幾乎都在明治維新前後無人居住，變成廢墟消失了。這裡呢，以前是山上的人們的……」

寺院——中禪寺說。

「寺、寺院？」

「大正八年制定的《史蹟名勝天然紀念物保存法》，和《國寶保存法》一起被納入《文化財保護法》，根據這部法律，栃木縣也在大正末期成立了史蹟名勝天然紀念物調查會。目的是調查內務省及縣政府列為保護對象的物件的實際狀況。調查過程中，發現保存在二荒山神社的土器是在男體山山頂出土的，因此針對山頂進行了踏查工作。山頂挖掘出古鏡、青銅鈷鈴等大量古物。分析研究似乎還在進行當中，因此無法斷定，但至少可以知道，在勝道上人開山日光山更早以前，就存在有山岳信仰，更早以前那裡就有祭祀場。山裡是有人的。」

「呃，可是京極堂，那不是所謂的山人嗎？那……」

「你該不會想像那就像之前報上刊登的喜馬拉雅山雪人吧？」

「不是啦，但你不是說文化跟信仰都不同嗎？」

「當然不同啦。可是還是會受到影響，也會變化。修驗道興盛起來，蓋起了神社，接著很快地，變得到處都是佛教寺院，你以為這中間到底經過了多少年？日光並非山與聚落彼此隔絕的地區，而是**重疊**在一起。只是，不論文化與信仰如何融合，社會結構依然是另一回事。即使是百姓受到檀家制度〔註〕管理的時代，他們依然處在社會的外側。」

「中禪寺先生，所以你才……」

「沒錯，築山。摩多羅神那邊我猜錯了，但叉鬼猜對了。這裡呢，是生活在山裡的人們的寺院。如果說寺院這個名稱不恰當，那就是他們當成寺院使用的建築物。也許是走遍各座山頭的他們這些漂泊民的據點。那個箱籠裡裝的……原本是存放在這座寺院的書籍。」

「它怎麼會跑到那種地方？」

「唯一的答案應該是，那個地點最方便掩埋。」

「呃，那裡確實面對道路，適合偷偷掩埋，但為何非埋在寺院境內不可？」

「因為這裡被接管了啊。」

「啊……」

「而且是擅自接管。從大正到昭和，這棟建築物被稱為鬼屋，甚至傳出一家被滅門的流言。這是故意放

註：檀家制度規定檀家（信徒家族）的喪葬祭祀隸屬於特定寺院，江戶幕府利用此制度來管理人民。

出去的傳聞。」

「故意？為什麼？」

「因為附近出現了尾巳村啊。為了不讓閒雜人等靠近，刻意散播可怕的情節。這棟房屋雖然沒有人定居，但一直到昭和初年，都還有人使用。」

「就像公民館呢。」綠川說。

「完全就是公民館。到了明治，許多山裡的人遷至聚落，原本漂泊的山民也漸漸定居下來了。兩者之間的藩籬消失，再也無法區別了。也得到了戶籍。可是……也有些人沒有這麼做。或許幾乎沒有人在山野中流浪生活了，但似乎還有人到現在都還沒有戶籍。」

「這裡是那樣的人在使用嗎？」

木場東張西望，益田抬頭仰望。

關口不安地說：

「這樣啊。德山先生……丑松先生一再強調這裡是無人的空屋，太太卻說有人。原來兩邊都是對的嗎？可是……對了，久住先生，那時候太太好像提到有人在鬼屋工作……」

「對，她說自己剛嫁過來的時候，有個姑娘天天來這裡上工。」

「對啊，她這麼說呢。雖然丑松先生否定……這又怎麼解釋？是太太搞錯了嗎？雖然或許只是旁枝末節啦。」

「不是旁枝末節啊，關口。」

「不是嗎？那，真的有那個人嗎？」

「當然了。」

「我記得……」久住沉思了一陣說。「太太是說叫珠子，還是珠……」

「珠代……對吧？」

「你知道？」木場說。

「知道啊。我昨天見到她了。」

「她、她還活著嗎？她是……」

「是笹村澄代女士的妹妹。」

「什麼！」木場跪立起來。「京極你這小子，你隱瞞了什麼！」

「我什麼都沒有隱瞞啊。珠代女士現在住在隔壁的今市。她在戰時傷到了腳，不良於行，但人很健康。我不知道那位德山先生的太太是何時嫁過來的，但如果是大正十一年到十二年之間，那麼她看到的一定就是珠代女士。」

「所以，到底是怎麼回事？」

中禪寺揚起一邊眉毛，看著聲色俱厲的刑警。是綠川以前常在他臉上看到的表情。

「你搞錯什麼了呢，大爺。珠代女士在大正十一年當時，還是個青少女，大概十七歲左右吧。當時她都會過來這棟屋子，協助姊姊生產。」

「生、生產？」

「沒錯。笹村市雄先生是在在這裡出生的。」

「我不懂。」木場抱住了頭。

「這沒什麼好奇怪的吧。日光的山地，是笹村澄代女士的故鄉。回娘家生產不是什麼罕見的事。但澄代女士的娘家是簡陋的山中小屋，不適合生產，因此才在這間寺院——不對，這不是寺院呢，那麼就像綠川說的，就像公民館嗎？——總之她在這棟房子生下了市雄先生。幾個月之間，送養出去的珠代女士天天來這裡照顧姊姊。因為笹村家就只有男人。」

「我知道澄代是這一帶的人，可是我查不到她的親人。」

「當然查不到吧。澄代和珠代兩姊妹的父母沒有戶籍。不過兩人好像一出生就送養了……收養她們的人，好像原本也是在山裡生活的人。桐山寬作先生……把孩子交給下山的同胞了。」

「什麼！」

「就是桐山寬作先生。他好像到現在依然沒有戶籍，似乎打算以日光叉鬼的身分，在山中終老一生。」

「喂，那個桐山……」

「用不著這麼激動吧。」中禪寺說。「身為住在這個國家的人，沒有戶籍確實是個問題吧。等於是完全沒有盡到身為國民的義務，但同時也放棄了身為國民的權利。寬作先生沒有納稅，沒有被徵兵，也沒有參與村中的勞務。相對地，他沒有從國家和村落得到任何支援，也沒有蒙受任何恩惠。」

「就、就算是這樣……」

「雖然確實是違反規則，但用有色眼鏡看待就不對了。不管是怎樣的人，應該都同等地擁有人權。」

「我……才不會用那種有色眼鏡看待。」

「我清楚大爺不是那樣的人，但世上也有許多人並非如此。明治以後，身分階級制度廢除了，但仍有一群人原本就不在身分階級之中，他們多數都遭到了排除。」

「唔……是啦……」

「明治以後，國家權力以『山窩』這樣的蔑稱統稱山裡的居民，有時把他們當成罪犯。不，歧視他們的，或許反而是市井小民、一般民眾。」

「呃，我也在小時候聽說山窩會施法，或是會抓小孩。雖然我幾乎不信啦。而且根本就沒有什麼山窩。」益田說。

「因為他們不存在。不，即使存在，人們也看不見。就跟這棟房子一樣。再說，他們就是普通人，從外表根本無從分辨。」

區分他們的是制度——中禪寺說。

「人的習性，會害怕與自己不同的事物。外表不同、語言不同——不光是這些顯而易見的差異而已，遵循不同的規則生活的人、擁有不同價值觀的人，也會成為畏懼的對象。棘手的是，這類恐懼會直接轉換成對對象的憎恨。結果有時候不是害怕，而是做出攻擊。因為會覺得若是容忍與自己不同的規則或價值觀，自己的規則和價值觀就會遭到否定吧。」

——沒錯。

發動攻擊的，多半都是害怕的一方。

綠川親身理解這件事。

「因此嘴上說接納多元是很容易，但其實接納需要莫大的努力，也需要時間。因此人會假裝接納，實則逼迫對方同化。」

「同化？」

「所謂和平相處，可不是變成同一副模樣，而是無條件地包容不同的事物。可是，意外地有相當多的人做不到這一點。他們會說，不同就是不對，要對方改變。強制對方變得跟自己一樣。若是做不到……」

就予以排除。

「每個人都不同。個體與個體是對等的。但若是設下某些基準，以是否符合基準來看待，就會被數值化——被當成數字。如此一來，個別的差異就會遭到忽視。多數會覺得優於少數。因為這樣比較輕鬆。然後少數族群會被迫同化，或遭到排除，有時連人權都遭到蹂躪……儘管並不是說，多數族群總是對的。」

「這……總覺得感同身受。」關口說。

「四民平等，國民這個類別成了壓倒性多數，國民以外的人，被迫在同化或遭到排除當中二選一。桐山先生選擇了被排除的路呢。只是這樣而已。」

——那名老人嗎？

綠川想起他布滿皺紋的手。

「這些事不是今天才有的。但是在過去，還有和非我族類共存的文化裝置。」

那就是妖怪——中禪寺說。

「這我不懂。是把那些人當成怪物嗎？這不是更歧視了嗎？」

「不是的，綠川。怪物是怪物，不是人類。人就是人。怪物是與文化習俗不同的其他團體之間產生的恐懼、衝突與齟齬**本身**。」

「意思是……把這些問題假託在妖怪身上？」

「沒錯。怪物要怎麼恐懼都行。因為那是怪物。可以無視、也可以厭忌，甚至可以蔑視、嘲笑。同時也可以消滅。這些都是不能對人做的事。怪物就像是人與人、文化與文化之間的緩衝。山男和山女不是人，但山裡的人是人。儘管相同，卻是不同的兩樣東西。不過，這樣的默契……很遺憾地已經失效了。」

「是默契嗎？」

「是啊。因為世上沒有妖怪。把不存在的事物當成存在的優秀文化，看來已經廢絕了。中間的怪物被拿掉，人以人的身分直接受到歧視。以人的身分被厭忌、被蔑視，明明沒有犯罪，卻被視為罪犯……這實在教人難以苟同。」

桐山寬作先生……沒有觸犯任何罪行——中禪寺說。

「他就只是沒有戶籍而已。」

「就算是這樣，也不是說就沒有關係吧？他跟這次的事有什麼牽扯？」

「桐山先生在二十年前，以山岳嚮導的身分，參加了上都賀郡組織的日光山國家公園選定準備委員會的調查團。後來他受來訪的寒川秀巳先生之託，依照相同的路線，把他帶到寒川先生的父親墜崖的現場。只是這樣而已。若要補充，桐山先生在綠川豬史郎博士生前與他有若干交流，他為了緬懷博士的遺德，前往那間診所，和博士家屬的綠川佳乃小姐交談過。」

「不是，那是……」

「只有這樣而已。」

「那、那笹村……」

「笹村伴輔先生，是寬作先生的長女澄代女士的伴侶。」

「這我知道。那個……」

「伴輔先生繼承了父親笹村與次郎先生創辦的小報《一白新報》，擔任主筆從事新聞工作。《一白新報》的一白，據說是與次郎先生的配偶小夜女士的養父晚年使用的雅號。珠代女士說，小夜女士也是『世間師〔註〕』——山民的女兒。小夜女士的養父，自稱一白的那位先生，似乎曾蒙小夜女士的祖父母莫大的幫助，因此才會收養小夜女士。是代代都和山民有緣吧。不過……」

那應該是江戶古時的事了吧——中禪寺說著，望向遠方。

「《一白新報》原本主要是刊登諸國怪談奇談的大眾娛樂報，進入大正時期，伴輔先生擔任主筆後，似乎也開始刊登許多批判體制的文章。這也是因為……」

「他和被體制排擠的人們有過交流的緣故嗎？」

「應該就是這樣。」

「原來……跟特高無關嗎？」

木場似乎在懷疑笹村伴輔是特別高等警察的特工。

「似乎沒有什麼特別引起特高注意的事。」

「真的嗎？」

「對。而且伴輔先生自身似乎也並非擁有特定思想的運動家。不過，他和特高監視對象的共產主義活動

註：「世間師」即浪跡各地，居住定所之人。

家及無政府主義者似乎有連繫。」

「他是不是勾結特高……」

「沒有這種事。」中禪寺說。「絕對沒有。」

「絕對喔……？」木場的嘴巴抿成了一直線。

是接受了嗎？

這個蠻牛似的刑警，似乎也只對中禪寺的話乖乖信服。綠川有些好奇，兩人究竟是什麼樣的關係？

「伴輔先生在接下報社的前年，和寬作先生的女兒澄代結婚，幾年後，市雄先生出生了。」

「是在這裡出生的……對吧？」

「是啊。收養寬作先生的次女珠代女士的人家住在日光町，所以她好像從那裡過來這裡協助姊姊生產……那時候尾巳村全村都還在，只要進出，當然會被人目擊，但村人對於和鬼屋相關的事物……不會去看，也看不見。」

「因為是默契？」

「對。可是，剛嫁進來的德山先生的太太不知情，向她出聲招呼了吧。所以珠代女士回答說，她是過來鬼屋這裡的。」

「暗示她應該遵守默契嗎？」

「雖然德山太太似乎沒有聽懂。」中禪寺說，微微地笑了。「然後，澄代女士懷了第二胎。但是那時候，這裡已經……」

「對喔，這裡已經……」

「不能使用了。寬作先生和澄代女士一定都很驚訝。」

「驚訝……他們不知道嗎？」

「他們又不是住在這裡。聽著，尾巳村被收購，似乎是昭和八年八月的事。考慮到各種狀況，等居民全部遷完，搬來並設置機器設備，應該要花上兩個月左右的時間。短短兩個月，一眨眼的工夫，山民的鬼屋就變成了擺滿最尖端機器設備的研究設施。而且完全沒有通知山民。這棟屋子被當成沒有屋主的空屋，擅自接收了。」

根本……無從通知。

「聽說那個時候珠代女士已經結婚，住在大阪，因此澄代女士只得在寬作先生的山中小屋生產。珠代女士說，姊姊本來也考慮返回東京……但最後她叫來伴輔先生和兒子市雄，在山中小屋生下了倫子。」

「是這樣喔？」木場說。「不……就算是這樣……」

「對，在那個時間點，什麼事情都沒發生。鳥口好像調查過，當時伴輔先生是在調查理化學研究所。情報來源好像是他的共產主義活動家朋友。」

「你居然查得到。」

「前天我請鳥口協助，找到《一白新報》的前員工，請教他狀況。」

「那名員工沒有對警方說出這些吧？」

「是因為警方沒問吧。」

「唔，跟強盜縱火案也沒關係嘛。」

「無關吧。鳥口回報說，那名線人對核子開發這件事感覺到道德上的問題，想要揭發特定企業與政客、軍部之間的勾結和核能的利益結構……似乎是這樣。伴輔先生當時在採訪這些事。他看到這棟房子突然變得面目全非，當然也疑心大起吧。因此他聯絡了那名活動家，一起調查此地。」

「所以伴輔不是特高的特工嗎？」

「不是的。伴輔先生是記者。兩人一起監視這裡。然後……他們目擊了寒川博士墜崖。」

「目、目擊？」

「他們在那裡——那片水潭的對岸觀察這棟房屋。然後這道紙門打開來，因此他們連忙藏身，就在這時，寒川英輔博士墜落下來。」

「是……這樣嗎？」

「打開紙門的所員方寸大亂。畢竟怎麼會一開門就看到有人掉下來呢？於是他一個人去報警，其他人前往救人。但墜崖地點在水潭對岸，不是那麼容易過去的。而且即使遠遠地看，寒川博士也顯然沒命了。」

「聽說頸骨折斷了。」築山說。

「所員情非得已，只能撤退，等待警方到達。然而警官到場時，遺體已經不見了。是伴輔先生……」

「跟那個活動家一起搬走了？」

「對。」

「為什麼？」

「好像是因為……放射線偵測器掉下來了。」

「什麼？」

「寒川先生說，似乎也沒有在皮包裡。」築山說。

「應該把。好像被扣押了。」中禪寺說。

「我不懂。」

「協助伴輔先生的活動家，確信這裡正在祕密開發原子彈。也許他具有一定的核子開發相關知識。實際上，這裡的人就是偽裝成在進行核子開發，看起來當然會是如此。在這種地方，有個男子跟著放射線偵測器一起掉下來了。男子已經死了。可疑的房屋也有人出來了。但屋裡的人沒有救人，而是退回去了。就像我說的，當時這裡的人根本無暇顧及其他。」

「他們忙著做夜光漆的偽裝工作呢。」綠川說。

「沒錯。另一方面，兩人已經推測出這裡在進行某些極機密的陰謀計畫，因此根本沒料到屋內的人已經報警了吧。他們相信事情絕對會被壓下來，因此背著遺體……」

上山了。

「上山？為什麼？」

「伴輔先生是從山上來的。那座懸崖爬不上去，但有好幾條村人不知道的路可以上山。然後，寒川博士的遺體暫時被搬到寬作先生的山中小屋，再從那裡用汽車載到了東京。」

「居然有車？」

「是活動家開來的車。聽著，那場偵察行動，主要都是活動家在主導，而不是伴輔先生。但當時是大白天，被特高監視的活動家用車子載著遺體長距離移動，風險極大。因此才會讓笹村夫妻同行，做為掩飾。」

「這是誰告訴你的？」

「當然是寬作先生。」

「你……你見到他了？」

「因為我也想知道珠代女士的住址。」

「你怎麼……找到他住的地方的？」

「問一下有沒有人知道一位住在山裡的老先生，就問到了。」

「喂，這、這麼容易就問到了嗎？」

「人不是只靠戶籍、通訊錄那些紀錄被管理。而且紀錄一旦丟失就沒了，但記憶……只要知道的人還在，就會留存下去。」

「我也到處問過了……」益田窩囊地說。

「另一方面，就在這時候，內務省特務機關的幹部來到這棟房子進行稽查。若只是單純的事故，可以不必理會，但遺體消失，就是個問題了。因為這個地方進行的是極機密的計畫。因此緊急在暗中進行了部署。」

「是啊，監視對象的車號，特高應該也掌握了。那……」

「不，沒必要追上去。」

「為什麼？照你說的，不是還有那個共產黨活動家嗎？」

「**那名活動家好像就是特高的諜報人員**。」

「啊？」

「鄉嶋這次會展開調查，好像就是因為那名諜報人員留下的情報引發了問題。特別高等警察隸屬於內務省警保局。另一方面，旭日炸彈開發計畫雖然也是內務省的計畫，卻是特務機關主持，而且還有帝國陸軍參與其中。不僅如此，這還是極機密的計畫。在當時，國內的狀況似乎也極為複雜棘手。」

「二二六事件是那時候嗎？」

「帝都不祥事件是兩年後的事。大前年發生了犬養首相暗殺事件——五一五事件。這個國家在當時轉為軍政，因此內亂和叛亂的火苗在各處興起。由於是那樣的時期，這棟房子也十足可疑。在某個意義上，這個判斷是對的。因為這個計畫……」

「是反戰派一手打造出來的假貨……是吧？」

「實際上是這樣，但表面上不是。而且當時在這棟房子，成功完成了國內第一座大型放射性同位體製造用圓形加速器——迴旋加速器的實驗——表面上。別說假貨了，它被包裝成大成功。當然，機密必須維持。我不是說過了嗎？當下便迅速派人處理遺體了。不過下令的並非特別高等警察，而是內務省特務機關，以及帝國陸軍的祕密部隊。」

「那……」

「殺害笹村伴輔和澄代兩人的，是與兩人同行的特高諜報員。因為若要將可能成為證據的寒川博士的遺體和物品迅速交給特高警察，笹村夫妻會礙事。至於為何會在芝公園交付遺體，這我不知道。原本的預定，應該是把遺體放在那裡，就會有人處理掉，沒想到……」

「被撿破爛的撞見了？」木場說。

「沒錯。更糟糕的是，立刻就有民眾聚攏圍觀，連警察都到場了。」

「咱們麻布署的係長塊頭很大，手腳卻很靈敏的。」

「因此特高警察的行動暫時打住了。而第一時間掌握情報的特務機關立刻行動了。然後……在看不見的水面下，展開了一場屍體爭奪戰。」

「那……」

「把笹村夫妻的遺體搬走的，就像大爺說的——應該說你們係長慧眼過人，就如同他猜測的，是特高警察幹的吧。遺體直接被搬到八王子，捏造出一場強盜縱火案。應該從一開始就打算這麼做吧。因為對方並非監視對象，只是普通百姓。沒有拘留也沒有拷問。事實真相是，非法雇用的諜報員自作主張刺殺了笹村夫妻。特高只是替他掩蓋了真相。」

「太歹毒了。」御廚說。

「笹村夫妻……原來真的死了嗎？」木場說。

「是的。另一方面，寒川博士的遺體被特務機關搶回，立即送回了日光。為了回歸……單純的意外死亡。」

「那，那個凶悍的退休刑警——木暮先生說的，從東京跑來的特高……」

「是內務省特務機關的官員吧。在那個時間點，高層應該有過某些交易或是攻防……但特務機關的山邊這個人和警保局，尤其是警保局的保安課火水不容，因此我不知道最後是怎麼解決的……總之是以某些形式彼此妥協了吧。事故就當成事故、諜報員的殺人案就當成強盜縱火案處理了吧。雖然若是沒有報警，寒川博士的事故可能也會遭到隱瞞，當成失蹤處理。」

「皮包裡的東西呢？」築山問。

「只有放射性檢測儀由諜報員交給特高，其他的都在崖下回收，被內務省藏起來了。」

木場以右拳擊打左掌，思忖了半晌，很快地說「我還是不懂」。

「笹村市雄的行動整個莫名其妙。他不是對寒川說，他想要查明父母的死亡真相嗎？」

「那是他的真心話吧。」

「啊？」

「我剛才說的內容，笹村市雄先生並不知情。到中間的事，寬作先生似乎也知道，但伴輔先生離開山中小屋以後的事，他無從知曉。伴輔先生和澄代女士一去不回，也杳無音訊。寬作先生無從確定他們的消息。山中小屋沒有電話，也沒有報紙，連住址都沒有。大概是珠代女士回到日光以後，寬作先生才知道兩人似乎喪生火窟。」

「回到日光？」

「是的。珠代女士的丈夫在事故中過世，她回到父親寬作先生那裡了。是昭和十二年的事。」

「可是，市雄沒有告訴寒川，寬作就是他的外祖父吧？寒川秀巳不是靠自己的力量找到寬作的嗎？」

「應該是吧。」

「這豈不是故意嗎？」

「是嗎？笹村市雄先生並不知道父親搬到山中小屋的遺體是誰，寬作先生也完全沒想到，那會是自己以前嚮導的調查團成員吧。對市雄先生來說，線索就只有父親留下的記事本。」

「可是，查到一半不就會知道了嗎？」

「應該發現了吧。可是……他有辦法說出寒川先生在找的桐山寬作其實就是自己的外祖父嗎？」

「沒辦法呢。是錯失了說出來的時機嗎？」綠川說。「有些事情是有時機的。」

「是這樣的嗎？」木場說。

「應該是刻意不說吧。」中禪寺說。

「為什麼？」

「站在寒川先生的立場，他找到的寬作先生，是他唯一的線索。但你能告訴他說，那個人就是自己的親人，不過去找他也沒用嗎？而且市雄先生好像那時候才發現自己的父親搬回外祖父家的屍體，就是寒川先生的父親。但就算發現這個事實，市雄先生對那件事也一無所知。就算說出來，也沒有任何幫助。因此聽到寒川先生說要去日光，市雄先生自己便先去了日光，要寬作先生不要說出兩人的關係。」

「為什麼啦？」

「因為……反正什麼都不清楚啊。市雄先生似乎認為，讓寒川先生親自查到什麼都不清楚的現實，他也比較能接受。沒想到……寒川先生不僅沒有接受，謎團反而更深了。」

因為……看到了燃燒的石碑嗎？

「夜光漆被潑到這面落地窗看出去的山中稜線，已經過了十幾年。塗料滲入泥土，被雨水沖刷，樹木落葉，長出新葉，幾乎都看不見了。若是有放射線偵測器，應該會起反應，但看不出在發光。然而就只有被樹木包圍的那座石碑……」

「留下來了呢。」關口說。

「沒錯，那裡應該被潑上了大量的塗漆，甚至流到崖下的岩地，形成一條帶子。然後，寒川先生在其中看見了神祕。市雄先生和寬作先生……亦然。」

「他們也不知道嗎？」

「沒錯。那裡是魔所，是連山裡的人都不會踏入的地點。更不是天黑以後會闖入的地方。因為那裡地勢崎嶇，十分危險。而且白天的話，就算靠近，也看不到光。因此就連住在山上的寬作先生，應該都沒看過那樣的景象。所以……」

他是真心相信的——中禪寺說。

「是啊。」築山接著說。「聽說寬作先生這位老先生，對寒川先生說那光是日光權現的引導，是山顯靈的神威，警告他不要再繼續涉入、挖掘。市雄先生則是說，如果山的意志反對，他就不再尋找父母的死亡真相。他忠告寒川先生，說山是不能忤逆的，若是忤逆，將會遭到可怕的降災作祟，叫他不要再繼續探索下去了。」

「意思是，他們真心這麼相信？」

「這是……默契啊，關口。所謂相信，不是判斷正確與否。而且那個地方，應該不單純只是魔所。如果這棟房子是山人的寺院，那麼那座碑就是山人的……」

墓石。

「是……墓嗎？」

「不是底下安放著遺骨，它是在這座山中過世的每一個山人的墓碑。」

「聽說……上面刻著像梵字的文字？」

「那是……山人使用的文字吧。就像暗號，我也不懂。那個地方、那座碑，就是一輩子在山裡生活的人們漫長的歷史。而它大放異光。應該是最後一位山民的寬作先生會把它解讀為山的意志，也是理所當然吧。寬作先生把它解釋為禁忌，但寒川先生卻做出了不同的解讀。」

「沒錯，而我被他影響了，也無法阻止他。不管寒川先生懷抱著什麼樣的苦惱，都應該接納，以佛法開導、撫慰，這才是正確的佛門子弟樣貌吧。然而我不僅未能接納，反而被他牽著走。御廚小姐，真是對不起。」

築山向御廚深深行禮。

御廚神情落寞，搖了幾下頭。

木場……擺出抱住自己的動作。

「大爺……好像無法接受？」

「對。市雄後來的行動，我還是無法理解。還有倫子也是。倫子不是二十年前出生的嗎？她……跟這件事是什麼關係？」

「市雄先生和倫子小姐都是在保護。」

「保護？」

「我認為市雄先生目睹燃燒的石碑之後……並非萌生了和寬作先生一樣的敬畏之情。他反倒察覺了寒川先生心中滋長的某些想法吧。雖然不知道那是覺悟還是看破，總之他感受到某種非比尋常的決心。因此他才假託是寬作先生的話，勸阻他繼續探查下去。但是……寒川先生聽不進去。**那套做法**行不通。」

「因為兩人所處的領域不同嗎？」築山說。

「是啊。所以市雄先生才會留在日光，留心寒川先生的動向。然而他遲遲找不到寒川先生。寒川先生一下子跑去神戶，一下子四處調查，所以找不到他的人。」

「寒川先生說笹村先生告誡他，他卻無視忠告調查，所以沒臉見到笹村先生。等於是在四處躲他。」

「原來如此。另一方面，市雄先生還有另一個人要留意。那就是櫻田登和子小姐。」

「喂，怎麼會冒出登和子？」

「因為笹村先生的阿姨珠代女士很關心登和子小姐。」

「為什麼！」木場搥了地板一拳。「那個珠代只是幫她姊姊生小孩吧？然後嫁了人……嗯？她回來了嗎？」

「對，昭和十二年的時候。」

「嗯……？」

「沒錯，珠代女士回來，得知姊姊和姊夫過世，和市雄先生一樣，興起疑竇。然而她也無計可施。因為不曉得伴輔先生那天到底去了哪裡、做了些什麼。」

「寬作先生也不知道嗎？」綠川問。

「伴輔先生好像沒有告訴岳父。但寬作先生在懷疑這棟房子。而珠代女士基於不同的理由，想要調查這棟房子。」

「什麼別的理由？」關口問。

「她是在找東西，關口。」

「找東西？」
「沒錯。但是要混進這棟房子，似乎很困難。雖然好像每星期都有人送來糧食等生活必需品，但送貨時間都是深夜，業者似乎也都固定。但珠代女士沒有放棄。聽說她去了感覺比較容易進出的綠川博士的診所那裡。」
「咦？」綠川出聲。
「聽說博士沒有排斥她。那個時候，博士……」
「已經差不多放棄了呢。」綠川說。
「原來是這樣嗎？珠代女士說，當時的博士看起來很難過。因為當時除了捏造資料以外，博士還被迫進行近似人體實驗的行為。」
「喂，那……」
「沒錯。在田端勳先生身邊若隱若現的和服美艷女子，就是珠代女士。我問過她本人，她說即使不是盛夏，她也都會打陽傘。」
「這樣啊。丑松說女人是從這邊來的……」
「珠代女士說從山上下來，就剛好是這一區的無人之處。然後她都會去健康管理所——診所看一下，再回去山上，因此也難怪丑松先生會那樣想。」
「可是，她不是介紹工作……」
「珠代女士是在勸田端勳先生放棄那份工作。說這樣下去身體一定會壞掉——不，當時田端先生的身體已經嚴重受損了。從綠川醫生那裡隱約聽說內情的她，一有機會就忠告田端先生，叫他為了孩子，不要再做這麼危險的工作了。」
「相反啊。」益田說。「完全反了呢，木場先生。」
「然後呢……？」木場說。

「對。那天也是，珠代女士看到連走都走不穩的田端先生，忠告說再不停止，真的會沒命。田端先生對她說，我最好死了算了，因為我殺了人。」

「是在說殺死石山的事嗎？」木場說。

「應該是。田端先生說，再也找不到這麼好賺的差事了，他絕對不會罷手。」

「感覺就像自暴自棄了呢。」綠川說。

「完全就是這樣呢。他說反正事情曝光，自己也是死刑一條路，要搶在那之前把能賺的盡量賺飽，也**為了這孩子……**」

「這孩子……登和子當時在附近嗎？」綠川說。

「聽說登和子小姐在旁邊玩泥巴。珠代女士說，登和子小姐總是自己一個人玩耍，是個乖巧討喜的可愛女孩。意識似乎已經相當模糊的田端先生，一開始好像沒發現女兒就在附近，但途中發現了呢。然後他搖搖晃晃地蹲下來……」

——別告訴妳娘喲。

——給妳糖吃，別說出去喲。

——這是祕密喲。勾手指發誓唷。如果不守信用，

——蛇就會來找妳唷。

「可是沒想到那裡真的有蛇。登和子小姐……不小心抓住了剛從冬眠中醒來的山棟蛇。」

「結果被咬了嗎？」

「對。明明沒有違背父親的交代，卻被蛇咬了。她陷入恐慌，反而把蛇抓得更緊。蛇在痛苦之下，反覆咬了她好幾口。一般認為山棟蛇沒有毒性，但似乎其實有毒呢。牠的毒性好像具有強烈的凝血作用。」

「那太糟糕了，弄個不好會死掉的。」綠川說。

「對。而且除了毒牙以外，山棟蛇的頸腺好像也有毒。頸部受到壓迫，就會釋出毒液。好像會導致失

明。」

和病歷的記載也相吻合嗎？

「是珠代女士發現的。登和子小姐哭喊著說有蛇有蛇，卻怎麼也不肯放開手中的蛇。珠代女士為了讓她放開蛇……」

──這不是蛇。

──只是條帶子。

──把手張開。

「登和子小姐盯著這麼說著探頭看她的珠代女士，失去視覺，意識也模糊了。接著再次恢復意識時……也許登和子小姐手裡真的抓著博多腰帶。然後眼前是已經過世的父親田端先生，以及面貌宛如毒蛇的母親的臉。」

「登和子說她聽到母親叫她用力拉。」木場說。

「這應該不是事實。」中禪寺說。「登和子小姐當時意識混濁，時間感也麻痺了。那應該是登和子小姐緊抓著蛇昏迷過去時，田端先生和珠代女士為了把蛇從她手裡拔出來而說的話吧。我認為田端先生的脖子根本沒有纏著什麼帶子。因為沒必要真的布置成上吊的狀況。」

「找也這麼想。」木場說。「會有人……幫忙偽裝吧。」

「只是，人是上吊自殺這件事，應該有必要稍微宣揚一下。不難想像，登和子小姐醒過來以後，意識仍有一陣子相當模糊，處在譫妄狀態，而母親和外祖母就在她身邊反覆討論這件事。而這些記憶……全都被一起封印起來了。」

「全都？」

「從被蛇咬，到完全康復這之間的記憶。一連串的記憶被折疊壓縮，封印起來了。登和子小姐藉由這麼做，恢復了正常生活……但也有些記憶從那當中漏出來了。」

「蛇的觸感嗎……？」久住開口。「只有膚觸從一連串的事情被切割出來……保留下來了嗎？」

「對，只要碰到蛇，登和子小姐應該就會想起一切。就是因為無意識地逃避這件事，她才會變成了極端的恐蛇症——正確地說，是害怕一切形狀像蛇的物品的恐懼症。即使是相似的東西也不願意觸碰。這是一輩子都不想解開封印的潛意識的拘束。但形狀也就罷了，觸感像蛇的東西並不多，所以封印並未由此解開來。可是，卻有著意想不到的陷阱。」

「還有其他像鑰匙的東西嗎？」久住問。

「有的，那就是氣味。一般認為，嗅覺喚醒記憶的作用，比視覺和聽覺更強大。不過，氣味雖然難以用語言描述，其實極為複雜。沒有任何一種氣味是相同的。」

「氣味……對了，那個……龍腦，是嗎？」木場說。

「對，是珠代女士喜愛的香氣。」

「是珠代啊……」

「對。龍腦是近似樟腦的香料，但自古以來，就被認為比樟腦更高級。珠代女士嫁到大阪以後，隨身都帶著龍腦的香袋。當然，蛇吻風波時也帶在身上。珠代女士從來沒有靠近過登和子小姐，只有被蛇咬那時候，兩人應該緊貼在一起。從被咬到昏迷，登和子小姐一直都處在龍腦的氣味籠罩之中。這與封印起來的記憶一部分連結在一起記住了。」

「這部分沒有被封印起來嗎？」

「味覺和嗅覺的記憶，簡單來說，收納的地方不同。雖然相連，但並未捆綁在一起吧。但登和子小姐再也沒有聞到那種味道，就這樣過了十幾年。龍腦雖然並不是多稀罕，卻也不是登和子小姐的生活環境中會出現的東西吧。」

「這一帶應該也沒有人會帶什麼香袋吧。」木場說。

這是幸，或是不幸？

「倫子小姐會進入日光榎木津飯店工作，似乎沒有特別的目的。聽說是因為她對剛開幕不久的飯店的女僕制服有些嚮往。倫子小姐小時候都住在山裡。寬作先生說在倫子小姐四歲那時候——所以是昭和十三年左右吧，剛好是田端先生過世那時候，拆掉了原本居住的山中小屋，搬到現在的小屋。趁此機會，倫子小姐和珠代女士一起生活了。珠代女士在田端先生過世以後，放棄尋找東西，在今市租了房子。」

「她住在今市啊。」

「對。不過倫子小姐雖然有戶籍，但沒有住民票，好像沒辦法正常就學。但她非常認真向學，而且很聰明，靠自己學會了讀寫。」

「但這樣的經歷，很難找到工作吧？」木場說。

「是啊，很不容易。所以才會拜託哥哥，靠他的人脈進去飯店吧。飯店裡，多年前和阿姨有緣的登和子小姐也在那裡工作。這……是巧合。」

「巧合嗎？」

「是巧合。因為年紀相近，兩人應該很投合吧。登和子小姐和倫子小姐立刻成了好朋友。可是倫子小姐……」

「身上帶著龍腦的香袋嗎？」

「是珠代女士送給她的。」

「結果……」

封印解開了。

「對。只是一度壓縮過的記憶一團混亂，非常不正確。只有恐懼這樣的感受極為清晰地復甦了。登和子小姐困惑、苦惱，終於導致心病。」

久住嚥下了什麼。

「倫子小姐看到這樣的登和子小姐，非常擔心，從珠代女士那裡聽到了當時發生的事。但即使知道了事實真相，她也不知道該如何說明才好。就在倫子小姐猶豫不決的期間，登和子小姐突然沒來上班了。雖然聽說是因為外祖母病重，但還是一樣讓人擔心。因此倫子小姐拜託剛好來到日光的市雄先生關照登和子小姐。」

「所以才剛好阻止了上吊嗎？」木場說。

「沒錯。救了人是很好，但市雄先生發現似乎有個可疑男子在登和子小姐身邊糾纏。」

「鄉嶋嗎……？」

「是啊。鄉嶋在跟蹤登和子小姐，而市雄先生在跟蹤他們兩人。鄉嶋似乎阻止了登和子小姐接下來的自殺行動……但他顯然十分可疑呢。不覺得其中有鬼才奇怪。」

「鄉嶋先生很可疑嘛。」

「這麼說的綠川妳，看在他們眼中也十足可疑。因為妳突然冒出來，毫不猶豫地進入診所，開始在那裡做什麼。」

「這樣啊。所以寬作先生……才會跑來刺探我？」

「好像也不是刻意監視，他說因為掛心，過去診所看看，發現妳在那裡。就在這時候，久住先生和關口開始做出奇妙的行動。」

「唔……是很奇妙吧。」關口說。

「夠奇妙了吧。市雄先生在監視登和子小姐的同時，也在尋找寒川先生，但這回又冒出好像也是在尋找寒川先生的益田和御廚小姐。」

「唔，我四處打聽嘛。」

「還沒完呢，甚至又跑來一個自稱刑警的人在找桐山寬作。」

「又不是我自個兒想來的。」

「就如同各位懷疑他們，他們也在懷疑各位。聽著，過去發生了許多事。有犯罪，也有充滿陰謀氣息的計畫。但那些都是過去的事。現在……」

什麼事都沒發生。

「根本就只是鬧劇一場嘛。」木場交換盤腿而坐的兩條腿。

「是的。不過要說鬧劇，最胡鬧的傢伙馬上就要登場了吧。」

「什麼？」

「為了驅逐築山身上的魔物，我準備了一點餘興節目。應該就快到了……」

呵呵呵——一陣低笑聲響起。

瞬間，木板門乒乓作響，粗魯地打開來。

「哈哈哈哈哈哈哈！其實我早就等在這裡了！猴鳥蛇都到了！還有四角！」

「禮二郎，你這渾小子……」

「榎木津先生……」

黑暗中，榎木津叉開雙腳站立。

「沒錯，就是本大爺我！小綠也在啊。笨蛋王八蛋也在吶！只有今天，我是那個陰森森的書商的使者。你們淨是在那裡平手重來個沒完，我都想要一拳粉碎了，沒想到已經結束啦，真沒趣。」

「你就不能安靜點嗎？」中禪寺說。「我找的人不是你吧？我不是託你請人過來嗎？最重要的客人在哪？」

「呵呵呵，居然拿我當下人使喚，你也出人頭地了嘛。你的委託，我都辦好啦。他們說他們是山裡的人，清楚自己的身分！」

「這樣啊。」

中禪寺說著，打開了紙門。

遠方是燃燒的石碑。

落地窗外……

並排著三條剪影。

頭上紮著木綿布的白色短外褂男子。
一身山林工作服的年輕女子。
穿著無袖毛皮背心的老人。
「笹村市雄先生、倫子小姐，還有……桐山寬作先生。」
中禪寺如此介紹。
室內的人全都慢慢地站了起來。
市雄上前半步：
「築山先生，前些日子唐突冒犯，萬分抱歉。其他各位的狀況，我們也都在這裡聽到了。看來種種陰錯陽差，給各位添了不必要的麻煩。幸會，我是佛師——笹村市雄。」
市雄低頭行禮。
倫子和寬作也默默行禮。
中禪寺停頓片刻，開口：
「感謝各位特地前來。其實有樣東西想要交給各位，還有件事昨天也忘了說，才勞駕各位來這一趟。」
「哦？」市雄抬頭。
夜空無月。今晚是朔夜嗎？還是近朔？
只有青白色的陰火在遠方閃爍。
市雄背後籠罩著那片寒光。白色外褂勾勒出藍色的輪廓。相對地，中禪寺一身漆黑。黑到幾乎把那微弱的冷光盡數吸收。
「就像我昨天自我介紹的，我是在東京中野開舊書店的隱者，同時也是守護一家小神社——武藏晴明社的宮守。」
「這樣啊。」

看不見市雄的表情。

「原來您……也是神官？」

「不是那麼了不起的身分。我不敢託大，自稱禰宜或宮司〔註一〕，頂多就像是陰陽師吧。這是上代宮守——家祖父告訴我的，家祖父說他年輕的時候——明治後半左右吧，和一位笹村與次郎先生有緣，與次郎先生將許多書籍託給了他。」

「那是……」市雄看了妹妹一眼。

「是的，就是令祖父與次郎先生。那些書籍，據說原本是戲作家菅丘李山的藏書。那些全都由相當於我在舊書方面的師傅所收購了。據說這位菅丘，晚年自稱一白翁。」

「一白……？」

「是的。就是令尊擔任主筆的《一白新報》名稱由來的人物。紀錄上，應該相當於兩位的曾祖父。」

「是呢。可是，聽說我的祖母是養女。」

「似乎是。我聽說一白翁是收養了恩人的血親。聽說那位一白翁，和我的曾祖父也有交流。」

「這還真是……只能說是一段奇緣呢。」

「是的。」

真正是奇緣——中禪寺說。

「那也是嗯，久遠以前的事了。好像是天保〔註二〕時代的事，因此不管是跟和我還是各位，幾乎都沒有關係呢。可是……」

我聽到的不只這些——中禪寺說。

「我聽說，那位一白翁年輕的時候，和**怪物師**過從甚密。」

「怪物師？」

「是的，怪物師。」

「那是怎樣的人？」

中禪寺走近窗邊：

「這是家祖父轉述從我的曾祖父那裡聽來的軼聞，因此極不確實……被稱為怪物師的人，不是武士，也不是農民或町人。」

「也就是……沒有身分的人嗎？」市雄略略壓低了身姿。

「能這麼說嗎？我的曾祖父也是宮守，但同時似乎也是為人驅魔的祈禱師。相對地，我聽說怪物師使役怪物，解決世間的糾紛困擾，為人平息哀痛，是這樣的一群人。」

「真是不可思議的行當。」

「不，這一點都沒什麼不可思議的。反而是在操縱不可思議吧。」

「有道理。不過這麼一來，您的祖先……就是怪物師的天敵了呢。」

「天敵嗎？」

「如果說怪物師操縱不可思議，驅魔這一行就是消滅不可思議，不是嗎？」

「或許吧。」

中禪寺又上前一步。

「好了，各位的事，我把從各位那裡聽到的內容，告訴了這裡的人……」

但真的**只有這樣而已**嗎？——中禪寺問。

「這話是什麼意思？」市雄把手伸進袖子裡。

註一：宮司為代表神社、總管祭祀之職。禰宜則為輔佐宮司的職位。

註二：天保為江戶後期的年號，一八三〇～一八四四。

「我是在想，各位可能也繼承了他們。」

市雄笑了：

「您真是會說笑。即使真是如此，當今世上，已經沒有人相信怪物了。縱使有人信，不也都會被您驅除得一乾二淨嗎？……中禪寺先生。」

「是的。」

沒有人信了吧——陰陽師說。

「那座……」

中禪寺伸手指去。

「燃燒的石碑，終究沒辦法成為神祕。」

「是啊。」市雄再次回望石碑。「很遺憾，怪物救不了寒川先生。同樣地……也救不了登和子小姐。」

「登和子小姐沒事了。她振作起來了。」

中禪寺看向木場。

木場毅然地看著市雄。

市雄放鬆肩膀，看似輕笑了一下。

「如果她振作起來，那也不是怪物的效用吧。**你們那邊**的智慧更管用啊。寒川先生也是，若是用**你們那邊**的方法，或許他已經得救了。」

中禪寺皺起眉頭，以極為哀傷的眼神回頭看向御廚。

「怪物老早就失效了。時代完全不同了。這件事，中禪寺先生，您不是最清楚的嗎？」

「沒錯，我很清楚。」

「我們已經落伍了。」市雄說。「這已經不是怪物能繼續當怪物的世道了。那些早已是太古的夢幻。」

「沒錯。」

「怪物已經死了。如果……我們是您說的那些人的後裔，那麼我們……」

就是怪物的幽靈——市雄說。

「確實……」

這回是中禪寺輕笑了。

「如果是幽靈，就必須祓除才行呢。」

中禪寺從懷裡掏出一張紙，接著出聲叫了簗山。

「這是仁禮在最後一個倹飩箱找到的東西。我沒告訴他就拿出來了。可以請你看一下嗎？」

簗山走上前來，接過那張薄紙，走到房間中央彎下身，把紙拿近提燈。

「這是……」

「怎麼樣？」中禪寺問。

「呃，這是在開玩笑嗎？這東西？這種東西在那個倹飩箱裡？」

「除非仁禮撒謊，否則就是這樣。」

「可是這……不是日語啊。」

簗山的表情扭曲了：

「是德文。」

「德文？我看不懂德文……」

「上面寫著感謝的話。最後的簽名你看得懂嗎？」

「咦？阿……」

「Albert Einstein。那封信是愛因斯坦寫的。」

「什……」

「你在說什麼啊，京極堂！」

「愛因斯坦？是那個愛因斯坦嗎？」

「你們慌什麼啊，關口，還有益田。要驚訝的人是築山才對吧？」

「可是這實在……」

「愛因斯坦博士在大正十一年十一月訪日，十二月四日來到日光這裡，住了兩晚。那張紙條，就是那時候寫的。」

「就算是這樣，那種東西怎麼會在那個儉飩箱裡……」

築山重新端詳那張紙。

中禪寺走到他旁邊。

「那就是那個箱籠原本在這棟房子最好的佐證啊，築山。」

「什麼意思？」

「愛因斯坦來到日光第二天的早上，前往中禪寺湖。他好像乘車去到登山口，當時是十二月，四下一片雪景。銀白世界的日光風光肯定美不勝收，但不巧的是天氣變糟了。聽說一行人在山頂遭遇了暴風雪。愛因斯坦在雪地跌倒了。當時有一名好心的少女幫了他一把，這就是他寫給那名少女的謝函。不過說是謝函，也只是寫在筆記本上撕下來的紙頁。」

「少女……？」

「沒錯。那剛好是市雄先生出生兩個月左右的事。那名少女就是珠代女士。」

「咦？」

「那張紙，是諾貝爾獎物理學家愛因斯坦寫給珠代女士的謝函。珠代女士一直在找的東西就是它。」

「這……」

中禪寺從茫然自失的築山那裡接過那張紙，走向落地窗邊。

「這個……就物歸原主。請轉交給珠代女士。築山，這樣可以吧？」

「呃，可不可以，這我……」

「而且那個箱籠裡的書籍，並非輪王寺的東西。《西遊記》還有經典，全都是這棟房子的。是山人的物品。雖然不清楚是在何時為了什麼而抄寫，但這件事可以確定。」

「原來是這樣嗎？」

「占領了這棟房子的人應該也不曉得該如何處理，所以才會埋在輪王寺的境內吧。理由應該也只是既然是經文，埋在寺院裡就行了。只是，我無法作主歸還。那些書籍，往後輪王寺應該會妥善管理……寬作先生。」

這樣做行嗎？——中禪寺問。

「這樣啊。」寬作冷冷地應了一聲。「無所謂啊。反正那也不是我的東西。那種東西根本就不需要。經文我讀不懂，而且寫在紙上的東西……撐不了多久吧。這棟房子也不會有人用了。不，會被拆掉吧。」

「是啊，會被拆除吧。」

「無所謂。我們……或者說我，跟你們不一樣。我對過去不留戀，也不想留下什麼給後世。會留下來的……」

寬作望向後方。

「就只有那座碑吧。」

石碑依然發出青白色的光輝燃燒著。

榎木津重重地蹬地：

「噢！那就是燃燒的石碑嗎！真是太棒了！能看到它真是開心。都可以叫它歡喜日光了！」

榎木津愉悅萬分地說。

「閉上你的嘴，禮二郎。」木場說。

「是啊，現在我能夠做的，就只有歸還這封信而已。」

中禪寺走到落地窗邊，手伸向外頭。

倫子走近，接過那張紙。

「謝謝您。阿姨……一定會很開心。」

倫子頷首為禮。

她真的很美。

「請代我問候珠代女士。」

寬作抬起嚴峻的面容：

「這位中禪寺先生，市雄和倫子都還年輕，也有戶籍，往後在哪裡都過得下去。那麼，他們也只有下山一途了。但我不會離開這座山。我離不開。所以可以不要來打擾我嗎？沒有戶籍、什麼都沒有的人，這個國家也不要吧？」

「在紀錄上，您是不存在的人。這個國家已經成了這樣的地方。但是您所在的地方不同吧。即使沒有紀錄，即使什麼都沒有，您依然屬於那裡。就宛如山……就在那裡一樣。」

「是啊。綠川小姐，妳也多保重啊。我還滿欣賞妳叔公的。他是個很舒服的人。」

是這樣嗎？

即使哀傷、心死、寂寞。

如果讓人覺得舒服，這樣也就夠了嗎？

「中禪寺先生，就像你說的，我們是怪物。不，就像市雄說的，是怪物的幽靈。那麼……我們可以消失了吧？」寬作說。

「是的。」

「後會無期。」

「好的。雖然……我會覺得有些寂寞。」

「哼。人都是寂寞的。」

歔歔。

咻咻。

鵺鳥啼叫。不，不是鵺嗎？

根本沒有什麼鵺嗎？可是，有點寂寞。

「那麼，我們這些與時代脫節的怪物幽靈，就以有些過時的咒法告辭了。」

市雄從懷裡取出某物。

似乎是三鈷鈴。

——鈴。

石碑猛地燃燒起來，發出更燦藍的光彩。

就在人們的目光被那道烈焰吸引的空檔。

三人消失了。就宛如從一開始就不存在。不，或許從來就不曾存在過。

中禪寺靜靜地關上紙門。一旁的榎木津神氣活現。關口低著頭。木場滿臉不悅。益田、築山、久住還有御廚，都呆若木雞。

「辛苦了……」

綠川說道。

結果三月五日，綠川才從日光回到自家。

等於整整請了十一天的假。

想都不必想，工作堆積如山。

只是，被警察扣留的藉口似乎頗有效果，她沒有挨罵，也沒有惹來酸言酸語，反而得到慰勞，讓她有點罪惡感。

早知如此，其實她很想立刻把骨灰帶到青森的家墓納骨，但實在不好意思再請假。

大學職員的春假是有名無實。研究者沒有週末。她覺得納骨只好延到暑假了。

畢竟青森太遠了。她得跟叔公的遺骨一起生活好一陣子吧。

再過了十一天，三月十六日，綠川收到關口的來信。

這天的報紙大篇幅報導三月一日美國在比基尼環礁進行核試驗，導致日本漁船第五福龍丸號曝露在「死灰」當中。死灰就是放射性落塵吧。若是接觸到，絕對會受到放射線傷害。

報導說，有二十三人罹患原子病，其中兩人病況嚴重。

說到三月一日，正是綠川在日光東奔西走的時候。

她的感受極其複雜。

報紙標題是原子彈實驗，但聽說實驗用的是氫彈，是威力比原子彈更強大的破壞武器。話說回來，為什麼人類就那麼想要進行大規模破壞？那些環礁後來怎麼了？綠川抱著這樣的心思讀完報導，大感沮喪，然後看了一下信箱，發現其中有信。

關口的信件，以瘦弱的獨特字跡報告了後續發展。

寒川秀巳杳然不知所蹤，但御廚富美沒有垂頭喪氣，似乎淡淡地處理財產和藥局的交接。

這也多虧了寒川事先找律師討論，擬定了鉅細靡遺的轉讓計畫吧。聽說兩人不在的期間守護藥局的兩名員工，讀完寒川的信之後也同意了，目前應該不會有什麼大問題。

聽說只有在向家庭法院申請宣告失蹤時，御廚哭了一下。

綠川還想再和御廚見面。

雖然暫時可能沒事也沒有機會去東京。

信中說益田則完全是老樣子。

但綠川完全不清楚益田的老樣子是怎麼樣——關口說益田忙著做背景調查、尋找走失動物等工作，沒有犯錯，卻惹來榎木津責罵。

木場則是沒辦法好好地說明這次日光發生的種種，大為頭痛。

綠川覺得這也難怪。綠川自己也沒辦法妥為說明。更重要的是，根本什麼事都沒發生。最讓木場頭痛的，好像是要如何說明笹村兄妹這兩個人。這也是沒辦法的事。

築山和中禪寺的調查工作沒有太大的成果，在三月十日結束。

聽說護法天堂後方發現的文書，不是存放到書庫或經藏，而是當成史料，收進寶物殿裡。是中禪寺如此建議的。

關口好像聽能言善道的舊書商詳細說明了它的內容等等，但說他完全無法理解。信上說，尤其針對《西遊記》，中禪寺口若懸河地說上了半天之久。

綠川可以想像那幕情景。

築山公宣似乎得到了某些啟發，決定閉關在某處深山，重新修行。從關口的寫法，感覺好像要進入深山，在那裡打坐禪修……但應該不是這樣。

聽說築山是天台宗僧人，那應該會拜入延曆寺的山門吧。

關口和榎木津的假期，似乎也隨著輪王寺的調查結束而告終。他們本來就是搭中禪寺工作的順風車去旅行的。

榎木津似乎對那天晚上脫口而出的「歡喜日光」一詞非常中意，後來動不動就掛在嘴上。信上形容那幾乎就是瘋癲狀態，但綠川覺得榎木津從以前就是這樣。

雖然也覺得有些惡化了。

關口本人的信上說，自己陷入極度的瓶頸，完全寫不出小說。
明明就能寫信，綠川想。
鄉嶋的話，當然消息不明。
不過聽說尾巳村收購地區的建築物將會全部拆除。
叔公住過的那間診所，這下也將從世上消失。當然，那棟迷家也會被拆除吧。占地應該相當大，但不會出售，也不會再蓋東西，似乎會植樹成林。
會成為山的一部分吧。
反正原本就是山。
不，會變成國家公園的一部分嗎？
總而言之，德山家會成為真正的村郊。
櫻田登和子和弟妹好像正式決定讓佛具行寬永堂收養。
她會變成淺田登和子嗎？
不過，若是她們本來住的房屋也賣掉的話，德山家那一帶一定會變得相當荒涼——綠川不必要地擔心起來。
聽說登和子過得很好。
只是日光榎木津飯店一口氣失去登和子和倫子兩名優秀的女僕，似乎有些困擾。
聽說久住加壽夫後來一氣呵成地完成了戲劇《鵼》。
好像也獲得金主讚賞，但他寫在創作筆記本的內容與其說是戲劇，似乎更像朗讀劇，好像也被斥責說沒辦法搬上舞台演出。
也就是久住得忙著改稿，好趕上公演。據說久住表示，等公演決定以後，要邀請大家去觀賞。他說成品會像那個朔月之夜。

——每個人。

都努力過日子。

雖然再也見不到……

但只要活著，也不是沒有機會見面。

綠川佳乃這麼想。

遠方，鳥兒在啼叫。

主要參考文獻

《鳥山石燕　畫圖百鬼夜行》（鳥山石燕　画図百鬼夜行）高田衛監修／國書刊行会

※

《日光市史　上・中・下》（日光市史　上・中・下）日光市史編纂委員會編／日光市
《日光的觀光地計畫及變遷》（日光の風景地計画とその変遷）手嶋潤一／隨想舍
《日光　歷史與宗教》（日光　その歴史と宗教）菅原信海、田邊三郎助編／春秋社
《日光修驗三峯五禪頂之道》（日光修験三峯五禅頂の道）池田正夫／隨想社
《明治維新與日光》（明治維新と日光）柴田宜久／隨想社
《西澤金山的盛衰與足尾銅山、渡良瀨遊水池》（西沢金山の盛衰と足尾銅山、渡良瀬遊水地）佐藤壽修／隨想社
《谷中村滅亡史》（谷中村滅亡史）荒畑寒村／岩波文庫
《日光東照宮》（日光東照宮）矢島清文／現代教養文庫
《東照宮的雕刻　資料篇》（東照宮の彫刻　資料編）日光東照宮
《東照宮史》（東照宮史）平泉澄／日光東照宮
《愛因斯坦論文選》（アインシュタイン論文選）青木薰譯／筑摩學藝文庫

《愛因斯坦　他的人生 他的宇宙》（Einstein: His Life and Universe）華特・艾薩克森（Walter Isaacson）

《愛因斯坦旅行日記》（アインシュタインの旅行日記）畔上司譯／草思社

《新興財閥理研的研究》（新興コンツェルン理研の研究）齋藤憲／時湖社

《打造「科學家樂園」的人》（「科学者の楽園」をつくった男）宮田親平／河出文庫

《原子彈祕史》（The Making of the Atomic Bomb）理察・羅茲（Richard Rhodes）

《核能的誘惑》（核の誘惑）中尾麻伊香／勁草書房

《叉鬼記錄》（マタギ聞き書き）武藤鉄城／河出書房新社

《〈《西遊記》〉形成史研究》（「《西遊記》」形成史の研究）磯部彰／創文社

《〈《西遊記》〉資料研究》（「《西遊記》」資料の研究）磯部彰／東北大学出版会

《近世修驗道文書》（近世修験道文書）宮家準解題／柏書房

《能劇與近代文學》（能と近代文学）增田正造／平凡社

《新定　源平盛衰記》（新定　源平盛衰記）水原一考定／新人物往来社

《和漢三才圖會》（和漢三才図会）寺島良安／島田勇雄、竹島淳夫、樋口元巳訳注／東洋文庫

《日本古典文學大系》（日本古典文學大系）岩波書店

《新潮日本古典集成》（新潮日本古典集成）新潮社

《傳承文學資料集成》（伝承文学資料集成）三弥井書店

《日本的民俗》（日本の民俗）第一法規出版

解說　乃賴

鵼為虛假，何者為真？

（此文涉及謎底，請先閱讀正文。）

鵼之碑，一個「沒有」的故事

百鬼夜行系列，以《姑獲鳥之夏》到《鵼之碑》，中間間隔了十七年，這次直接開篇以古老神秘的古事紀、萬葉集、乃至平家物語等多次關於天皇、賴政與鵼的傳說。似乎，這次即將揭開的怪物，將是空前盛大。

敘事手法，也隱含著這樣的期待。

「蛇」之章：劇作家久住加壽夫與小說家關口巽在日光榎木津酒店調查女傭登和子異常的蛇的恐懼，以及在記憶恢復後，自承殺父的謎團。

「虎」之章：在藥店工作的御廚富美前往薔薇十字偵探社，委託益田龍一調查失蹤的寒川秀巳，前往日光調查寒川父親在日光尾巳村消失之謎。

「狸」之章：刑警木場修太郎從前輩的告別會上得知二十年前的屍體失蹤之謎，於是前往日光調查懸案的真相。

「猿」之章：學者、前僧侶築山公宣受日光輪王寺委託，與中禪寺秋彥一同研究藏於寺中的七箱古文獻，並意外發現藏於尾巳村中的謎團。

「鵺」之章：醫學研究者綠川佳乃接獲通知，前往日光尋找死去的叔公綠川豬史郎在尾巳村的診所生前的遺物。

五個敘事線，環繞著同一個地點，二十年前的一個謎團，似乎要展開一場極其華麗的推理饗宴。陰謀的真相，似乎是日本在欠缺基礎建設和原料的情況下，製作出了核子武器。並在過程揭露如影隨形的戰爭實驗與特高白色恐怖的迫害。

當中更以日光這個充滿象徵性的場景，來追溯日本國家的三次建國敘事工程：德川幕府的造神——德川家康於日光東照宮成為「東照大權現」、戊辰戰爭之後的明治日本帝國的神佛分離和國家神道的建造，到戰後日本ＧＨＱ又將日光改造為單純的文化遺跡與國家公園。

每條線帶出的思辯和想像力，都隱含著過去許多作品的影子：

鳥的意象似乎是回歸到系列開山之作：《姑獲鳥之夏》；

以古老科技做出迴旋加速器，宛如《魍魎之匣》中的改造人狂想

消失的屍體和被殺人的罪惡感所纏繞，似乎有著《狂骨之夢》的影子；

而陷入教義困境的僧侶，不用說，肯定會想到《鐵鼠之檻》；

神祕的美豔女子似乎隱隱串起一切陰謀的線索，好像與《絡新婦之理》呼應；

封閉山村和謎團重重的診所會聯想到《陰魔羅鬼之瑕》；

諸多當事人不值得信賴的破碎敘事又與《邪魅之雫》有相似之處；

多線敘事各自謎團但最終聚首同一地點同時揭密，這正是《塗佛之宴》的顛峰之作。

不管是敘事策略、謎團、涉及的學術思辯、對歷史和怪物的考證，好像，這次故事是衝著「集大成」而來。

而「鵼」這個妖怪，似乎同時指涉現代國家的集體敘事塑造和人造放射性元素兩種象徵的「不存在之物」？

最終的揭露卻堪稱系列作最出乎意料的結局。

這一次，我們再看不到中禪寺秋彥破除羅織在人心中的重重魔障，將日本歷史斷裂處衍生的妖怪，一舉滌清。故事其實沒有妖怪。甚至，沒有謎團和犯罪。因為，鵼，本來就不存在。

那麼，京極夏彥這次到底為我們說了什麼故事？難道只是虛晃一招？

當然不是，我認為這是京極夏彥畢生以來，最溫柔和堅定的故事，他以累積了近三十年百鬼夜行的浩瀚思辨，對讀者做出的終極挑戰：

不該存在的不存在之物，到底是什麼？

鵼不存在，但鵼之碑存在

所有京極夏彥試圖除魅的妖怪，全部來自於日本現代化過程中，遭到斷裂、偽造、誤解的歷史縫隙。於是，從幕府到明治到ＧＨＱ，短短的六十年左右的劇變，或說更集中的是一九三六年至一九四七年，大日本帝國時期的謊言與罪惡。鵼，也不例外。

「平安時期……京城湧出烏雲。烏雲來到清涼殿上空，每天夜晚發出怪聲，驚擾天皇。皇宮裡的二條天皇終於受驚成疾。於是神射手源賴政被召來，受命驅逐烏雲。賴政射出了驅魔箭——蟇目矢。烏雲散去，異象平息了。天皇的病也痊癒了。」

結束後，異相才被賦予了不可能存在的嵌合獸故事，型態、叫聲、種類皆屬荒誕的虛構形象，為什麼？

我認為，這才是京極夏彥這次真正要破除的妖怪：為什麼已經結束的事情，會被重新召喚，並且賦予虛假形象重生？不存在鵼，但為什麼，會存在鵼之碑？

其實，故事中有一個被鵼所附身並失去一切的人：寒川秀巳。好不容易從戰後倖存下來，準備要邁向平穩幸福的真實生活的他，因為一連串的誤導和誤解，最終為了不存在的理由摧毀了自己的人生：走向和平心中的他，心中依然殘存著戰爭恐懼，但這個恐懼，如今已經失去了怪物這個神秘保護他了。

故事中眾人尋找的實際是個謊言的戰爭陰謀與超級科技。但，但戰爭卻真實存在——不僅鵼之碑，所有百鬼夜行系列的角色，乃至整個斷裂、妖氣森森的故事世界，都是戰爭的產物。

現代日本失去了古老的文化以神秘的敬意守護自身的界線，將他者視為假想敵仇恨動員、區分敵我，並且盲目的追求力量，是日本歷史上最大的悲劇的起源。

戰爭實際上，是愚蠢、偏狹、空虛和悲傷的人類黑暗面。是單純的無聊空虛之事。但試圖在蒼白的基礎上，虛構出敵我、力量崇拜、編織國家神話的存在，就是鵼之碑。

鵼之碑，實際上是那些不被現代國家所理解接受的他者為了自己的族群留下的見證，卻被現代國家擅自塗上螢光漆作為追求不存在的力量的證明。

而這個對鵼之碑的迷戀、恐懼、崇拜、追求和虛構，尚未停歇。故事尾聲，透露第五福龍丸號，直接成為比基尼環礁試爆的受害者。不該存在的不存在之物，卻一次次，因為對他者的恐懼和力量崇拜，又一次次被喚起。

不該存在之物，什麼時候才會真正消失？要到什麼時候，人類才會放棄創造不存在的元素成為武器，停止製造不存在的仇恨與神聖性掀起戰爭，停止迷戀不存在的力量建立脆弱的繁榮。

要什麼時候，才會看清，鵼只是空，從未存在。現代性消滅神秘，但沒有消滅信仰。迷信依附到國家、金錢與科技這些更殘暴的力量上。

世間不存在不可思議的事物，將發光的碑視為陰謀，將繩子視為毒蛇而放棄真實的生活，只是純然無謂的悲劇而已。所以，中禪寺秋彥還是要祓除故事中最後的「幽靈」。

那是一張德文紙箋：

「愛因斯坦來到日光第二天的早上，前往中禪寺湖。他好像乘車去到登山口，當時是十二月，四下一片雪景。銀白世界的日光風光肯定美不勝收，但不巧的是天氣變糟了。聽說一行人在山頂遭遇了暴風雪。愛因斯坦在雪地跌倒了。當時有一名好心的少女幫了他一把，這就是他寫給那名少女的謝函。不過說是謝函，也只是寫在筆記本上撕下來的紙頁。」

關於戰爭、關於原子彈、關於現代日本，京極夏彥給了我們最後一個最溫柔的真相：能不能，在戰爭之後，我們接受失落與創傷，擁抱單純生活的美好。亞伯特愛因斯坦，可以是一個平凡的旅客，日光，可以是一個美麗的名勝，生活，可以只是生活，不需要有什麼其他。不再仰望不存在的鴞，腳踏實地追求真實的生活。

如同書中最後的結尾：

「——每個人。

都努力過日子。

雖然再也見不到……

但只要活著，也不是沒有機會見面。

綠川佳乃這麼想。

遠方，鳥兒在啼叫。」

作者介紹——

乃賴，編劇、評論，類型小說迷。彰化大城出生，台大經濟畢業，現居高雄。

京極夏彥作品集27——鵼之碑（下）

原著書名／鵼の碑
原出版者／講談社
作　者／京極夏彥
譯　者／王華懋
責任編輯／張麗嫺
編輯總監／劉麗真
國際版權／吳玲緯、楊靜
行　銷／徐慧芬
業　務／李再星、李振東、林佩瑜
事業群總經理／謝至平
發 行 人／何飛鵬
出　版／獨步文化
台北市南港區昆陽街16號4樓
電話：(02) 2500-7696　傳真：(02) 2500-1951
發　行／英屬蓋曼群島商家庭傳媒股份有限公司城邦分公司
台北市南港區昆陽街16號8樓
客服專線：(02) 25007718；25007719
24小時傳真專線：(02) 25001990；25001991
服務時間：週一至週五上午09:30-12:00；下午13:30-17:00
劃撥帳號：19863813　戶名：書虫股份有限公司
讀者服務信箱：service@readingclub.com.tw
城邦網址：http://www.cite.com.tw
香港發行所／城邦（香港）出版集團有限公司
香港九龍土瓜灣土瓜灣道86號順聯工業大廈6樓A室
電話：(852) 25086231　傳真：(852) 25789337
E-MAIL: hkcite@biznetvigator.com
馬新發行所／城邦（馬新）出版集團
Cite（M）Sdn. Bhd.（458372U）
41, Jalan Radin Anum, Bandar Baru Seri Petaling,
57000 Kuala Lumpur, Malaysia.
電話：+6(03) 90563833　傳真：+6(03) 90576622
E-MAIL: services@cite.my
封面設計／高偉哲
印　刷／中原造像股份有限公司
排　版／陳瑜安
2025年5月初版
售價490元
NUE NO ISHIBUMI
© Natsuhiko Kyogoku 2023
All rights reserved.
Original Japanese edition published by KODANSHA LTD.
Traditional Chinese publishing rights arranged with KODANSHA LTD.
本書由日本講談社正式授權，版權所有，未經日本講談社書面同意，不得以任何方式作全面或局部翻印、仿製或轉載。
ISBN：978-626-7609-40-8
978-626-7609-37-8（EPUB）

國家圖書館出版品預行編目（CIP）資料

鵼之碑／京極夏彥著；王華懋譯. -- 初版. - 臺北市：獨步文化, 城邦文化事業股份有限公司出版：英屬蓋曼群島商家庭傳媒股份有限公司城邦分公司發行, 2025.05
面；　公分. --（京極夏彥作品集；27）
譯自：鵼の碑
ISBN 978-626-7609-40-8（下冊：平裝）

861.57　　114003094